resiliência

Como blindar a sua mente e conquistar a tranquilidade para resolver qualquer adversidade

Donald Robertson

Psicoterapeuta e praticante de terapia cognitivo-comportamental (TCC)

Título original: *Build Your Resilience*

Resiliência

1ª edição: Outubro 2019

Autor:
Donald J. Robertson

Tradução e preparação de texto:
Lúcia Brito

Revisão:
3GB Consulting

Capa:
Jéssica Wendy

Diagramação:
Dharana Rivas

DADOS INTERNACIONAIS DE CATALOGAÇÃO NA PUBLICAÇÃO (CIP)

R649r Robertson, Donald J.

Resiliência : como blindar a sua mente e conquistar a tranquilidade para resolver qualquer adversidade / Donald J Robertson. – Porto Alegre : CDG, 2019.

ISBN: 978-65-5047-020-3

1. Psicologia. 2. Resiliência (Traço de Personalidade). 3. Desenvolvimento Pessoal. 4. Sucesso Pessoal. 5. Autoajuda. I.Título. 4. Autoajuda. I. Título.

CDD - 155.232

Produção editorial e distribuição:

contato@citadeleditora.com.br
www.citadeleditora.com.br

Sumário

Agradecimentos

Obrigado à minha adorável esposa, Mandy, pela paciência sem fim, pelo amor e pelo apoio enquanto eu trabalhava neste livro, e à minha linda filhinha, Poppy Louise Robertson, por brincar comigo e proporcionar regularmente alguma diversão fora do trabalho.

Obrigado à nossa gata, Daisy "Meepster" Robertson, por ficar longe do meu *laptop* dessa vez e não pisotear todo o teclado.

Agradecimentos especiais a Paul Young, por ler o manuscrito e proporcionar *feedback* e sugestões para serem acrescentadas na versão final deste livro.

As referências a textos clássicos seguem o sistema convencional de número da carta ou capítulo e passagem. As citações de Marco Aurélio são baseadas na tradução de Gregory Hay, a menos que especificado em contrário (AURELIUS, 2003).

1

Introdução: o que é resiliência?

Neste capítulo você vai aprender:

- O que significa resiliência na pesquisa psicológica e uma definição de resiliência em relação ao exercício de seus valores pessoais de vida.
- Quais fatores de risco e eventos da vida costumam gerar maior vulnerabilidade a problemas relacionados ao estresse.
- Quais fatores de proteção e estratégias de enfrentamento costumam reduzir o risco de problemas relacionados ao estresse.
- Como começar a desenvolver uma estratégia ou plano pessoal de resiliência.
- Como usar este livro e resolver problemas comuns que você pode encontrar enquanto tenta desenvolver resiliência.

Você tem poder sobre a sua mente – não sobre os eventos externos.
Perceba isso e encontrará força.

— Marco Aurélio, *Meditações*

A importância da resiliência

Como você pode melhorar sua capacidade de crescer e sobreviver em qualquer situação? Que desvantagens, estresses ou dificuldades você enfrenta hoje? Que problemas você precisaria antever – e se preparar para enfrentar? Que respaldos e elementos úteis o ajudaram a lidar bem com eventos difíceis no passado? O que você pode aprender com a maneira como outras pessoas lidam com os desafios da vida? Todas essas perguntas se referem à resiliência psicológica. Desenvolver resiliência é uma forma de melhorar sua capacidade de lidar com a adversidade ou com situações estressantes em geral.

Todos nós precisamos de algum grau de resiliência a fim de lidar com os problemas que a vida nos apresenta. De fato, pesquisas mostram que resiliência é algo normal e envolve habilidades e recursos comuns. Todo mundo tem condições de ser resiliente e de ficar ainda mais desenvolvendo estratégias de enfrentamento apropriadas. Os tipos de adversidade que demandam resiliência podem variar de inconvenientes do cotidiano a grandes reveses, como divórcio, demissão, falência, doença, morte e quem sabe traumas ainda mais severos. A maioria das pessoas acredita que é pelo menos moderadamente resiliente. Todavia, poucas são tão resilientes quanto poderiam ser em todos os setores da vida, e sempre existem mais aspectos de resiliência que podem ser desenvolvidos.

Este livro difere da vasta maioria dos livros de autoajuda, que normalmente visam preencher uma função corretiva, consertar um problema específico, tal como superar a depressão ou manejar a ansiedade. A abordagem de autoajuda que você está lendo aqui tem uma função mais geral e preventiva, melhorando a resiliência em adversidades tanto atuais como futuras. Desenvolver a resiliência tende a melhorar o bem-estar e a qualidade de vida, intensificando aspectos positivos como flexibilidade psicológica, habilidades sociais e capacidade de resolução de problemas. Este livro, portanto, vai ajudá-lo a se expandir além da zona de conforto, na direção de novos valores e metas, enfrentando com resiliência os desafios e oportunidades que surjam.

Exibir resiliência não significa eliminar a ansiedade e outras formas de angústia por completo. Muitas pessoas resilientes vivenciam fortes emoções, mas lidam bem com elas e superam problemas estressantes. Alguém de luto, por exemplo, naturalmente pode sentir extrema tristeza e ainda assim adaptar-se bem com o passar do tempo e evitar o desenvolvimento de depressão mais séria. Resiliência normalmente não significa amputar ou evitar as emoções, mas, como veremos, pode muitas vezes envolver aceitá-las, ao mesmo tempo buscando metas e valores pessoais saudáveis.

A pesquisa sobre resiliência é uma área bastante especializada que só começou a se desenvolver realmente nos anos de 1970, de início focada nos fatores que contribuem para a resiliência durante o desenvolvimento na infância. Entretanto, houve uma percepção crescente de que fatores similares são relevantes para a resiliência de adultos confrontados por adversidades, e também foram conduzidas pesquisas nessa área. Hoje programas consagrados de construção de resiliência são usados para ajudar a preparar crianças em idade escolar e universitários a lidar com o estresse e reduzir o risco de depressão e ansiedade, para melhorar o desempenho de atletas, as habilidades parentais, o desempenho de professores e também para aumentar a produtividade, a satisfação no emprego e o equilíbrio trabalho-vida dos funcionários de grandes empresas (Reivich & Shatté, 2002, p. 11). Enquanto a gestão tradicional de estresse e as abordagens terapêuticas em geral enfocam problemas quando estes surgem, as abordagens de construção de resiliência treinam os indivíduos para antever o estresse e se preparar para minimizar o impacto, suportando bem a experiência.

IDEIA-CHAVE: RESILIÊNCIA PSICOLÓGICA

A resiliência consiste em vários processos, formas de pensar e agir com as quais os indivíduos se adaptam e lidam bem com a adversidade, sem sofrer consequências prejudiciais de longo prazo em função do estresse. A resiliência foi definida pelos pesquisadores desse campo como "padrões de adaptação positiva durante ou após uma adversidade significativa" (Masten, Cutuli, Herbers & Reed, 2009, p. 118).

A resiliência emprega aptidões bastante comuns, como resolução de problemas, assertividade e manejo dos pensamentos e sentimentos. Com isso, reduz o impacto de eventos de vida estressantes e ao mesmo tempo promove o bem-estar geral e a qualidade de vida. Entretanto, existe alguma ambiguidade sobre o significado de "adaptação" ou "recuperação", na medida em que não existe uma definição única e imutável de bem-estar.

Neste livro vamos usar a abordagem conhecida como clarificação de valores para ajudar a definir resiliência em termos de permanecer comprometido em viver de acordo com valores pessoais, a despeito de deparar com desafios ou reveses. Enquanto a redução da ansiedade e da depressão é vista como a meta máxima em algumas abordagens tradicionais da construção de resiliência, aqui vemos ansiedade e depressão mais como barreiras internas ou obstáculos comuns a uma meta mais fundamental: viver de acordo com os valores pessoais.

Definição adicional de resiliência

Vários grupos de pesquisadores constataram que certos indivíduos tendem a lidar particularmente bem com eventos de vida altamente estressantes, como pobreza, divórcio ou trauma. Esses desafios têm pouco impacto na capacidade funcional de algumas pessoas, seja no desempenho acadêmico, seja no trabalho, e em longo prazo não acarretam problemas psicológicos ou relacionados ao estresse. O termo "resiliente" é usado para se referir a esses indivíduos robustos. "Resiliência", portanto, é o nome do processo dinâmico, contínuo, por meio do qual as pessoas lidam bem com eventos estressantes.

A que nos referimos habitualmente como resiliência? A definição padrão dos dicionários deriva da física e da engenharia, referente à capacidade de um material de reassumir automaticamente seu formato original após ser curvado, esticado, comprimido ou deformado de alguma maneira. Por exemplo, a borracha é altamente resiliente ao estresse físico, ao passo que o vidro, não. Nesse sentido, resiliência está ligada a coisas como flexibilidade, maleabilidade, viscosidade e elasticidade. A palavra deriva de um termo em latim, *resiliens*, que significa "saltar para a frente" ou pular de volta à posição. Por analogia, o termo resiliência é usado na biologia e na medicina para se referir à capacidade de um organismo, como um ser humano, de se recuperar de estresse, ferimento ou enfermidade.

Os seguintes termos incluem-se entre os sinônimos de resiliência no que se refere à capacidade de lidar com o estresse e as adversidades:

> Robustez, tenacidade, força, fortitude, adaptabilidade, flexibilidade, resistência, dureza, desenvoltura.

Resiliência também abrange a noção de uma capacidade de se recuperar de danos ou reveses, lidando com as consequências da adversidade:

> Flutuabilidade, dar a volta por cima rapidamente, recuperação, pôr-se em pé de novo, voltar à forma.

Esse aspecto da resiliência também é exprimido pelos autores modernos como uma capacidade de se "endireitar". Às vezes dizem, por exemplo, que a resiliência está associada a uma mentalidade de "sobrevivente", enquanto a falta de resiliência se associa à mentalidade de "vítima".

Nos estudos com crianças, sobreviver a reveses é entendido em termos de atingir metas típicas de desenvolvimento e desempenho escolar. Entretanto, com adultos fica menos claro como medir a resiliência, ou seja, o que constitui "dar a volta por cima rapidamente". Uma resposta é definir resiliência como o enfrentamento de desafios ou reveses de maneira a permanecer comprometido em viver de acordo com seus valores essenciais. Se você valoriza particularmente a integridade, por exemplo, resiliência envolveria conservar a integridade diante de problemas ou recuperá-la após um revés temporário.

O oposto de resiliência psicológica, a incapacidade de lidar com consequências negativas e riscos de que elas ocorram, poderia ser exprimido como:

> Risco, vulnerabilidade, suscetibilidade, fraqueza, desamparo, fragilidade.

Resiliência psicológica ou emocional (os dois termos são usados frequentemente de modo intercambiável) é o tipo de resiliência enfocada neste livro. Ela foi formalmente definida pelos pesquisadores como:

> Adaptação positiva no contexto de desafios significativos, referindo-se variadamente à capacidade, ao processo ou aos resultados de desenvolvimento bem-sucedido no decorrer da vida durante ou após a exposição a experiências de vida potencialmente transformadoras.
>
> (Masten, Cutuli, Herbers & Reed, 2009, p. 119)

Em linguagem simples, o termo resiliência é usado por psicólogos para se referir à capacidade de lidar bem com eventos estressantes e suas consequências.

LEMBRE-SE: RESILIÊNCIA É NORMAL

A pesquisa sobre resiliência mostra que é bastante normal as pessoas se saírem bem a despeito das adversidades e que as habilidades e atitudes que as ajudam a superar até grandes reveses são bem comuns. Você não precisa de superpoderes para ser resiliente diante de situações estressantes; precisa apenas de qualidades como confiança e certa capacidade para a resolução de problemas, interagir bem com os outros e manejar emoções desagradáveis.

ESTUDO DE CASO

Lidando com o ruído

Ao longo deste livro, vamos examinar exemplos específicos de indivíduos resilientes, começando com este exemplo de um grupo que luta com um problema relacionado a estresse. Nos últimos anos, estive envolvido em produzir e relatar uma série de estudos de pesquisa custeados pelo governo nos quais as pessoas aprenderam estratégias de TCC semelhantes a algumas deste livro para lidar com o estresse e melhorar o sono a despeito de problemas com ruídos no ambiente.

Nossos participantes se incomodavam com vizinhos barulhentos, ruídos do trânsito, do encanamento ou de máquinas. Isso pode causar enorme angústia, e algumas pessoas diziam que às vezes sentiam como se o ruído as estivesse "levando à loucura". Com frequência sentiam que sua qualidade de vida fora arruinada, e muitas desenvolveram sintomas relacionados ao estresse, como dor de cabeça, insônia ou problemas digestivos. Entretanto, logo percebemos que muitos participantes viviam com parceiros ou cônjuges que lidavam melhor com o ruído, ficavam menos incomodados e talvez mal o notassem depois de um tempo. De algum modo eram mais resilientes, embora sua capacidade de se acostumar provavelmente fosse um processo bastante normal de se adaptar a um ambiente barulhento.

Os estudos *Lidando com ruído* produziram evidência estatística de que aqueles que de início haviam lutado contra o ruído podiam aprender técnicas de enfrentamento que reduziam o estresse a despeito do barulho. Trabalhei de perto com muitos dos participantes, e os que mais se beneficiaram e adquiriram resiliência ao estresse relacionado ao ruído descreveram como aprenderam a aceitar o problema, deixaram de se debater e assim ficaram menos preocupados com o ruído, o que ironicamente os levou a reparar nele com menos frequência. Vamos voltar a essa estratégia de "desistência" e "aceitação" em detalhes mais adiante.

Avaliação da sua resiliência

Fatores de risco

Fatores de risco são basicamente os vários problemas da vida que podem causar sintomas relacionados ao estresse ou distúrbios mais sérios de saúde mental e debilitar a qualidade de vida. Existem quatro tipos principais de desafio vistos como um chamado à resiliência (Reivich & Shatté, 2002, p. 15):

1. Superar problemas de infância. Alguns casos requerem resiliência para superar problemas de desenvolvimento na infância que podem se acumular, tais como vir de um lar empobrecido ou desfeito, experimentar negligência ou mesmo abuso e outras desvantagens que podem aumentar o risco de problemas psicológicos na idade adulta.
2. Viver com aborrecimentos diários. A resiliência é empregada para lidar com as adversidades menores que ocorrem ao longo da vida, como discussões nos relacionamentos, dificuldades no trabalho e os desafios da vida cotidiana.
3. Recuperar-se de grandes reveses. Em algum ponto da vida, a maioria das pessoas depara com eventos altamente estressantes ou traumáticos que exigem maior resiliência, tais como demissão, problemas financeiros, luto, rompimento de relacionamento, doença grave, violência ou outro crime grave, ou mesmo situações mais extremas, como desastres naturais, guerra e terrorismo.
4. Buscar maior significado e propósito. A resiliência também pode ser vista como parte do processo de se expandir além da zona de conforto na direção de novas metas, pois agarrar oportunidades de modo proativo pode ser estressante e desafiador, assim como lidar com ameaças de forma reativa.

Com frequência esses fatores de risco têm efeito cumulativo. Assim, se um indivíduo sofre uma série de desafios na vida, cada um deles contribui para o aumento do nível de risco e ameaça o funcionamento saudável.

IDEIA-CHAVE: FATORES DE RISCO

Os fatores de risco aumentam a vulnerabilidade a danos de longo prazo. Incluem-se aqui os problemas de desenvolvimento na infância e eventos estressantes que vão de aborrecimentos diários contínuos a grandes reveses ou mesmo traumas. Esses problemas requerem algum grau de resiliência para se evitarem consequências danosas, como ansiedade ou depressão de longo prazo, e permanecer comprometido com os valores pessoais de vida.

Fatores de proteção

Os fatores de proteção reduzem o risco de se sofrer problemas mais sérios relacionados ao estresse, como ansiedade ou depressão, e minimizam os efeitos dos eventos adversos na qualidade de vida em longo prazo. Podem ser externos, como apoio social, ou internos, como as atitudes pessoais e as habilidades de enfrentamento. Vamos resumir a seguir alguns fatores-chave de proteção que contribuem para a resiliência adulta.

APOIO SOCIAL

Os fatores de proteção reportados com mais constância são os relacionamentos familiares ou sociais que oferecem apoio e encorajamento emocional saudável. Essa provavelmente é a coisa que sabemos com mais certeza a respeito da resiliência. Pessoas que têm uma família que proporciona apoio, bons relacionamentos com amigos ou mesmo uma conexão positiva com grupos religiosos, comunitários ou organizações semelhantes no geral tendem a exibir mais resiliência face à adversidade. Alguns dos benefícios dos relacionamentos saudáveis são:

- Ter modelos para os quais olhar e com os quais aprender.
- Experimentar cuidado e apoio de pessoas que se ama e em quem se confia.
- Ter condições de revelar e compartilhar problemas com pessoas que vão ouvir de maneira apropriada.
- Ser encorajado e tranquilizado de forma adequada por outras pessoas.

Além disso, também se verificou, em alguns estudos, que agir de forma altruísta, proporcionando apoio a outros, contribui para a resiliência pessoal. Talvez ajudar os outros a ser mais resilientes às vezes possa ajudar o indivíduo a se tornar mais resiliente.

A descoberta de que as habilidades sociais muitas vezes estão ligadas à resiliência está intimamente relacionada à importância do apoio social. É de se esperar que indivíduos com boas habilidades de comunicação sejam propensos a ter relacionamentos mais saudáveis e, portanto, apoio social mais positivo. Pessoas resilientes também tendem a fazer melhor uso do suporte social disponível, por exemplo, buscando ajuda para certos problemas e revelando seus sentimentos de forma apropriada para amigos ou familiares.

LEMBRE-SE: APOIO SOCIAL É UMA IMPORTANTE FONTE DE RESILIÊNCIA

Ter apoio social é uma das fontes de resiliência reportadas com mais constância. Pode ser o apoio da família, dos amigos ou de algum grupo civil ou religioso. Entretanto, é importante ser capaz de acessar o apoio de maneira adequada, e isso implica ter certas habilidades sociais, tais como assertividade e um bom estilo de comunicação. Pergunte-se como você poderia aumentar o seu acesso a apoio social adequado ao longo do tempo. Juntar-se a grupos, fazer amigos e melhorar a comunicação são estratégias de longo alcance na construção de resiliência.

CARACTERÍSTICAS INDIVIDUAIS

Uma série de características de comportamento pessoal foi apontada como contribuinte para a resiliência e pode ser resumida, grosso modo, da seguinte maneira:

- Autoestima, autovalorização ou autoaceitação saudáveis e consciência dos pontos fortes e dos recursos pessoais.
- Autoconfiança, crença na capacidade de ter um desempenho competente diante da adversidade.
- Boa capacidade de resolução de problemas, capacidade de tomar decisões e colocar planos em ação.
- Habilidades sociais, tais como assertividade, empatia e habilidades de comunicação.
- Boa "autorregulação emocional", a capacidade de manejar pensamentos, sentimentos e impulsos à ação de forma adequada.

APOIO SOCIAL				
Atitudes		Habilidades		
Autoestima	Autoconfiança	Habilidades sociais	Solução de problemas	Regulação das emoções

Essas são atitudes e habilidades que podem ser desenvolvidas por meio de treinamento em construção de resiliência, semelhante a métodos de treinamento usados no gerenciamento de estresse e terapias psicológicas.

IDEIA-CHAVE: FATORES DE PROTEÇÃO

Fatores de proteção tornam as pessoas resilientes, por defendê-las do risco de problemas de longo prazo devido a eventos adversos. As pesquisas sobre resiliência no geral apontaram o apoio social como o fator de proteção mais importante. Atitudes como autoestima positiva (ou autoaceitação) e autoconfiança tendem a ser protetivas. Além disso, estratégias de enfrentamento, tais como o emprego de habilidades sociais, resolução ativa de problemas e bom manejo das emoções tendem a proteger dos danos e contribuem para a resiliência.

Em nossa abordagem, alguns desses conceitos mais antigos são revisados. O conceito de autoconfiança é amplamente entendido como uma disposição para aceitar plenamente sentimentos desagradáveis, como ansiedade, ao mesmo tempo agindo de acordo com os valores pessoais mais importantes. A autoestima é igualmente substituída pela noção de desenvolvimento de uma consciência não verbal mais direta de si mesmo, como observador de suas experiências, agindo de acordo com seus valores.

Esquiva experiencial

O gerenciamento do estresse e a construção da resiliência tradicionalmente tendiam a enfocar a ideia de controlar pensamentos e sentimentos estressantes e substituí-los por outros mais positivos. Entretanto, mais recentemente está crescendo o número de pesquisadores no campo da psicoterapia que endossam a conclusão de que o esforço para eliminar experiências desagradáveis, chamado de esquiva experiencial, muitas vezes pode contribuir para problemas mais sérios em longo prazo. Por exemplo, a crença específica de que ansiedade é ruim e as tentativas de evitar a experiência de ansiedade parecem estar associadas à depressão clínica e ansiedade. Ao longo deste livro, adotaremos uma abordagem mais influenciada pela terceira onda das terapias cognitivo-comportamentais, às vezes referida como abordagens baseadas em *mindfulness* e aceitação, pois enfatiza o reconhecimento e a aceitação dos pensamentos e sentimentos desagradáveis, em vez de tentar eliminá-los ou evitá-los.

LEMBRE-SE: PESSOAS RESILIENTES SENTEM ANGÚSTIA

Seria um erro presumir que ser resiliente significa ser perfeito ou nunca se sentir chateado ou frustrado. Pessoas resilientes experimentam pensamentos e sentimentos desagradáveis, mas lidam com eles de modo a evitar que cresçam e virem problemas mais sérios de longo prazo, como ansiedade e depressão.

AUTOAVALIAÇÃO: CALCULE A SUA RESILIÊNCIA

Como um guia inicial rudimentar, atribua-se notas aos seguintes elementos da resiliência:

1. Tenho apoio abundante de outras pessoas na vida. (__/10)
2. Sou capaz de me aceitar como realmente sou. (__/10)
3. Confio em minha capacidade de lidar com a adversidade. (__/10)
4. Sou bom em me comunicar e interagir com os outros em momentos de estresse. (__/10)
5. Sou bom em encarar problemas desafiadores na vida e resolvê-los de forma sistemática. (__/10)
6. Lido bem com minhas emoções face à adversidade. (__/10)

Em vez de olhar o escore total, considere cada resposta individualmente. Para cada item acima, se você deu nota acima de zero, pergunte-se por quê. Além disso, o que poderia fazer para aumentar a nota em cada item, deixando-o mais próximo do 10?

Abordagens para a construção de resiliência

Então, como se desenvolve resiliência? A Associação Americana de Psicologia (APA – American Psychological Association) publicou um folheto informativo baseado em pesquisas intitulado *The Road to Resilience* (A estrada para a resiliência), conduzido por uma equipe de seis psicólogos que trabalham na área. As dez recomendações para o desenvolvimento e a manutenção da resiliência podem ser parafraseadas assim:

1. Mantenha bons relacionamentos com a família, os amigos e outros.

2. Evite ver as situações como problemas intransponíveis e procure formas de ir em frente quando possível.
3. Aceite certas circunstâncias como fora de seu controle quando necessário.
4. Fixe metas realistas, em pequenos passos se necessário, e planeje trabalhar regularmente nas coisas alcançáveis.
5. Tome uma atitude decidida para melhorar sua situação em vez de apenas evitar problemas.
6. Busque oportunidades de crescimento pessoal tentando encontrar significado positivo ou construtivo nos acontecimentos.
7. Cultive uma visão positiva de si mesmo e desenvolva confiança em sua capacidade de resolver problemas externos.
8. Mantenha as coisas em perspectiva olhando para elas de forma equilibrada e focando no cenário mais amplo.
9. Mantenha uma perspectiva esperançosa e otimista, enfocando metas concretas, em vez de se preocupar com possíveis catástrofes futuras.
10. Cuide de si, prestando atenção a suas necessidades e sentimentos e tratando de seu corpo, praticando exercícios físicos saudáveis e se dedicando regularmente a atividades agradáveis, relaxantes e saudáveis, quem sabe incluindo práticas como a meditação.

Ao longo deste livro você aprenderá técnicas e estratégias específicas para ajudar a desenvolver essas atitudes e habilidades, além de outras formas resilientes de pensar e agir. Alguns dos métodos mais comuns de construção de resiliência, que compõem a base deste livro (ainda que com algumas modificações), são descritos a seguir.

Terapia cognitivo-comportamental (TCC)

A terapia cognitivo-comportamental (TCC) e sua precursora, a terapia racional-emotivo-comportamental (TREC), são terapias psicológicas que enfocam pensamentos e crenças (cognições) e também o comportamento a fim de lidar com perturbações emocionais. A TCC é a base da maioria das abordagens de construção de resiliência, que tomam técnicas baseadas em evidência usadas na ansiedade e depressão clínicas e as adaptam para o uso no gerenciamento de estresse em geral. Michael Neenan escreveu um excelente livro de autoajuda intitulado *Developing Resilience: A Cognitive-Behavioral Approach* (2009), que explora em profundidade o papel de desafiar atitudes inúteis. Ao longo deste livro, também vamos recorrer à TCC moderna como fonte de métodos para a construção de resiliência.

Treinamento em resolução de problemas (TRP)

A terapia de resolução de problemas, ou treinamento em resolução de problemas (TRP), é uma abordagem cognitivo-comportamental simples, inicialmente desenvolvida nos anos 1970, que acumulou o apoio de muitos estudos para uma ampla gama de problemas relacionados ao estresse, mas em especial para o tratamento da depressão clínica. Diversas formas de construção de resiliência, tais como a abordagem de TCC de Neenan, incluem elementos do treinamento em resolução de problemas. Entretanto, o modo de pensar da resolução de problemas pode se tornar uma ameaça à resiliência se não se sabe quando parar. Precisamos aprender a equilibrar a resolução de problemas com a aceitação, especialmente quando tentativas infrutíferas de resolução de problemas se tornam parte do problema.

Relaxamento aplicado e progressivo

O relaxamento progressivo é uma abordagem antiga, que remonta aos anos 1920, mas tem sido continuamente desenvolvido e incorporado a diferentes formas de TCC. Embora usado como terapia, também tem sido usado preventivamente, para desenvolver resiliência física e emocional a estresse e enfermidades. O relaxamento progressivo e uma variação moderna chamada relaxamento aplicado são usados em abordagens consagradas de construção de resiliência.

Treinamento de habilidades sociais e assertividade

A primeira forma de treinamento de habilidades sociais provavelmente foi o treinamento em assertividade, originado nos anos 1950 como forma de terapia comportamental. Habilidades sociais, incluindo assertividade, empatia e habilidades de comunicação, são amplamente usadas como parte das abordagens de construção de resiliência. Vimos que o apoio social frequentemente é reportado como um dos mais importantes fatores para a resiliência. O foco no desenvolvimento de habilidades sociais pode ajudar a proteger, intensificar e acessar fontes adequadas de apoio social.

Programa de Resiliência Penn (PRP)

Pode ser útil resumir o conteúdo de um pacote consagrado de treinamento em resiliência antes de expor a abordagem revisada descrita neste livro e explicar os motivos para ela ser ligeiramente diferente. O Programa de Resiliência Penn (PRP) talvez seja o melhor exemplo de abordagem consagrada de construção de resiliência. Foi elaborado inicialmente como um meio de minimizar a depressão em longo prazo em crianças em idade escolar, baseado no trabalho anterior de Martin Seligman sobre "otimismo aprendido" e adaptando as técnicas de terapia cognitiva padrão para atuarem com função preventiva em vez de corretiva. O PRP foi amparado por evidência convincente de sua eficiência como tratamento preventivo para a depressão e, em alguns estudos, ansiedade. Por exemplo, até dois anos depois de terem aulas de construção de resiliência, alunos considerados sob risco de depressão tinham cerca de metade da probabilidade de desenvolver depressão do que suas contrapartes em grupos de controle que não receberam treinamento em resiliência (Reivich & Shatté, 2002, p. 11). Em crianças em idade escolar, para as quais essa abordagem foi originalmente projetada, a pesquisa verificou que problemas de conduta, de comportamento, também melhoraram.

A versão do Programa de Resiliência Penn (PRP) descrita por Reivich e Shatté (2002) consiste em sete habilidades principais:

1. MONITORAR OS PENSAMENTOS: aprender a identificar os pensamentos inúteis quando ocorrem e entender como influenciam seus sentimentos e ações.
2. DETECTAR ERROS DE PENSAMENTO: detectar erros comuns (ou armadilhas) entre os pensamentos, tais como culpar-se excessivamente ou chegar a conclusões precipitadas.
3. IDENTIFICAR CRENÇAS INÚTEIS: identificar crenças subjacentes (fundamentais ou *icebergs*) inúteis e avaliá-las.
4. DESAFIAR CRENÇAS INÚTEIS: isso inclui a resolução de problemas, bem como aprender a contestar crenças defeituosas de "por quê?" (ou ruminações) sobre as causas de problemas que podem atrapalhar sua resolução.
5. DESAFIAR PREOCUPAÇÕES CATASTRÓFICAS: lidar especificamente com o pensamento "e se?" (ou preocupações irrealistas), desafiando as crenças catastróficas sobre as consequências de problemas e focando, em vez disso, nos resultados mais prováveis ("descatastrofizando" ou colocando as coisas em perspectiva).
6. ESTRATÉGIAS PARA ACALMAR E FOCAR RAPIDAMENTE: habilidades de enfrentamento para uso em situações no mundo real, consistindo de uma forma simplificada de relaxamento aplicado (Reivich & Shatté, 2002, pp. 192–196) e de imagens de enfrentamento usadas para acalmar emoções estressantes, e técnicas de distração (foco) para gerenciar pensamentos intrusivos, preocupação e ruminação rapidamente.
7. RESILIÊNCIA EM TEMPO REAL: envolve o uso de uma versão bem resumida das habilidades de contestação acima (4 e 5) para

desafiar pensamentos inúteis mais rapidamente e substituí-los por pensamentos resilientes em situações específicas, completando as lacunas ou autoafirmações: "Uma maneira mais acurada de ver isso é...", "Isso não é verdade porque..." e "Um resultado mais provável é... e eu posso... para lidar com isso" (Reivich & Shatté, 2002, pp. 206–20).

O programa de treinamento em resiliência mais recente de Seligman é planejado não para crianças, mas para adultos das Forças Armadas. O programa de Treinamento em Resiliência Master (MRT – *Master Resilience Training*) baseia-se na abordagem do PRP, mas inclui componentes adicionais influenciados por temas mais amplos da psicologia positiva (Seligman, 2001, pp. 163–176):

- Manter um diário de gratidão, registrando acontecimentos positivos e seu significado pessoal para elevar o ânimo.
- Identificar as forças de assinatura pessoais e colocá-las em prática mais regularmente.
- Nutrir relacionamentos mais fortes com o desenvolvimento de um estilo de resposta ativo e construtivo, valorizando comportamentos específicos, e treinamento em assertividade.

A psicologia positiva começou a ser desenvolvida no final dos anos 1990. Enfoca o cultivo direto de forças positivas em vez de remediar as fraquezas como forma de melhorar a qualidade de vida e o bem-estar geral, o que tem o benefício de aumentar a resiliência.

Abordagens baseadas em *mindfulness* e aceitação

Essas e outras abordagens semelhantes se valem intensamente de métodos consagrados de TCC usados no tratamento de ansiedade e depressão clínicas, que são modificados para o uso em uma população normal (não clínica) e com função mais preventiva. Enfatizam a importância da atitude em relação à adversidade e ao enfrentamento do estresse, o estilo de pensamento, como fator principal para determinar a resiliência emocional. Por exemplo:

> Seu estilo de pensamento é o que faz com que você responda emocionalmente aos acontecimentos; por isso seu estilo de pensamento é o que determina seu nível de resiliência – sua capacidade de superar, manobrar e se recuperar quando sobrevém a adversidade.
>
> (Reivich & Shatté, 2002, p. 3)

Entretanto, nas últimas décadas a própria TCC mudou, e veio uma terceira onda de terapias que adotam uma ênfase diferente. As abordagens baseadas em *mindfulness* e aceitação, como são conhecidas, interpretam achados em pesquisas no campo da psicologia como sugestivos de que não é tanto o conteúdo de nossos pensamentos e atitude que importa, mas sim nossa relação com eles, ou seja, como reagimos a eles. Como o nome sugere, essas abordagens geralmente recomendam tratar os pensamentos inúteis com *mindfulness* e aceitação em vez de desafiar e contestar seu conteúdo. Isso difere fundamentalmente da TCC tradicional e das abordagens de construção de resiliência como o PRP.

A questão-chave aqui é se o melhor caminho para desenvolver resiliência é coletar evidências e contestar a lógica dos pensamentos inúteis, como na TCC tradicional, ou simplesmente reconhecê-los e se distanciar deles sem entrar em luta interna, como as abordagens baseadas em *mindfulness* e aceitação agora recomendam. Alguns autores acreditam que podemos tanto contestar os pensamentos como aprender a nos distanciar deles, enquanto outros consideram que essas abordagens às vezes podem conflitar. Tanto a TCC tradicional quanto as abordagens mais recentes baseadas em *mindfulness* e aceitação concordam que certas mudanças no comportamento, tais como agir de acordo com valores, resolver problemas práticos, desenvolver habilidades sociais e até aprender a soltar a tensão muscular, são meios importantes e benéficos de melhorar nosso funcionamento e qualidade de vida. Este livro adota uma abordagem integrativa da construção de resiliência que provavelmente pode ser mais bem descrita como uma forma de terapia comportamental baseada na aceitação (ABBT – *acceptance-based behaviour therapy*) (Roemer & Orsillo, 2009).

A abordagem deste livro

A abordagem de autoajuda para a construção de resiliência descrita neste livro se vale de programas consagrados de treinamento em resiliência, mas também incorpora muitos elementos de pesquisas mais recentes de abordagens baseadas em *mindfulness* e aceitação para o tratamento de problemas psicológicos comuns. A forma de terapia baseada em aceitação mais relevante para a construção de resiliência talvez seja a terapia de aceitação e compromisso (ACT – *acceptance and commitment therapy*), a ser discutida em mais detalhes nos próximos capítulos. A meta central da ACT é aumentar a flexibilidade psicológica geral, um conceito bastante similar ao da resiliência psicológica.

Capítulos subsequentes vão examinar a abordagem da ACT para a flexibilidade psicológica e a resiliência e como habilidades cognitivo-comportamentais mais tradicionais podem ser incorporadas à abordagem baseada em *mindfulness* e aceitação. O conteúdo pode ser resumido da seguinte maneira:

1. Habilidades de flexibilidade psicológica (*mindfulness* e viver valorizado)
   a. Clarificação dos valores pessoais
   b. Compromisso com as ações valorizadas
   c. Desfusão dos pensamentos desagradáveis ou inúteis
   d. Aceitação voluntária dos sentimentos desagradáveis
   e. Consciência do eu-como-observador
   f. Conexão com o momento presente

2. Habilidades e estratégias adicionais
   a. Adiamento da preocupação
   b. Relaxamento muscular progressivo
   c. Relaxamento aplicado
   d. Solução de problemas
   e. Assertividade e outras habilidades sociais

Alguns desses tópicos podem parecer um pouco crípticos de início, mas ficarão claros à medida que você ler os próximos capítulos. Em resumo, essa abordagem compartilha certos elementos das abordagens consagradas da construção de resiliência. A principal diferença é que coloca maior ênfase no relacionamento da pessoa com pensamentos e crenças inúteis do que na tentativa de contestá-los. Também enfatiza o papel de clarificar os valores pessoais e agir de acordo com eles, o que é semelhante à ênfase nas forças de assinatura adotada no trabalho mais recente de Seligman na área.

No último capítulo, também vamos examinar aquele que talvez seja o mais antigo sistema ocidental de construção de resiliência, a escola clássica de filosofia greco-romana conhecida como estoicismo, derivada dos ensinamentos de Sócrates e que inspirou o desenvolvimento da TCC moderna (Robertson, 2010). Em certo sentido, os estoicos são os antigos ancestrais da maioria das abordagens modernas de construção de resiliência. De fato, Epicteto, o filósofo estoico que mais influenciou o campo da psicoterapia, foi descrito como "santo padroeiro dos resilientes" (Neenan, 2009, p. 21).

Desenvolvimento de uma estratégia pessoal de resiliência

Uma boa maneira de começar a construção da resiliência é rever as experiências passadas para identificar o que você pode aprender a respeito de lidar com o estresse e desenvolver um plano ou estratégia pessoal de resiliência para o futuro. Essa abordagem é recomendada pela Associação

Americana de Psicologia em sua orientação sobre resiliência, e exercícios semelhantes foram usados na TCC para a construção de resiliência.

TENTE AGORA: AVALIE SUAS ESTRATÉGIAS PRÉVIAS DE RESILIÊNCIA

Identifique um período específico do passado em que você demonstrou resiliência diante da adversidade ou lidou bem com eventos de vida estressantes.

1. Qual era a sua meta?
2. Qual foi o resultado real?
3. Que obstáculos você teve de superar?
4. Que pensamentos e sentimentos desagradáveis você lembra de ter tido na situação?
5. De quem, se é que de alguém, você recebeu ajuda ou apoio externo?
6. Que atitudes ou habilidades específicas o ajudaram a lidar com a situação?
7. Como você classificaria sua resiliência naquela situação (0% – 100%)?
8. Por que não foi 0%? Que forças e qualidades pessoais o ajudaram?
9. Se não foi 100%, como sua resiliência poderia ser melhorada em uma situação semelhante no futuro?
10. Baseado em sua experiência, como você aconselharia alguém a lidar com um problema semelhante?

Se quiser, utilize o processo acima em umas três situações diferentes e procure padrões nos seus problemas e nas formas de lidar com eles.

A ideia é que isso o ajude a começar a refletir sobre as forças existentes de que dispõe e como pode desenvolvê-las ainda mais no decorrer da construção de resiliência.

TENTE AGORA: DESENVOLVA SEU PLANO PESSOAL DE RESILIÊNCIA

Com base em suas respostas, considere como você poderia desenvolver sua resiliência e lidar melhor com eventos estressantes similares no futuro.

1. Qual seria a atitude mais útil a adotar em relação a problemas semelhantes no futuro?
2. Quais habilidades e estratégias ajudariam a desenvolver e usar essa atitude?
3. Que forças pessoais ou recursos sociais você tem que poderiam ajudá-lo a demonstrar resiliência no futuro?
4. Como você pode melhorar esses recursos e fazer melhor uso deles?

Comece a pensar sobre suas necessidades em termos de construção de resiliência. Este livro vai fornecer algumas informações e técnicas úteis, mas pode haver outras coisas que você precise encarar a fim de se tornar mais resiliente. Tente desenvolver um plano próprio de ação.

Como usar este livro

A maioria dos capítulos a seguir pressupõe que os tópicos ensinados podem ser divididos em três estágios:

1. Entendimento do tema do capítulo e como se autoavaliar de maneira relevante.
2. Aprendizado das estratégias de resiliência específicas em discussão.
3. Aplicação prática das estratégias e continuidade do uso para desenvolver resiliência de longo prazo.

Todos os três estágios normalmente são importantes. Não cometa o erro comum de ler um livro de autoajuda sem de fato colocar as técnicas em prática, pois o benefício será mínimo. Entretanto, também evite agir por impulso, leia as informações nos capítulos e considere as estratégias cuidadosamente, planejando como fará uso sistemático delas, se possível. É normal deparar com dificuldades e reveses ao longo do caminho, isso faz parte de sair da zona de conforto e de se desafiar a aprender e crescer. Portanto, seu primeiro passo no aprendizado da resiliência provavelmente será se preparar para lidar com problemas durante a construção de resiliência e a aplicação dos conteúdos deste livro em sua vida. Então vamos começar antecipando problemas comuns e planejando como enfrentá-los.

Solução de problemas

TEM UMA PARTE DO LIVRO QUE NÃO ENTENDO

Tentei fazer este livro o mais fácil de ler possível, mas alguns conceitos derivados da terapia moderna são bastante desafiadores e sutis. Se você empacar, tente ler o resto do livro e voltar à parte que não entendeu mais tarde. Ou tente buscar informação *on-line*. Se você realmente está com alguma dúvida, sinta-se à vontade para contatar a mim, o autor, com suas perguntas, via donald@londoncognitive.com.

TENTEI UMA DAS ESTRATÉGIAS, MAS NÃO ESTÁ FUNCIONANDO

Antes de tudo, certifique-se de que entendeu a técnica. Releia o capítulo e busque informação adicional em outras fontes. Em segundo lugar, o aprendizado de autoajuda muitas vezes é uma questão de perseverança, ou tentativa e erro. Seja paciente e faça uma tentativa honesta antes de abandonar uma técnica. Além disso, certifique-se de não jogar tudo pela janela. Talvez esteja funcionando em parte, mas não perfeitamente, e nesse caso você poderia perseverar e talvez modificar sua abordagem com o tempo. Todavia, se simplesmente não funciona, tente outras estratégias do livro. Existe uma variedade de opções, mas você não deve esperar que todo o menu de estratégias seja igualmente relevante e útil para todos os indivíduos. Algumas coisas vão servir melhor que outras. Seja seletivo e enfoque as partes do livro que considerar mais úteis.

ESTOU LUTANDO COM MINHA AUTODISCIPLINA E MOTIVAÇÃO

Motivação faz parte da autoajuda. Felizmente existem muitas, muitas maneiras de tentar desenvolver a motivação – não é uma quantidade fixa. Alguns dos capítulos contêm exercícios que podem ajudar a motivá-lo ou a desenvolver mais estrutura e autodisciplina. Por exemplo, o capítulo sobre clarificação de valores pode ajudar a acessar fontes potenciais de motivação pelo planejamento da ação de acordo com seus mais caros valores e prioridades na vida. Outra estratégia comum é recorrer a uma lista de prós e contras da mudança (ou aplicar alguma estratégia de resiliência) e depois a uma lista de prós e contras de não fazer nada. O capítulo sobre compromisso com a ação valorizada vai ajudar a decidir como lidar com diferentes barreiras à ação, algumas das quais podem ser resolvidas como um problema, enquanto outras, como sentimentos desagradáveis, talvez precisem ser aceitas em prol da construção de resiliência. O capítulo sobre aceitação fornecerá estratégias para aceitar e transpor os sentimentos de frustração ou desconforto no processo de perseguir suas metas.

NÃO SEI AO CERTO SE ESTÁ FUNCIONANDO OU NÃO

As pessoas muitas vezes dizem isso quando estão apressando as coisas. Como regra geral, você deve perseverar com a maioria das estratégias pelo menos uma vez por dia, durante no mínimo duas semanas, a fim de ter condições de avaliar seu efeito com propriedade. Não espere um conserto rápido ou uma cura milagrosa. Você está envolvido em um processo de aprendizado que requer prática, como aprender a tocar um instrumento musical ou dirigir um carro. Roma não foi construída em um dia. O outro motivo para esse problema é que as pessoas estabelecem metas ambíguas que não podem ser mensuradas. Tente estabelecer metas SMART (ver Capítulo 4), específicas e mensuráveis o bastante para você ter condições de monitorar seu progresso adequadamente. Mantenha registros (diários) regulares do seu uso de estratégias e tente focar sistematicamente em uma estratégia e meta de cada vez, de modo que possa fazer uma tentativa honesta.

PARECIA QUE EU ESTAVA FAZENDO PROGRESSO, MAS AÍ DEPAREI COM UM REVÉS

Isso é tão comum que parece ser a norma. Você só pode realmente fracassar ao desistir. É normal deparar com reveses ao longo do caminho, mas parte da resiliência é se levantar e ir em frente. A maioria dos reveses é temporária, e as pessoas que já desenvolveram algumas habilidades e fizeram algum progresso tendem a se recuperar mais rápido dos reveses. Você pode perder uma batalha, mas ainda assim vencer a guerra. Como Coué, cristão e um dos pais da autoajuda disse certa vez, até Cristo tropeçou e caiu mais de uma vez na estrada para o calvário. O capítulo sobre compromisso com ações valorizadas tem alguns conselhos sobre retomar o compromisso com a ação depois de lapsos ou reveses.

ESTOU EXPERIMENTANDO PROBLEMAS PSICOLÓGICOS MAIS SÉRIOS

Se você sente que está lutando com problemas psicológicos, emocionais ou comportamentais mais sérios, como psicose ou ansiedade ou depressão clínicas, deve procurar ajuda de um profissional qualificado e adequado. No Reino Unido, a primeira parada normalmente deve ser o seu clínico geral, que terá condições de aconselhar melhor em quaisquer problemas de saúde mental que você esteja vivenciando. Se você está sofrendo de quaisquer problemas de saúde mental diagnosticáveis, não deve usar este livro, exceto sob a supervisão de um terapeuta adequado. Em alguns casos, se você está sendo tratado com TCC, por exemplo, seu terapeuta talvez possa recomendar este livro ou partes dele como uma lição de casa de autoajuda, a ser usada como complemento da terapia psicológica.

DEPAREI COM OUTRO PROBLEMA NÃO MENCIONADO AQUI

Pense agora, para começar, o que mais você poderia fazer para lidar com cada um dos problemas mencionados acima. Considere também que outros problemas você poderia encontrar e que não mencionei. O capítulo sobre resolução de problemas vai proporcionar um meio flexível e sistemático de gerar soluções para qualquer problema e planejar como colocá-las em ação.

TENTE AGORA: ANTECIPE PROBLEMAS E SOLUÇÕES

Este talvez seja o exercício mais importante de todo o livro! Comece como se pretendesse antecipar possíveis problemas e tentar evitar que se tornem obstáculos ao uso deste guia de autoajuda:

1. Faça uma lista de problemas com que você poderia deparar enquanto lê este livro e tenta desenvolver resiliência. Caso julgue apropriado, considere problemas que possa ter encontrado no passado usando guias de autoajuda.
2. Reserve um momento para imaginar todas as soluções possíveis para cada problema, registrando em um bloco de anotações.
3. Quando tiver esgotado todas as soluções em que consegue pensar, tente fazer algumas perguntas para incitar outras mais. O que você aconselharia se alguém deparasse com o mesmo problema? O que você acha que uma pessoa resiliente faria na mesma situação? O que você acha que um especialista ou alguém que o conhece bem o aconselharia a fazer?

4. Considere quais soluções possíveis seriam mais fáceis de colocar em prática e com mais probabilidade de sucesso e as marque com um asterisco.
5. Mantenha um registro de suas respostas, de modo que possa voltar a elas caso depare com quaisquer problemas enquanto tenta usar as estratégias deste livro para desenvolver sua resiliência.

Você pode arranjar um bloco de anotações para usar como diário da construção de resiliência, registrando suas respostas para outras perguntas deste livro e o que aprendeu ao longo do caminho.

Pontos de foco

Os pontos principais deste capítulo são:

- Resiliência é uma coisa ordinária, não extraordinária; a maioria das pessoas exibe algum grau de resiliência na vida.
- As pessoas resilientes exibem atitudes e habilidades comuns que qualquer um pode aprender a desenvolver e com isso construir resiliência.
- Os programas de construção de resiliência utilizam intensamente a terapia cognitivo-comportamental (TCC) e são respaldados por pesquisas sobre prevenção da depressão e problemas relacionados.
- Este livro adota abordagem semelhante, mas também incorpora abordagens mais recentes baseadas em *mindfulness* e aceitação, que mudam a forma como você se relaciona com os pensamentos e sentimentos desagradáveis em vez de tentar alterar o conteúdo deles diretamente.
- Resiliência envolve lidar com a adversidade de forma que preserve o seu bem-estar, o que podemos definir em termos de sua capacidade de viver uma vida compromissada com seus valores pessoais mais importantes.

Próximo passo

Os capítulos a seguir começarão a explorar muitos conceitos e estratégias específicos que você pode usar para construir resiliência. Antes de tudo, porém, teremos de encarar o problema da esquiva experiencial, um dos principais obstáculos ao desenvolvimento da flexibilidade e resiliência psicológicas.

LEITURA ADICIONAL

Neenan, M. (2009). *Developing Resilience: A Cognitive-Behavioural Approach.*

Reivich, K. & Shatté, A. (2002). *The Resilience Factor.*

Seligman, M. E. (1995). *The Optimistic Child: A Proven Program to Safeguard Children against Depression and Build Lifelong Resilience.*

O folheto de informação *The Road to Resilience*, da Associação Americana de Psicologia, está disponível *on-line* no endereço www.apa.org/helpcenter/road-resilience.aspx.

2

Abandono da esquiva experiencial

Neste capítulo você vai aprender:

- Como a luta para controlar pensamentos e sentimentos desagradáveis (esquiva experiencial) pode ser um tiro pela culatra.
- Como esforços impraticáveis para mudar muitas vezes mantêm o sofrimento por longo prazo e impedem que os sentimentos sigam seu curso natural.
- Como a esquiva experiencial prejudica a qualidade de vida, por interferir nas atividades valorizadas.
- Que controlar experiências desagradáveis às vezes funciona, especialmente em problemas mais brandos, mas não quando o controle é rígido ou excessivo demais.
- A importância de abandonar os velhos modos habituais de enfrentamento se não estão funcionando e adotar a flexibilidade psicológica, o que se refere à aceitação e às ações valorizadas.

A alma humana degrada-se acima de tudo quando faz o máximo para se tornar um abcesso, uma espécie de excrescência destacada do mundo. Incomodar-se com qualquer coisa que aconteça é uma espécie de secessão da natureza...

— Marco Aurélio, *Meditações*

O controle é controlado por sua necessidade de controle?

— William Burroughs, *Ah Pook is Here*

A importância de enfraquecer a esquiva experiencial

Terapia de aceitação e compromisso (ACT)

Tentar controlar e evitar experiências desagradáveis (como dor, ansiedade, depressão e raiva) trabalha a seu favor no longo prazo? Essa solução realmente ajuda a resolver seu problema ou é apenas outra parte do problema? É mesmo possível controlar completamente os pensamentos e sentimentos automáticos? Como se pode evitar pensamentos e sentimentos desagradáveis por completo se eles são uma parte tão comum da experiência humana? O termo "esquiva experiencial" é usado na terapia moderna para se referir a esforços inúteis para suprimir, controlar ou evitar experiências desagradáveis. Por experiências desagradáveis nos referimos a pensamentos, sentimentos, memórias, sensações físicas ou impulsos para agir de determinadas maneiras.

A terapia de aceitação e compromisso (ACT – *acceptance and commitment therapy*) é uma das mais influentes entre as diversas terapias modernas baseadas em *mindfulness* e aceitação. Essas abordagens derivam da pesquisa sobre terapias cognitivas e comportamentais mais antigas e também fazem uso, em certa medida, de práticas de meditação e da filosofia budistas. A ACT é particularmente adequada à construção de resiliência porque presume que a maioria dos problemas psicológicos, embora assumam muitas formas, deve-se ao mesmo punhado de processos essenciais coletivamente chamados de esquiva experiencial. Por isso a ACT enfatiza a importância de abandonar a esquiva experiencial, os padrões rígidos de comportamento impelidos por sentimentos de aversão, e em vez disso cultivar flexibilidade psicológica, um conceito semelhante ao de resiliência psicológica. A flexibilidade psicológica pode ser descrita como um estilo aberto, centrado e engajado de reagir aos eventos. A abordagem adotada neste livro combina elementos da ACT com abordagens cognitivo-comportamentais tradicionais para a construção de resiliência.

IDEIA-CHAVE: TERAPIA DE ACEITAÇÃO E COMPROMISSO (ACT)

A ACT baseia-se em um corpo crescente de pesquisa psicológica básica chamada teoria das molduras relacionais (RFT – *relational frame theory*), inicialmente desenvolvido nos anos 1980 por Steven Hayes e seus colegas, que, por sua vez, baseia-se em conceitos anteriores de psicologia comportamental. A ACT é definida por seis processos essenciais que se combinam para manter a flexibilidade psicológica geral, um conceito semelhante a resiliência. A literatura recente tende a agrupar os seis processos nos três seguintes estilos de resposta:

- Resposta aberta
  - Aceitação
  - Desfusão cognitiva
- Resposta centrada
  - Eu-como-contexto
  - Contato com o momento presente
- Resposta engajada
  - Valores
  - Ação compromissada

Alguns desses tópicos podem parecer um pouco misteriosos neste momento, mas vamos explorá-los em detalhes mais adiante. Entretanto, antes de se desenvolverem esses aspectos positivos da flexibilidade psicológica, as abordagens da ACT recomendam explicitamente o enfraquecimento e abandono da esquiva experiencial, de modo que este capítulo começa com esse tema.

O que é esquiva experiencial?

Problemas psiquiátricos não são anormais. Pode parecer uma afirmação paradoxal, mas a Pesquisa Nacional de Comorbidade dos Estados Unidos, por exemplo, reportou que quase 50% das pessoas preenchem os critérios para pelo menos um diagnóstico psiquiátrico em algum momento da vida. Assim, ter uma história de problemas de saúde mental é bastante normal em termos estatísticos. Ter uma história de problemas de saúde mental é mais comum, por exemplo, do que ter olhos azuis ou ser canhoto.

Depressão e ansiedade, mesmo quando bastante severas e incapacitantes, parecem fazer parte da condição humana em certa medida. Além do mais, todo mundo pode esperar experimentar sintomas mais brandos (subclínicos) de ansiedade e depressão muitas vezes ao longo da vida. A vida humana é dura e psicologicamente mais exigente que a maioria da vida animal. Pesquisas sobre o conteúdo do pensamento de fato mostraram que, na população normal, uma ampla percentagem dos pensamentos ao longo do dia é bastante negativa ou desagradável.

Emocionalmente as pessoas sofrem mais do que talvez transpareça em sua aparência. Paradoxalmente, Estados Unidos e Reino Unido, a despeito de seu poder e riqueza, registram índices elevados notórios de receitas para antidepressivos. As pessoas com frequência mantêm silêncio sobre – ou escondem – sua angústia interna, e as pesquisas mostraram que muita gente com problemas de saúde mental não procura tratamento. Ansiedade, depressão e outras formas de angústia provavelmente são mais comuns do que as pessoas assumem. Quando você pega um ônibus ou trem, é provável que várias pessoas ao redor estejam sofrendo de depressão ou ansiedade clínica, embora você não perceba pela aparência.

Se ansiedade e depressão periódicas são quase que a norma, será que a resiliência psicológica pode realmente consistir em eliminá-las de modo permanente? Provavelmente não. De fato, em vez de oferecer uma solução, a suposição básica de que devemos tentar eliminar sentimentos desagradáveis, que fazem parte de nossa herança cultural, pode ser um problema fundamental. Você deve se perguntar o que pode aprender com sua experiência pessoal sobre o quanto esses esforços são exequíveis em longo prazo e não o que presume que deva acontecer quando tenta controlar suas reações automáticas.

Pode-se dizer que, no mundo exterior, a regra que tendemos a seguir é "se você não gosta de alguma coisa, livre-se dela", ao passo que, no mundo interior, dos pensamentos e sentimentos, essa regra não funciona, e as coisas operam de acordo com a regra de que "se você não está disposto a ter, então vai levar" ou "se você lutar contra alguma coisa, vai receber mais dela". Por analogia, quando nosso sistema imune, que normalmente nos protege, fica ativo demais, podemos desenvolver problemas de saúde, como alergias. A tendência para ver experiências internas dolorosas como ameaças e problemas a serem resolvidos foi descrita como uma espécie de reação alérgica a certos pensamentos e sentimentos desagradáveis (Hayes, Strosahl & Wilson, 2012, p. 19). Em outras palavras, tentar eliminar a aflição interna é meio parecido com dar um tiro no mensageiro em vez de encarar o verdadeiro problema, que muitas vezes é o fracasso em agir em direções valorizadas.

A ACT faz distinção entre desconforto "limpo" e "sujo" para ajudar a ilustrar o papel da aceitação. "Desconforto limpo" refere-se a experiências dolorosas que a vida distribui e que animais, criancinhas e nossos ancestrais pré-humanos se permitiram experimentar ingênua e naturalmente, evoluindo para se adaptar a elas. "Desconforto sujo", ou sofrimento emocional, ocorre quando nos recusamos a aceitar pensamentos e sentimentos dolorosos e lutamos contra eles, acentuando o problema, criando uma espécie de "desconforto com o desconforto". Podemos permanecer no nível do desconforto limpo e natural quando aceitamos voluntariamente nossas experiências desagradáveis pelo que são, permitindo que sigam seu curso natural, sem acrescentar qualquer sofrimento e sem ficar cada vez mais enredado pela tentativa de controlá-las.

IDEIA-CHAVE: ESQUIVA EXPERIENCIAL

No cerne da ACT está a observação de que o sofrimento psicológico é comum e, portanto, não pode ser realisticamente evitado. Embora possamos ter condições de evitar certos eventos externos, nossas tentativas de evitar ou controlar experiências dolorosas internas muitas vezes têm efeito contrário e simplesmente acentuam e prolongam o sofrimento emocional, consumindo muito tempo e energia. Também tendem a ficar no caminho de uma vida mais plena, interferindo nas atividades valorizadas e estragando nossa qualidade de vida.

É parecido com um homem que cava buracos para ganhar a vida e um dia cai dentro de um deles. Ele olha em volta à procura de alguma ferramenta para ajudá-lo a sair, mas só encontra sua pá; então faz o que sabe melhor e começa a cavar. Como tentar controlar e evitar problemas externos costuma funcionar, naturalmente ficamos inclinados a tentar no mundo interior dos pensamentos e sentimentos, onde muitas vezes isso simplesmente é a ferramenta errada. Além disso, pensamentos e sentimentos movidos pela esquiva experiencial tendem a se tornar mais restritos, definidos, rígidos e insensíveis a situações cambiantes, levando a muitos problemas comportamentais.

Paradoxalmente, a esquiva pode ser vista ou como uma forma sutil de apego a uma experiência, ou como uma maneira de ficar enredado nela. Você pode até acabar sentindo que sua vida é definida pela luta para evitar ou controlar certas experiências desagradáveis. Grosso modo, para evitar uma experiência interna, precisamos primeiro pensar e prestar atenção nela, o que cria uma contradição. A esquiva experiencial, portanto, é um processo profundamente irônico, pois tende a alimentar as experiências desagradáveis a serem evitadas, o que, é claro, apenas aumenta o ímpeto para evitá-las, criando um círculo profundamente vicioso.

Em seu guia cognitivo-comportamental para a resiliência, Neenan nota que o conceito de baixa tolerância à frustração (LFT – *low frustration-tolerance*) – "não consigo aguentar!" – parece ser uma das atitudes-chave que minam a resiliência. Alta tolerância à frustração é a disposição para aguentar dor ou desconforto no curto prazo visando um ganho de longo prazo. Baixa tolerância à frustração é semelhante ao conceito de esquiva experiencial, só que o termo "tolerância" não é usado na ACT, porque poderia dar a impressão de sugerir uma aceitação de má vontade em vez de algo mais sincero. Assim, poderíamos dizer que resiliência muitas vezes requer alguma tolerância à frustração, ansiedade e dor, ou uma disposição para aceitar essas experiências, dentro de certos limites, no decorrer da busca de metas de vida importantes.

LEMBRE-SE: ÀS VEZES CONTROLE E ESQUIVA FUNCIONAM

Tentativas de evitar ou controlar experiências desagradáveis às vezes funcionam, especialmente se os sentimentos não são intensos demais ou têm duração relativamente curta. Por exemplo, poderia ser perfeitamente adequado distrair-se brevemente durante um procedimento médico doloroso, embora possa ser difícil manter isso se a dor for crônica ou recorrente. O importante a considerar é se a sua forma atual de enfrentamento é realmente viável ou não, tanto em termos de efeito de longo prazo sobre o problema quanto de custos em termos da qualidade de vida e da busca de valores pessoais.

Pesquisa e aplicações

Uma impressionante coleção de estudos modernos baseados em pesquisas proporcionou evidência da correlação entre a esquiva experiencial e ampla variedade de problemas clínicos. Da mesma forma, estudos em laboratório mostraram que indivíduos solicitados a aceitar seus sentimentos tendem a reportar menos angústia após a exposição a tarefas estressantes do que aqueles instruídos a tentar evitar os sentimentos, reprimindo-os. De fato, os pesquisadores reportaram que a crença na afirmação "ansiedade é ruim" está associada a ampla gama de problemas psicológicos, o que indiscutivelmente proporciona um exemplo claro do papel da esquiva experiencial na saúde mental.

Pessoas que presumem que a ansiedade é perigosa ou anormal podem ser mais propensas a lutar com ela e a sofrer problemas de longo prazo mais severos em consequência disso, ao passo que indivíduos que aceitam a ansiedade como relativamente inofensiva e normal podem se sair melhor. Os pesquisadores verificaram que inflexibilidade psicológica e esquiva experiencial se correlacionaram com a angústia durante tarefas experimentais e prognosticaram problemas em longo prazo no mundo real.

A esquiva experiencial prognostica menor resiliência diante de eventos de vida estressantes, enquanto seu oposto – uma flexibilidade psicológica maior – parece mediar o efeito de estratégias de enfrentamento usadas para lidar com o estresse (Hayes, Strosahl & Wilson, 2012, p. 367). De modo semelhante, em uma análise reunindo estatísticas de 21 estudos randomizados, a ACT mostrou-se efetiva em uma ampla gama de diferentes problemas entre diferentes populações, a despeito de seu foco em um punhado de processos comuns (Hayes, Luoma, Bond, Masuda & Lillis, 2006).

Esquiva experiencial e resiliência

Embora a ACT seja uma abordagem um tanto recente e inovadora, Steven Hayes, seu fundador, já havia publicado uma análise detalhada de seu uso na construção de resiliência e na prevenção de problemas psicológicos (Biglan, Hayes & Pistorello, 2008). Ele e seus colegas concluíram que numerosos estudos recentes mostram que estratégias baseadas na aceitação são benéficas para uma ampla gama de problemas e têm o potencial de melhorar a efetividade de outras abordagens preventivas e de construção de resiliência. Eles destacam que a ênfase dessa abordagem de aumentar a ação de acordo com os valores pessoais e melhorar a qualidade de vida em vez de simplesmente reduzir os sintomas da angústia a torna particularmente relevante no campo da prevenção, quando você pode estar funcionando "normalmente" e de momento não estar experimentando eventos de vida particularmente estressantes ou sofrimento emocional pronunciado. De fato, podemos definir resiliência em termos da capacidade de permanecer compromissado em viver de acordo com os valores pessoais em vez de em termos de eliminar experiências desagradáveis.

A grande variedade de problemas em que o tratamento clínico e não clínico com terapias baseadas na aceitação se mostrou efetivo é apresentada como importante motivo para concluir que essas terapias têm como alvo fatores comuns fundamentais para a prevenção de problemas futuros relacionados ao estresse.

> É essa amplitude de perspectiva que dota a ACT de uma oportunidade especial de funcionar como um modelo unificado tanto do sofrimento humano como da resiliência humana.
>
> (Hayes, Strosahl & Wilson, 2012, p. 28)

A ACT tenta minar o desejo subjacente de se usar a esquiva experiencial para controlar ou evitar pensamentos e sentimentos desagradáveis. Como destaca Hayes, uma gama de estudos sugere que a esquiva experiencial aumenta o risco de se desenvolver ampla variedade de problemas de saúde física e mental. É possível que a própria esquiva experiencial cause grande número de problemas ou que aumente a vulnerabilidade a eventos de vida estressantes, que, por sua vez, podem causar problemas de saúde física e mental.

Hayes aponta evidências de estudos que sugerem que, em vez serem imunes ou insensíveis à dor emocional, os indivíduos resilientes experimentam sentimentos desagradáveis, como ansiedade ou depressão, mas, mesmo assim, continuam a funcionar bem, sem ser subjugados pelo sofrimento. Isso é consistente com a ideia de que a resiliência pode envolver ser menos esquivo a sentimentos desagradáveis e mais disposto a aceitá-los e dar espaço, sem permitir que se tornem barreiras às ações valorizadas ou ao funcionamento normal. Assim, a forma específica como você enfrenta situações estressantes pode ser menos importante para a resiliência do que a disposição básica para aceitar as experiências desagradáveis que surgem enquanto age de acordo com seus valores pessoais.

As pesquisas proporcionaram evidência direta de que a aceitação psicológica está associada a maior resiliência e qualidade de vida nos idosos. Outro estudo verificou que a aceitação era um dos principais fatores que prognosticavam resiliência entre indivíduos ajustando-se à morte e perda. Além disso, a criatividade e a capacidade de resolução de problemas, tipicamente consideradas integrantes da resiliência, também foram correlacionadas com abertura à experiência, um conceito muito semelhante ao que a ACT denomina aceitação e estilo de resposta aberta. A conclusão de Hayes e seus colegas é a seguinte:

> Essas interconexões sugerem que os pesquisadores do campo da prevenção podem ter condições de inocular as pessoas contra muitos tipos de adversidade aumentando sua abertura à aflição que naturalmente surge da adversidade.
>
> (Biglan, Hayes & Pistorello, 2008, p. 13)

Em outras palavras, as evidências sugerem que devemos ser capazes de construir resiliência a eventos estressantes enfraquecendo a esquiva experiencial e cultivando a flexibilidade psicológica e a aceitação. Hayes argumenta que as estratégias baseadas em aceitação devem ser incorporadas a abordagens existentes de construção de resiliência, tais como a abordagem cognitivo-comportamental de Seligman para prevenir a depressão, base do Programa Penn de Resiliência. Em termos gerais, isso envolveria substituir a ênfase na contestação de crenças e pensamentos irracionais em muitas abordagens, particularmente na TCC, por maior ênfase em *mindfulness* e na aceitação de pensamentos em prol de uma ação valorizada.

ESTUDO DE CASO

Abandonando a esquiva experiencial

Tom era um cliente de terapia que buscou ajuda porque desenvolvera preocupação com a saúde, um problema chamado ansiedade de saúde, ou hipocondria. Ele sofria de dor nas costas e focava nisso regularmente ao longo do dia, mudando de posição o tempo todo e tentando relaxar os músculos para aliviar o desconforto. Também passava muito tempo deitado na cama tentando evitar o desconforto. Às vezes bebia, para tentar lidar com a situação. Infelizmente todos os esforços pareciam apenas deixá-lo mais tenso, frustrado e agudamente ciente das sensações físicas.

Concordamos que aprender a viver com a dor nas costas poderia ser a melhor abordagem, e ele ficou surpreso ao descobrir que, pouco depois de parar de tentar suprimir a dor e o desconforto, automaticamente passou a prestar menos atenção neles. Com o tempo Tom também ficou fisicamente menos tenso, e com isso os sintomas diminuíram. Embora as costas às vezes ainda causassem desconforto, Tom conseguia aceitar as sensações e continuar a atividade física sem deixar o desconforto atrapalhar. Ao desistir de lutar para eliminar a dor, ele constatou que a dor se intrometia menos em sua consciência. É provável que a excessiva preocupação com o corpo na verdade causasse mais e mais tensão muscular, o que diminuiu quando ele aprendeu a simplesmente soltar e não fazer nada para controlar ou suprimir a experiência interior de desconforto.

A agenda de mudanças impraticáveis

O desejo de controlar ou evitar pensamentos e sentimentos desagradáveis (esquiva experiencial) às vezes é referido como agenda de mudanças impraticáveis. Esse desejo muitas vezes se revela problemático, especialmente ao se lidar com pensamentos e sentimentos mais intensos ou considerar as consequências de longo prazo da esquiva em termos de qualidade de vida e capacidade de perseguir os valores pessoais. De fato, pode-se dizer que a dor ou desconforto psicológico só se transforma em sofrimento emocional genuíno quando combinada com uma relutância fundamental em aceitar a experiência como ela é, revestindo-a de uma luta inútil e constante para controlá-la e evitá-la.

TENTE AGORA: GIRE O CONTROLE PARA CIMA E PARA BAIXO

Feche os olhos e imagine que você tem um dial de "esforço para relaxar" que vai de 0–10 e atualmente está no meio, no 5. Gire o dial gradualmente para cima, para o 6 e o 7, e imagine como seria sentir um forte desejo de controlar o corpo e relaxar os músculos. Repare como seu corpo reage a essa maior preocupação com o relaxamento. Se quiser, gire o dial até o 10, um número de cada vez, e observe o que você experimenta em resposta ao desejo extremamente intenso de relaxar. (Você pode notar que, ironicamente, um desejo muito forte de relaxar na verdade faz com que você se sinta mais tenso ou cria outras reações internas.)

Agora, gire o dial lentamente de volta ao 5 e observe o que muda. Se quiser, gire o dial lentamente, um número de cada vez, até o 1 ou mesmo o zero, e imagine abandonar completamente qualquer esforço ou até mesmo o desejo de relaxar. Repare como seu corpo responde a esse abandono radical. Uma alternativa é focar em aumentar e diminuir o desejo específico de relaxar a respiração. Esse experimento deve ajudá-lo a aprender na prática o que significa abandonar radicalmente qualquer esforço para controlar seus sentimentos.

Não é que você não tenha nenhum controle sobre seus pensamentos e sentimentos, só que você tem muito menos controle sobre eles do que sobre as ações físicas (fala, movimento etc.). Ironicamente, às vezes o melhor meio de controle pode ser parar de tentar controlar, abandonar a luta pelo controle, aceitar e permitir que os pensamentos e sentimentos venham e vão naturalmente com o tempo. Muita gente que sofre de insônia fica acordada à noite se revirando na cama, preocupada com a falta de sono e tentando se forçar a cochilar. Ao fazer isso, muitas vezes parecem atiçar o problema que estão tentando resolver. Quando esses indivíduos param de lutar e aceitam de boa vontade que estão acordados na cama, várias vezes adormecem mais rápido.

A agenda de controle e esquiva, embora impraticável na maioria dos casos, está muito profundamente impregnada em nossa cultura e é considerada natural por muita gente. Hayes identificou sete motivos para isso:

- Controle e esquiva costumam funcionar muito bem como forma de solução de problemas práticos, em termos de enfrentamento de situações e eventos externos, tais como evitar uma martelada no dedão enquanto fixa pregos – embora fosse ser mais difícil controlar suas reações internas, seus pensamentos de frustração e a sensação de dor se você acertasse o dedão.
- Estratégias de esquiva experiencial, como drogas ou distração, muitas vezes reduzem as experiências desagradáveis no curto prazo, e a sensação de alívio reforça o impulso para usá-las de novo no futuro – embora possam não funcionar tão bem no longo prazo.
- Aprendemos com nossa família e a sociedade que é esperado que sejamos capazes de controlar nossos pensamentos e sentimentos, tipo "garotos não choram", "não seja medroso" etc.
- Outras pessoas parecem ter bastante sucesso em controlar ou evitar pensamentos e sentimentos desagradáveis porque nem sempre mostram aflição em público – embora elas possam dizer o mesmo de você!

- Nossa sociedade costuma presumir que é saudável e natural evitar sentimentos desagradáveis usando drogas, álcool e alimentos reconfortantes, por exemplo, como forma de se sentir melhor.

Claro que às vezes você pode verificar que suas tentativas de controlar pensamentos e sentimentos automáticos de fato funcionam. Nesse caso, você pode achar prudente continuar a usá-las. Entretanto, deve ao menos considerar uma abordagem alternativa.

- Seus meios atuais de enfrentamento parecem funcionar temporariamente, mas o problema se mantém recorrente, então eles na verdade não resolvem as coisas em longo prazo.
- Suas tentativas de controlar experiências desagradáveis causam problemas adicionais ou interferem em sua qualidade de vida e na busca de valores pessoais.
- Você está tentando controlar as coisas excessivamente ou ficando preocupado demais com a luta para fazer isso.
- Você adota estratégias de enfrentamento que às vezes funcionam e as utiliza em ocasiões em que não são mais relevantes ou úteis.

A esquiva experiencial muitas vezes assume qualidade compulsiva e de fato pode ser muito nociva fisicamente. Tentativas de controlar experiências desagradáveis mediante abuso de drogas receitadas ou ilegais, álcool, automutilação ou tentativas de suicídio, por exemplo, são obviamente perigosas. Entretanto, evitar o desconforto com muita comida reconfortante ou evitando se exercitar pode ser bastante prejudicial em termos físicos no longo prazo. Uma analogia comum para isso é estar envolvido em uma prolongada disputa de cabo de guerra com um monstro à beira de um buraco sem fundo. Aceitação significa soltar a corda e parar com o esforço em vão, de modo que você possa tratar de fazer o que é realmente importante para você na vida. Lutar contra experiências dolorosas muitas vezes apenas faz delas um sofrimento psicológico mais sério.

TENTE AGORA:
EXPERIMENTO DE SUPRESSÃO DO PENSAMENTO

Aqui está um experimento para ajudar a entender um dos principais motivos por que se acredita que a esquiva experiencial muitas vezes é impraticável e contraproducente em longo prazo.

Tente não pensar em elefantes. Quanto menos pensar em elefantes cor-de-rosa, melhor. Continue tentando. De fato, feche os olhos e fique tentando por pelo menos 1 minuto. Observe o que acontece durante o experimento e também se o pensamento retorna depois. Quer tenha sucesso nisso ou não, você provavelmente consegue reconhecer o problema. Tentar não pensar em alguma coisa é complicado, pois paradoxalmente temos que pensar na coisa a fim de tentar não pensar nela. Além disso, os pensamentos às vezes repercutem e ocorrem com mais frequência depois, quando você para de tentar. Isso é especialmente problemático quando as pessoas tentam suprimir pensamentos perturbadores durante períodos de emoção intensa, pois é provável que os pensamentos repercutam automaticamente da próxima vez que a emoção for sentida.

Tentar suprimir a preocupação ou os pensamentos perturbadores automáticos à força pode ter o mesmo efeito contrário. De fato, a supressão de pensamentos tende a se tornar ainda mais difícil quando há fortes emoções envolvidas. Por exemplo, imagine que alguém conectou seu cérebro a uma máquina de leitura da mente que dispara um alarme ruidoso caso você tenha o mais ínfimo pensamento sobre um elefante. Finja que é realmente importante você não pensar em elefantes e que pensar nisso é muito perigoso – uma questão de vida ou morte. Um gênio do mal o aprisionou, está monitorando seus pensamentos minuciosamente e tem uma arma apontada para a sua cabeça, podendo puxar o gatilho e atirar ao primeiro sinal de quaisquer pensamentos sobre elefantes. Suponha ainda que ele o conectou a um aparelho muito sensível de monitoramento de estresse, como um polígrafo, que registra seus batimentos cardíacos, suor e respiração e dispara uma campainha ao menor sinal de estresse ou ansiedade. Feche os olhos por cerca de um minuto e imagine o cenário: uma questão de vida ou morte, extremamente importante, em que você evita totalmente pensar em elefantes ou sentir qualquer traço de ansiedade. O que acontece?

Agora, se em vez de ter controle sobre seus pensamentos ou sentimentos, seu captor estivesse interessado apenas em suas ações e pedisse que você permanecesse calado e entregasse sua carteira para evitar um tiro? Seria bem mais fácil fazer isso, não é? Suas ações físicas são muito mais fáceis de controlar que seus pensamentos e sentimentos automáticos, e tentar controlá-las não tende a ter o mesmo efeito contrário.

Abandonar a agenda de mudanças impraticáveis

A ACT também se refere à disposição para abandonar a agenda de mudanças da esquiva experiencial e optar pela "desesperança criativa". Isso não significa se sentir desesperançado ou ver a si mesmo como sem esperança, mas sim considerar inadequado em longo prazo todo o esforço para controlar seus pensamentos e sentimentos, vendo esse esforço como uma parte do problema, em vez da solução. Em sessões de terapia, um dos primeiros passos costuma ser a identificação dos atuais meios do cliente de lidar com problemas, perguntando: "Como isso está funcionando para você?". Em geral constatam-se o custo e a ineficácia do tal comportamento, especialmente no longo prazo.

As pessoas podem gastar muito tempo e energia em tentativas vãs – e no fim inúteis ou positivamente nocivas – de controlar pensamentos e sentimentos desagradáveis. Porém, não é você que "não tem jeito", o que (talvez) não tenha jeito é a tentativa de controlar emoções desagradáveis e pensamentos automáticos. A criatividade vem de abandonar essa estratégia rígida e com isso se abrir a toda uma nova forma flexível de reagir a problemas. As alternativas são o compromisso com a ação valorizada no momento presente e a aceitação voluntária de pensamentos e sentimentos que tentam ficar no caminho, o que dá margem a amplo repertório de respostas diferentes e ao aumento da flexibilidade psicológica.

LEMBRE-SE: ABANDONO DA ESQUIVA EXPERIENCIAL

Ironicamente, quando abandonamos as tentativas de controlar experiências desagradáveis e as aceitamos de boa vontade em favor do compromisso com nossos valores, o sofrimento emocional e os pensamentos angustiados com frequência tendem a ser reduzidos de forma significativa. Entretanto, os especialistas da área aconselham a não se considerarem estratégias como aceitação e desfusão como simples formas de controle experiencial (indireto). Se você pensa sorrateiramente em aceitar sua dor como forma tortuosa de eliminá-la com o tempo, talvez não esteja abandonando plenamente sua agenda de autocontrole emocional e mantenha um olho fixo na dor em vez de permitir que sua atenção vagueie livremente.

Existem muitos tipos diferentes de esquiva experiencial, e você deve se perguntar de que maneiras você tenta tolerar, evitar, controlar, lidar com ou fugir de pensamentos ou sentimentos desagradáveis. Alguns exemplos comuns incluem:

- Consumir álcool ou drogas ilegais ou receitadas.
- Ingerir comida reconfortante para sufocar sentimentos negativos.
- Evitar certas situações, pessoas ou atividades.
- Procrastinar ou adiar as coisas.
- Fugir ou tentar sair de certas situações rapidamente.
- Retirar-se da vida ou dormir demais.
- Ver TV e navegar na internet como forma de distração.
- Tentar suprimir ou bloquear sentimentos perturbadores.
- Tentar argumentar consigo mesmo ou pensar positivamente.
- Tentar se forçar a relaxar ou usar alguma outra terapia ou técnicas de autoajuda em excesso se elas não estão funcionando em longo prazo.

- Dar vazão a raiva, reclamação, choro, desculpas etc.
- Manifestar comportamentos ritualísticos, repetitivos ou supersticiosos como forma de neutralizar a ansiedade ou repelir o perigo.
- Pensar demais como forma de evitar os sentimentos, ou seja, entregar-se a preocupação prolongada, resolução de problemas ou planejamento improdutivos, análise excessiva das coisas ou ruminação sobre o passado.
- Buscar reafirmação ou o apoio de outras pessoas excessivamente.

Que pensamentos, sentimentos ou impulsos você geralmente tenta evitar? Qual é o possível custo de sua tentativa de evitar essas coisas com o passar do tempo? Quanto mais você tenta reprimir, controlar ou evitar experiências dolorosas, mais provável é que você experimente a presença delas em longo prazo, pois essas estratégias tendem a produzir efeito contrário em muitos casos. Talvez ainda pior, usar essas formas inúteis de enfrentamento provavelmente faça você sofrer mais, devido à crescente perda ou ausência de vitalidade e significado pessoal pelo fato de elas entravarem as atividades valorizadas.

AUTOAVALIAÇÃO: ESQUIVA EXPERIENCIAL ("COMO ISSO ESTÁ FUNCIONANDO PARA VOCÊ?")

Pegue um problema contra o qual você vem lutando há um tempo. Liste as principais maneiras de que dispõe para lidar com experiências desagradáveis como estresse, ansiedade, depressão, raiva, dor etc. Você pode marcar com "A" ou "C" para indicar se parecem estratégias de "aceitação" ou "controle". A seguir registre as experiências específicas evitadas. Por fim, avalie a funcionalidade de cada estratégia (0–100%) em termos do quanto é realmente útil para evitar, reduzir ou controlar experiências desagradáveis e viver de acordo com seus valores em longo prazo.

Por exemplo, alguém que bebe (estratégia) para lidar com a ansiedade social (experiência) pode avaliar a funcionalidade como sendo muito baixa, talvez 10%, para evitar sentimentos aversivos em longo prazo e 0% em termos de autodisciplina e estilo de vida saudável. Avaliar a funcionalidade é como fazer a pergunta usual em terapia: "Como isso está funcionando para você?". A esquiva emocional às vezes parece funcionar no curto prazo, fazendo você se sentir temporariamente melhor, mas com frequência produz poucos benefícios no longo prazo. Além disso, essas estratégias provavelmente não estão alinhadas com seus valores essenciais, e as desvantagens ou impraticabilidade nesse aspecto também tendem a se tornar mais óbvias quando você considera as consequências do uso em longo prazo.

FUNCIONALIDADE EM LONGO PRAZO			
Estratégias de enfrentamento	Pensamentos/ sentimentos desagradáveis	Evitar aflição (%)	Alcançar valores (%)

A alternativa à esquiva experiencial é a desesperança criativa, que leva à adoção de uma forma psicologicamente mais flexível de reação mediante *mindfulness* e aceitação das experiências desagradáveis em prol do compromisso com a ação valorizada. Nesse sentido, aceitação denota uma boa vontade fundamental para abandonar por completo toda agenda impraticável de esquiva e controle. Aceitação de boa vontade é difícil, não porque requeira esforço, mas ironicamente porque requer o abandono de certos esforços que provavelmente se tornaram muitíssimo habituais. Assim sendo, a seguir vamos dar uma olhada nos componentes da aceitação consciente e do estilo de resposta aberto.

Manter a resiliência com a desesperança criativa

Examine as diferentes maneiras como você reage a experiências desagradáveis e veja quantas delas podem ser classificadas como esquiva experiencial. O termo "desesperança criativa" refere-se a abandonar essa forma de enfrentamento em todos os seus muitos disfarces. Procure sinais de que você possa estar engajado em esquiva experiencial, tais como:

- Preocupação ou ruminação a respeito de um problema.
- Luta com seus pensamentos ou sentimentos.
- Forte impulso de se defender de experiências dolorosas.
- Supressão ou bloqueio de pensamentos ou sentimentos.
- Uso de substâncias ou prática de atividades que distraem ou entorpecem seus sentimentos.
- Busca de reafirmação ou apoio de outras pessoas sem necessidade.

Pergunte-se imediatamente: "Como isso está funcionando para mim?", "Isso é útil ou inútil?", ou "Para que valor fundamental serve isso?". Experimente abandonar as estratégias impraticáveis e inúteis onde possível. Os capítulos subsequentes vão ajudá-lo a aprender como abandonar efetivamente a esquiva experiencial usando estratégias baseadas em *mindfulness* e aceitação.

Pontos de foco

Os principais pontos a lembrar deste capítulo são os seguintes:

- Esquiva experiencial refere-se à tendência comum de tentar controlar, suprimir ou evitar experiências internas desagradáveis, incluindo pensamentos, sentimentos e impulsos para agir de determinadas maneiras.

- A terapia de aceitação e compromisso (ACT) coloca ênfase particular na identificação do papel da esquiva experiencial.
- Às vezes o controle e a esquiva dos sentimentos desagradáveis podem funcionar em curto prazo, por isso é importante avaliar o quanto são verdadeiramente viáveis em termos de bem-estar e qualidade de vida em longo prazo.
- Em muitos casos, enfraquecer e abandonar a esquiva experiencial é difícil no começo, mas as estratégias que você aprenderá nos capítulos a seguir vão facilitar o processo.

Próximo passo

Uma vez que você tenha avaliado e começado a abandonar a agenda impraticável de mudanças e passado pela desesperança criativa, o próximo passo envolve construir maior flexibilidade psicológica. Desafiar-se a sair da zona de conforto e ir em busca de seus valores de vida mais importantes em geral significa lidar com pensamentos e sentimentos difíceis que ficam no caminho. Os capítulos sobre *mindfulness* e aceitação vão ajudar a encontrar uma nova maneira de reagir às experiências desagradáveis sem tentar controlar ou evitá-las.

LEITURA ADICIONAL

Harris, R. (2008). *The Happiness Trap (Based on ACT: A Revolutionary Mindfulness-Based Programme for Overcoming Stress, Anxiety and Depression).*

Hayes, S. C. (2005). *Get Out of Your Mind and Into Your Life: The New Acceptance and Commitment Therapy.*

3

Clarificação de valores

Neste capítulo você vai aprender:

- Que valores (ou virtudes, se preferir) descrevem maneiras de agir ou de cumprir um papel na vida que você considera intrinsecamente compensador.
- A diferença entre valores e metas em relação à ação.
- O profundo contraste entre uma vida movida pela esquiva de experiências desagradáveis *versus* uma vida motivada pela busca dos valores mais importantes.
- Como clarificar e avaliar seus valores mais profundos, sua filosofia de vida e a importância de fazer isso para a sua resiliência emocional.
- Que resiliência pode ser definida como a capacidade de permanecer compromissado com seus valores pessoais frente à adversidade, a despeito de experimentar pensamentos e sentimentos estressantes.

Ambição significa atrelar seu bem-estar ao que os outros dizem ou fazem. Autoindulgência significa atrelar-se às coisas que lhe acontecem. Sanidade significa atrelar-se a suas próprias ações.

— Marco Aurélio, *Meditações*

A importância do compromisso com a ação valorizada

Com que grau de seriedade você considerou recentemente qual é a coisa mais importante na vida para você? Você consegue pôr os seus valores mais profundos em palavras? Em que grau sua rotina diária é coerente com seus valores pessoais fundamentais? O que o impede de agir alinhado a seus valores agora, momento a momento, mesmo nas pequenas coisas que você faz a cada dia? No presente momento, fundamentalmente, que direção você está de fato tomando na vida? *Quo vadis*? Aonde você está indo? Que tipo de pessoa você quer se tornar? Todas essas são perguntas sobre sua direção e valores fundamentais na vida.

Então, o que são valores? A palavra adquiriu significado específico nas abordagens psicológicas que estamos utilizando aqui. Valores são expressos basicamente em afirmações muito genéricas sobre o que você escolheu ver como forma ideal ou importante de se comportar ao longo da vida: agir com sabedoria, ser criativo, aprender com a vida etc. Valores resumem em poucas palavras o padrão pessoal com o qual você visa medir suas ações. Foram descritos como a cola verbal que ajuda a organizar nossas metas e ações com coerência, a fim de que sejam experimentadas como significativas e potencialmente satisfatórias.

Valores dão um senso de direção e definem nossa filosofia de vida. O uso de verbos (palavras dinâmicas, de "fazer") em vez de substantivos ou adjetivos (palavras estáticas, de "ser") pode melhor encapsular o papel da atividade. Por isso alguns autores mais recentes passaram a falar do "viver valorizado", ou agir em favor dos valores. Viver ou agir com sabedoria, em outras palavras, seria uma afirmação melhor do valor da sabedoria do que "ser sábio" ou "ter sabedoria", porque é formulado em termos de ação.

Portanto, valores como agir com integridade não podem ser possuídos como um objeto ou alcançados em um sentido final. São, isso sim, direções de vida escolhidas que podem ser continuamente exibidas na qualidade de nossas ações. Agir de acordo com os valores pessoais é um desafio constante, um processo contínuo ao longo da vida, e não um resultado ou ponto final que se possa alcançar de uma vez por todas, permitindo repousar sobre os louros. Ser um bom amigo, por exemplo, nunca tem fim. Valores são modos de agir que estão dentro de nosso controle, e não consequências devidas em parte a fatores externos ou ao acaso. Agir com generosidade é um valor pessoal pelo qual se pode viver o tempo todo, enquanto ser rico e famoso é um resultado potencial que depende em larga medida do ambiente – está mais nas mãos do destino.

Além disso, valores são escolhas fundamentais que embasam e guiam nossos julgamentos. Não chegamos a nossos valores mais profundos por um processo de raciocínio: eles são ainda mais fundamentais que isso. Quando raciocinamos sobre as coisas, já estamos tomando certos valores como premissas.

A antiga filosofia grega valorizava explicitamente quatro virtudes cardinais: sabedoria, justiça (ou integridade), temperança e fortitude. O ideal era ser perfeitamente sábio, justo, autodisciplinado e corajoso. A palavra grega para "virtude" (*arête*) é complicada de traduzir, mas talvez seja mais acurado dizer que significa "excelência" ou "força", uma qualidade positiva que alguém ou alguma coisa seriam admirados, ou "valorizados", por deter. Sócrates e muitos filósofos gregos e romanos da Antiguidade chegaram à conclusão de que a virtude humana mais importante de todas era a sabedoria (*sophia*). Por isso escolheram a palavra grega *filosofia* (filosofia), que significa literalmente "amor pela sabedoria" ou valorizar a sabedoria, para descrever o que se dedicavam a fazer.

As antigas virtudes cardinais de sabedoria, justiça, temperança e fortitude fazem parte da civilização ocidental desde os primórdios e podem ser semelhantes ao que você considera importante em sua filosofia pessoal de vida – ou você pode defender valores bem diferentes. De início você pode até achar difícil colocar seus valores essenciais em palavras. Muitas vezes requer tempo e esforço clarificar quais são os verdadeiros valores pessoais autênticos, e eles podem não ser as suas primeiras respostas. Porém, pergunte-se: que diferença faria se eu tivesse mais clareza sobre as coisas mais importantes na vida para mim?

Clarificação de valores não é uma ideia nova. Sócrates é famoso por seus diálogos penetrantes sobre o significado do "bom" e a essência de diferentes virtudes. Uma abordagem moderna, baseada na obra de Louis Raths, foi descrita no livro *Values Clarification* (Simon, Howe & Kirschenbaum, 1972), que contém 76 diferentes estratégias para a exploração dos valores. Clarificar e ordenar valores também faz parte de duas formas de terapia comportamental baseadas em *mindfulness* e aceitação: ativação comportamental (BA – *behavioural activation*) e terapia de aceitação e compromisso (ACT). Os passos típicos nas abordagens modernas são:

1. Clarificação e avaliação dos valores.
2. Estabelecimento de metas e planejamento de ação baseados nos valores.
3. Manutenção de compromisso mais geral e de longo prazo com o viver valorizado, lidando com as barreiras à ação.

A ACT em particular trata o viver valorizado como o propósito geral da terapia em que outras estratégias, incluindo o enfrentamento de experiências desagradáveis, podem ser vistas como complementares, coadjuvantes. Pela nossa perspectiva, os valores são importantes porque ajudam a definir o que significa ser psicologicamente resiliente. Ser resiliente é permanecer compromissado em seguir os valores pessoais a despeito de encarar adversidades, inclusive experiências desagradáveis como dor e ansiedade, e retomar o compromisso sempre que vacilar.

IDEIA-CHAVE: VALORES EM AÇÃO

O termo "valor" em abordagens de terapia baseadas em *mindfulness* e aceitação, como a ACT, tem um significado bastante específico, não diferente da antiga noção filosófica de "virtude". Valores são definidos como afirmações verbais do que é mais importante para você, do que proporciona fontes estáveis, em longo prazo, de significado pessoal, propósito e vitalidade. Por exemplo, "a coisa mais importante para mim é agir com compaixão" seria uma afirmação clara de valor.

Seguir um valor, como viver com compaixão, não é algo que se possa acabar de fazer, não é uma meta que se possa enfim alcançar. É um padrão pelo qual suas ações podem ser constantemente medidas, uma direção na vida, um processo sem fim. Valores são como uma bússola a orientar a direção em vez de um destino aonde se vai chegar. Desenvolver valores claros permite experimentar ações relevantes como mais compensadoras de forma intrínseca, muitas vezes dando uma sensação de maior sentido e vitalidade à vida.

Pesquisa e aplicações

Não existe muita pesquisa sobre clarificação de valores porque esta raramente é usada sozinha; trata-se de um componente importante da ACT e de abordagens semelhantes respaldadas por vários estudos. A clarificação de valores é usada para ajudar as pessoas a tomar decisões importantes, como a escolha de uma carreira, mas mais recentemente também é usada no tratamento de depressão clínica e outros problemas, ajudando a proporcionar motivação para nutrir um maior senso de satisfação no momento presente, evitando ruminação mórbida sobre o passado ou preocupação quanto ao futuro.

Clarificação de valores e resiliência

A clarificação de valores talvez seja a melhor maneira de dar início ao trabalho de autoajuda quando não há uma crise com que se lidar e nenhum problema óbvio em curso, tal como estresse, ansiedade ou depressão. Quase todo mundo consegue identificar áreas em que, em alguma medida, poderia estar agindo mais de acordo com os valores pessoais. A clarificação de valores ajuda a dar uma direção e a identificar metas saudáveis a serem buscadas. Agir em prol dos valores pessoais muitas vezes significa encarar desafios emocionais que outras técnicas deste livro vão ajudar a enfrentar.

Aprender a ser guiado pelos valores em vez de por pensamentos e sentimentos automáticos vai ajudar a lidar com aborrecimentos cotidianos e suportar adversidades mais sérias.

Talvez o mais importante seja que a clarificação de valores pode ajudar a definir o que resiliência significa para você na prática. Ser resiliente significa lidar com a adversidade de modo a preservar seu bem-estar, mas como definimos o que é normal e saudável para você? Podemos entender bem-estar em termos de viver de acordo com valores pessoais. Resiliência, portanto, consiste na capacidade de permanecer no curso, compromissado com os valores pessoais, a despeito de encarar adversidade, eventos desafiadores e até mesmo reveses. Desse modo, clarificar os valores de base ajuda a definir mais especificamente o que significa para você ser psicologicamente resiliente.

ESTUDO DE CASO

Clarificação de valores

Jim resolveu fazer terapia porque estava com muita dificuldade para lidar com o trabalho. Clarificar seus valores, especialmente ao imaginar seu funeral e os louvores que gostaria de receber, ajudou-o a perceber muito rapidamente que estava no trabalho errado. O valor fundamental que ele colocava na criatividade simplesmente não era contemplado em seu estilo de vida naquele momento. Entretanto, em vez de mudar de carreira imediatamente, o que não teria sido muito prático, ele começou a procurar pequenas oportunidades de ser criativo na rotina diária, tais como trabalhar pelo menos dez minutos por dia em um roteiro de cinema de sua autoria, algo que antes ele havia deixado de lado. Uns poucos minutos por dia fazendo algo que ele valorizava como essencial era melhor que nada e deu início ao processo de conexão com seus valores e de exploração de como estes se relacionavam ao resto de seu trabalho. Jim continuou a refletir sobre seus valores ao longo do tempo, clarificando-os, conectando-se a eles de forma mais profunda e experimentando ações baseadas neles. Por fim surgiu uma oportunidade de trabalho que fazia mais uso de seu potencial criativo e proporcionava maior senso de satisfação.

Clarificação e avaliação de valores

O que é "viver valorizado?"

De certa forma, clarificar os valores pessoais é inútil a menos que você comece a agir mais de acordo com eles, e em breve veremos estratégias para se fazer isso. Entretanto, algumas pessoas beneficiam-se imediatamente da obtenção de clareza sobre valores essenciais que podem ter sido ignorados e negligenciados. Quando a clarificação de valores funciona bem, é experimentada como um processo de reconexão com as prioridades fundamentais na vida — você volta a ter contato com o que é genuinamente importante.

Vamos começar considerando a natureza dos valores antes de fazer algumas perguntas instigantes, a serem contempladas em grande profundidade ao longo do tempo. Não se preocupe caso não haja clareza perfeita e imediata ao responder as perguntas abaixo. O principal é você começar o processo de trabalhar nos seus valores. Pense nisso como um trabalho em andamento. Às vezes, somente ao tentar viver de acordo com os valores pessoais é que se começa a entender de verdade quais são eles, e você pode até sentir que está de algum modo mudando seus valores em consequência de tentar colocá-los em prática.

VALORES *VERSUS* METAS

É importante fazer uma clara distinção inicial entre valores e metas. São coisas muito diferentes, com frequência confundidas, o que se acredita que contribua para problemas psicológicos comuns. Metas são desenlaces ou resultados específicos que você poderia tentar alcançar, tal como lavar todos os pratos antes de ir para a cama. Valores são ideais mais fundamentais que dão sentido e importância a metas individuais e um senso de direção para as suas ações, tais como ser uma pessoa limpa e arrumada ou um bom marido.

"Já terminei?" é uma pergunta que você pode fazer a respeito de metas, mas não de valores. Metas são alcançáveis, mas valores nunca são concluídos, são uma busca para a vida toda. Se o seu foco é alcançar a meta de ser elogiado pelos outros, você pode ter que esperar muito tempo para ter êxito. Se o seu foco é viver de acordo com o valor da generosidade, sob certo aspecto você experimenta o sucesso de imediato, tão logo se comprometa totalmente a agir de maneira generosa.

Assim, focar demais em metas retira a atenção do aqui e agora. Como John Lennon escreveu, "A vida é o que acontece enquanto você está ocupado fazendo outros planos". Viver valorizado significa manter metas com leveza e prestar mais atenção na qualidade da jornada do que no destino, embora seja melhor você saber mais ou menos para onde está rumando. Na ACT isso é ilustrado com a metáfora do esqui. Imagine subir uma montanha para esquiar, mas, cada vez que chega ao topo, alguém pega você de helicóptero e dá uma carona até o destino lá embaixo, arruinando sua chance de esquiar. Esquiar é descer a encosta, não se trata apenas de chegar ao destino. Viver, como esquiar, é valorizar a qualidade de nossas ações, como se chega lá, não apenas focar nas metas e destinos finais para onde se ruma.

Para os nossos propósitos, é mais útil tentar definir seus valores em termos de qualidades que você poderia exibir em seu comportamento, ou seja, virtudes ou pontos fortes que você valoriza. Essas qualidades com frequência podem estar associadas ao bom cumprimento de certos papéis, como ser um bom pai ou um bom amigo. Um exercício proveitoso de clarificação de valores que você poderia experimentar envolve identificar os papéis que lhe são mais importantes na vida e anotar uma descrição de como você age quando os cumpre bem; por exemplo, o que significa para você ser um bom amigo?

VALOR INTRÍNSECO *VERSUS* EXTRÍNSECO

Terapeutas comportamentais modernos enfatizam a distinção entre recompensas mais extrínsecas (consequências de uma atividade) e a possibilidade de recompensa intrínseca, que é experimentar a atividade em si como compensadora na medida em que atenda valores essenciais. Diz-se que as atividades têm valor intrínseco quando as realizamos por causa delas mesmas, como compor música ou jogar um jogo só pelo prazer de fazê-lo, como um fim em si mesmo. As atividades têm valor extrínseco quando são realizadas em razão de algum resultado ou consequência que pode ou não se suceder. Por exemplo, jogar futebol tem valor intrínseco se fazemos isso só pela diversão, mas pode ter mais a ver com valores extrínsecos se jogamos para obter riqueza e fama.

A escassez de atividades de valor intrínseco pode fazer a vida parecer vazia, mesmo quando se está em busca de metas aparentemente importantes. Pior ainda: viver uma vida desprovida de valor intrínseco pode se tornar um hábito insalubre que leva à ansiedade, depressão e a outros problemas ao longo do tempo. O fim não justifica os meios em termos de nossa qualidade de vida. Tenha em mente que algumas pessoas depositam todas as esperanças em alcançar a felicidade no futuro, esquecidas do momento presente, e morrem antes de atingir suas metas.

A vida é mais como jogar um jogo ou tocar uma partitura musical, um processo ou jornada a ser valorizado a cada passo do caminho, do que um simples meio para um fim. Assim, focar em valores deve levá-lo a ficar mais centrado e atento ao momento presente, enquanto focar em metas tende a fazer o oposto, levando-o a se preocupar com o futuro.

O que acontece se você muda o foco das metas extrínsecas para os valores intrínsecos? Você pode valorizar a integridade e agir a fim de ficar satisfeito com a exibição dessa virtude, mas ainda assim verificar que as pessoas reagem de modo negativo, de uma forma que você não esperava. Isso constitui sucesso ou fracasso? Se a prioridade é atingir a meta de que os outros reajam de forma positiva, você fracassou. Entretanto, se a prioridade é agir com integridade, você foi bem-sucedido, quer as pessoas reajam de forma positiva ou não. Com frequência, atingir metas ou resultados extrínsecos depende em parte do acaso e está menos sob seu controle direto do que a maneira como você faz as coisas, isto é, agir ou não de acordo com seus valores.

Assim, considera-se melhor para a saúde mental agir guiado primariamente pelos valores pessoais básicos do que por metas externas, que podem resultar em sucesso ou fracasso. Isso ajuda a aumentar o valor intrínseco do momento presente, focando a atenção no aqui e agora em vez de ruminar sobre o passado ou se preocupar com o futuro. Entretanto, a fim de agir de forma mais consistente em prol dos valores ao longo do tempo, você provavelmente precisará planejar suas ações e estabelecer metas de curto e longo prazo. Lembre-se, é melhor ter metas subordinadas aos valores do que metas que os substituam de forma sorrateira. Pense no avarento que começa a juntar dinheiro para poder gozar a vida, mas acaba vendo a acumulação de dinheiro como um fim em si mesmo e acumulando riqueza obsessivamente só por acumular.

LEMBRE-SE: "NÃO TENHO QUAISQUER VALORES!"

Resposta curta: sim, você tem! Eles só precisam ser clarificados. No sentido que nos interessa, é virtualmente impossível não ter algum valor. Entretanto, muita gente, especialmente quando se sente deprimida, tende a dizer que tem a sensação de não ter quaisquer valores, não consegue ver sentido em nada. Isso é mais bem entendido como falta de consciência dos valores pessoais, como falta de contato com eles. Olhe para suas ações, e não para os seus sentimentos. Quase todas as ações humanas são intencionais em alguma medida, e você escolhe fazer algumas coisas e evitar outras literalmente o dia inteiro.

Então, que pistas suas ações fornecem sobre os seus valores básicos? Você pode verificar que suas ações são impulsionadas pela esquiva ("para longe de"), e não pela busca de valores pessoais ("rumo a"). Esquiva não é um valor genuíno, por isso se pergunte qual esquiva o impede de agir – o que você faria na vida caso se sentisse capaz de aceitar as experiências que atualmente evita e elas deixassem de ser barreiras à ação?

EXIGÊNCIAS E ESQUIVA EXPERIENCIAL

É preciso ficar atento à esquiva experiencial disfarçada de ação valorizada. Buscar o controle dos sentimentos pode ser facilmente confundido com busca de valores verdadeiros. Todavia, sentir-se relaxado ou evitar a ansiedade normalmente não é um valor autêntico. Você sempre pode se perguntar: "O que estou fazendo em favor de?", ou "Se eu estivesse relaxado, o que isso me permitiria fazer de diferente na vida?". Além disso, os sentimentos com frequência não estão sob seu controle voluntário direto, por isso você corre o risco de valorizar algo que seja controlado por seu ambiente, tornando-se escravo da sorte. Pior ainda: tentativas diretas de suprimir ou evitar sentimentos desagradáveis, como ansiedade, normalmente têm efeito contrário em longo prazo, aumentando o problema. Ironicamente, aceitar e tolerar sentimentos desagradáveis em geral tem maior probabilidade de reduzir o sofrimento causado por eles ao longo do tempo. Assim, tende a ser mais útil valorizar conscientemente formas de agir em vez de sentir. Vamos voltar a isso em capítulos à frente, ao discutir o papel da prática de *mindfulness* e aceitação na construção de resiliência.

Também é bom distinguir valores de exigências, expressadas como "eu tenho de", "eu devo", "eu deveria", que em geral são menos úteis para se manter as ações. Exigências são mais coercivas do que valores e tendem a sugerir a ameaça de consequências adversas, por exemplo: "Devo fazer isso, do contrário algo terrível vai acontecer". Muitas vezes exigências são apenas esquiva experiencial disfarçada. De fato, exigências costumam ser tão rígidas que trazem a marca da fusão, um conceito que discutiremos nos próximos capítulos. Exigências como "tenho de passar nos exames" podem ser vistas como metas valorizadas que são levadas mais a sério e de forma mais literal do que o absolutamente necessário, tornando-se irracionalmente absolutas e inflexíveis.

De modo geral, é saudável agir voltado para os valores positivos em vez de tentar escapar de experiências negativas como ansiedade ou catástrofes temidas. É melhor passar a vida correndo na direção de suas metas ou correndo alinhado a seus valores do que correndo para fugir dos problemas ou medos. Certifique-se de que seus valores sejam autênticos e não apenas aquilo que você presume que sua família ou a sociedade o pressionam a tratar como importante.

LEMBRE-SE: VALORES NÃO SÃO METAS OU EXIGÊNCIAS

Valores não são metas, e é absolutamente essencial distinguir os dois. Valores descrevem a direção geral que você toma na vida, enquanto metas são pontos de destino específicos ao longo do trajeto. Se você foca em atingir metas, coloca a atenção no futuro. Focar em valores significa prestar mais atenção ao aqui e agora e à qualidade de suas ações no momento.

Valores também não são exigências. Exigências tendem a sugerir a ameaça de punição ou pressão social. Conformidade ou rebelião em relação a exigências sociais muitas vezes são mascaradas de observância de valores. Entretanto, os valores autênticos são coisas que você escolhe pessoalmente como importantes, a despeito do que os outros possam pensar.

Perguntas para a clarificação de valores

Uma forma de clarificar seus valores essenciais é simplesmente pegar alguma coisa, meio que qualquer coisa, e perguntar: "Para que estou fazendo isso?", "O que há de tão importante nisso?", "Qual o valor disso?", e por aí vai. Funciona melhor se você selecionar alguma coisa que faz por opção ativa e que requer esforço. O filósofo Aristóteles foi uma das primeiras pessoas a descrever como o propósito de qualquer comportamento pode ser analisado com a repetição de uma série de perguntas, como: "Em prol de que isso está sendo feito?". Por exemplo, suponha que faço um esforço para ir trabalhar: em prol de que estou fazendo isso? Ganhar dinheiro? E em prol de que eu ganho dinheiro? Sustentar minha família, ser um bom marido e bom pai talvez sejam meus valores de base. Dedique um tempo para fazer algumas das seguintes perguntas típicas de clarificação de valores:

- Qual é, em última análise, a coisa mais importante da vida para você?
- O que você realmente quer que sua vida signifique ou defenda?
- Pelo que você mais gostaria que sua vida fosse lembrada após a sua morte?
- Que tipo de coisas você mais quer passar a vida fazendo?
- Que tipo de pessoa você mais quer ser nos relacionamentos, no trabalho e na vida em geral?
- Se você soubesse que teria apenas mais um mês de vida, como gostaria de passar esse tempo antes de morrer?
- Se você não tivesse que lutar com pensamentos problemáticos ou sentimentos desagradáveis, o que escolheria passar o tempo fazendo? O que você faria se fosse livre de preocupações ou ansiedades?
- O que você escolheria fazer se o sucesso estivesse garantido e você soubesse que não fracassaria em nenhuma situação?

Pergunte-se ainda quais as qualidades que mais aprecia nos outros, pois provavelmente também são relevantes para seus valores pessoais de vida:

- Que indivíduos específicos (reais ou ficcionais) você mais admira?
- Que tipo de pessoa você geralmente mais admira?

- O que você mais admira nelas? Como você rotularia os pontos fortes delas?

Ao clarificar os valores, é bom anotar por escrito, como se ninguém jamais fosse ler, focando em suas prioridades pessoais, não no que você acha que as pessoas esperariam que você valorizasse. Imagine também que tudo seja possível, não se restrinja pelo seu ambiente, escreva o que realmente lhe interessa, como seria sua vida em um mundo ideal.

TENTE AGORA: EXERCÍCIO DO LOUVOR

Esse exercício é bem conhecido e comum há tempos na literatura de autoajuda. O objetivo é ajudar a entrar em contato com os valores e clarificá-los.

Imagine que você faleceu e está assistindo às coisas do outro mundo, observando o seu funeral. Pergunte-se o que você gostaria que as pessoas dissessem sobre a sua vida. Pelo que gostaria que lembrassem de você e o que gostaria que dissessem em seu louvor?

Uma alternativa é imaginar o significado de sua vida resumido em uma ou duas frases na sua lápide. O que você gostaria que fosse gravado? Escreva no papel o resumo de obituário que gostaria de ter caso isso ajude a clarificar seus valores. O que esse experimento mental revela sobre o que é mais importante na vida para você?

Você pode explorar seus valores ainda mais revisando-os periodicamente, discutindo-os com outras pessoas ou escrevendo sobre eles em maior profundidade.

AVALIAÇÃO DE VALORES EM DIVERSAS ESFERAS DA VIDA

A avaliação de valores muitas vezes começa pelo preenchimento de um formulário detalhado, que proporciona uma visão abrangente e geral de vários aspectos. Você pode utilizar a tabela simplificada a seguir.

AUTOAVALIAÇÃO: OS VALORES EM DIFERENTES ESFERAS DA VIDA

Tente identificar quais aspectos de cada esfera da vida são importantes para você e como você resumiria seus valores. Nem todo mundo tem valores em todas essas esferas; por isso, não se preocupe; tudo bem deixar uma ou duas em branco. Se ajudar, pergunte-se que tipo de pessoa você gostaria de ser em cada esfera.

ESFERAS	VALORES
Relacionamentos Relacionamentos íntimos, com o cônjuge ou parceiro, relacionamentos familiares de outros tipos, por exemplo, filhos, pais ou irmãos, amizades e relacionamentos sociais.	
Trabalho e estudo Trabalho, educação, estudo e aprendizado.	
Cuidado pessoal Saúde física e mental, aparência e bem-estar.	
Estilo de vida Atividades de lazer e *hobbies*, finanças, vida doméstica, rotina diária.	
Outros (especificar) Por exemplo, visões espirituais, religiosas ou filosóficas; atividades comunitárias, civis ou políticas.	

Ao concluir sua clarificação inicial de valores, pode ser útil perguntar: "O que está faltando em meus valores?", "Esses valores poderiam ser melhorados de alguma forma?". Isso pode ajudar a identificar valores adicionais que foram ignorados. Uma vez que tenha desenvolvido uma noção de seus valores principais em diferentes esferas da vida, o passo seguinte normalmente é avaliar quais devem ser enfocados para você viver mais de acordo com eles, o que será abordado no próximo capítulo.

LEMBRE-SE: CERTIFIQUE-SE DE QUE OS VALORES SÃO SEUS MESMO

Todos nós temos valores que herdamos de nossa família e cultura, mas que não são necessariamente nossos valores pessoais autênticos. Você pode concordar genuinamente com os valores de sua família e cultura. Entretanto, deve verificar se os seus valores permaneceriam os mesmos na ausência de qualquer controle ou influência de sua família ou da cultura. Você pode fazer isso em certa medida usando experimentos mentais, como imaginar-se passando o resto da vida em uma ilha deserta. A remoção permanente e completa de sua família e cultura alterariam seus valores de alguma forma significativa? Se ninguém mais soubesse que você está vivendo de acordo com seus valores, você ainda se empenharia nisso?

Pontos de foco

Os pontos principais deste capítulo são:

- Valores no sentido de virtudes referem-se a maneiras de agir que são importantes para você e constituem o tipo de pessoa que você quer ser na vida.
- Focar nos valores leva a ficar centrado no momento presente, enquanto focar em metas tende a alimentar as preocupações quanto ao futuro.
- Valores são intrinsecamente compensadores, em contraste com as metas, que se referem a recompensas extrínsecas; você tem ganho imediato com a ação valorizada, não tem que esperar.

- Os valores com frequência tornam-se vagos, mas os métodos de clarificação de valores podem colocá-lo de novo em contato com eles.
- A clarificação de valores e a ação valorizada compõem uma boa base para o desenvolvimento geral da resiliência psicológica.

Próximo passo

Uma vez que tenha clarificado seus valores o suficiente, o próximo passo é começar a planejar como você pode agir de modo mais consistente com eles e superar quaisquer barreiras à ação que encontre pelo caminho. O próximo capítulo vai explorar a ideia de estabelecer metas e agendar ações baseadas nos valores e firmar um compromisso com o viver valorizado em geral.

LEITURA ADICIONAL

Harris, R. (2008). *The Happiness Trap (Based on ACT: A Revolutionary Mindfulness-Based Programme for Overcoming Stress, Anxiety and Depression).*

Hayes, S. C. (2005). *Get out of Your Mind and Into Your Life: The New Acceptance and Commitment Therapy.*

Simon, Sidney B., Howe, Leland W. e Kirschenbaum, Howard (1995). *Values Clarification: A Practical, Action-Directed Workbook.*

4

Compromisso com a ação valorizada

Neste capítulo você vai aprender:

- Que o compromisso com a ação valorizada pode ser visto como central em nossa definição de resiliência emocional.
- Como estabelecer metas e agendar atividades baseadas nos valores essenciais.
- Como ficar atento para agir em prol dos valores essenciais.
- Como começar a lidar com barreiras ou obstáculos para o viver valorizado.
- Como permanecer compromissado com padrões progressivamente mais amplos de ação valorizada.

A mente adapta e converte a seus propósitos os obstáculos à nossa ação. O impedimento à ação promove a ação. O que obstrui o caminho torna-se o caminho.

— Marco Aurélio, *Meditações*

A importância do compromisso com a ação valorizada

Você tem mais liberdade para controlar seus sentimentos internos ou a forma como age, como move os braços, pernas e fala, por exemplo? O que acontece com a liberdade de escolha se você sempre age conforme seus pensamentos e sentimentos habituais determinam? Você presume que pensamentos e sentimentos desagradáveis criam barreiras à ação? O empenho em agir de acordo com valores pode proporcionar a estrutura geral em que as outras técnicas de resiliência serão empregadas quando surgirem barreiras ou obstáculos ao viver valorizado. Assim, vamos começar analisando o compromisso com a ação valorizada na construção de resiliência e, nos próximos capítulos, explorar o papel da prática de *mindfulness* e aceitação.

Como realmente seria a sua vida se você sempre agisse de acordo com seus pensamentos e sentimentos automáticos? E como seria se você sempre agisse de acordo com seus valores essenciais? Desde o tempo dos antigos filósofos gregos, a escolha apresentada a cada momento é expressa metaforicamente como uma bifurcação na estrada, entre "vício e virtude", termos que os psicólogos não usariam hoje. Às vezes era chamada de "bifurcação pitagórica" ou "escolha de Hércules". Em uma famosa parábola recontada por Sócrates, o herói Hércules é retratado na juventude deparando com uma bifurcação da trilha na floresta e por fim escolhendo o caminho da deusa Virtude (*arête*) e ignorando o da rival, Vício (*kakia*). Na ACT algo semelhante é mencionado como a escolha contínua entre aceitação e compromisso *versus* controle e esquiva, a vida da ação valorizada *versus* a vida de luta interna contra os sentimentos desagradáveis.

Permitir que os sentimentos dirijam as ações pode significar abandonar o controle da direção de sua vida. Além disso, tentar controlar pensamentos e sentimentos automáticos de forma direta às vezes pode ter efeito contrário, como vimos ao discutir a esquiva experiencial. Às vezes as pessoas não se empenham em seus valores essenciais porque se tornaram introvertidas, passivas ou carecem de senso de direção. Entretanto, também é muito comum verificar que pessoas que parecem muito ocupadas passam o tempo todo fazendo de tudo, exceto se dedicar a seus valores de vida básicos, com frequência porque permitem que a batalha contra os sentimentos negativos comande sua vida. Tentar evitar experiências desagradáveis pode se tornar um emprego em turno integral, enquanto o viver valorizado, a atividade significativa, é colocado em espera permanente.

Porém, talvez você não tenha que fazer o que seus pensamentos e sentimentos dizem, nem passar a vida lutando para controlá-los ou evitá-los. Você pode se comprometer a agir de acordo com seus valores não obstante os pensamentos e sentimentos que se interponham no caminho. Mudar o comportamento em uma direção construtiva muitas vezes ocasiona mais mudanças saudáveis e estáveis nas experiências internas com o passar do tempo. Na terapia comportamental, isso às vezes é chamado de estratégia de mudança de dentro para fora.

Pesquisa e aplicações

A ativação comportamental, que envolve o planejamento de metas e ações valorizadas, obteve respaldo particularmente forte de estudos de pesquisa modernos como tratamento para a depressão clínica. De momento essa é a principal aplicação, embora estratégias semelhantes sejam usadas em ampla gama de casos. De fato, a pesquisa na ACT sugeriu que os conceitos e técnicas básicos, incluindo o compromisso com o viver valorizado, podem ser efetivos em ampla variedade de problemas.

Ação valorizada e resiliência

Agir de acordo com os valores essenciais requer resiliência, porque apresenta um dos maiores desafios da vida. De fato, pode-se definir resiliência em termos da capacidade de permanecer comprometido com os valores pessoais a despeito dos desafios e reveses da vida. Além disso, abraçar os valores pessoais mais plenamente significa ir em busca de mais propósito e sentido para a vida, indo além da zona de conforto, o que causa empolgação e também ansiedade. Ainda assim, ao se comprometer com o viver valorizado e mudar o foco das metas extrínsecas para o valor intrínseco das próprias ações, você foca a atenção no que está sob maior controle em sua vida: suas intenções e comportamento.

Priorizar as ações valorizadas e aprender a pegar leve com as metas externas ajuda a ficar mais resiliente ao estresse. Os pesquisadores argumentaram que focar demais nas metas extrínsecas pode causar ansiedade, pela incerteza de que serão alcançadas, e depressão, ante a perspectiva de fracasso (Borkovec & Sharpless, 2004, p. 230). Mudar as prioridades de modo a depositar mais importância e foco na maneira como você se encarrega das coisas, na qualidade de suas ações atuais, parece aliviar o estresse, bem como melhorar a qualidade de vida sob outros aspectos.

Além disso, como os estoicos aconselharam há muitos séculos, depositar importância demais em metas externas coloca suas emoções nas mãos do destino, pois você nunca tem total controle sobre o resultado. Por outro lado, ter como prioridade agir de acordo com seus valores fundamentais, ou pelo menos ter o compromisso de fazer isso, está sempre em seu poder.

ESTUDO DE CASO

Viver valorizado

Ângela sofria de uma forma crônica e severa de ansiedade chamada de transtorno de ansiedade generalizada (TAG). Ela tinha uma forte sensação de inadequação pessoal porque não havia atingido certas metas externas de vida referentes a sucesso material e social. Comparava-se constantemente "para cima", com pessoas mais bem-sucedidas, o que fazia com que se sentisse ansiosa, deprimida e frustrada. (Ela nunca contrabalançava comparando-se "para baixo", o que a poderia fazer sentir-se grata por estar melhor do que muita gente.) Por conseguinte, Ângela preocupava-se constantemente com como poderia se equiparar aos outros e fazer da sua vida um sucesso, colocando-se sob enorme pressão, acarretando exaustão emocional e física.

Após clarificar seus valores, ela aprendeu a reservar tempo para pequenas ações valorizadas todos os dias, tais como ler romances que apreciava ou procurar outras pessoas e manifestar amizade e apoio. Isso se tornou progressivamente mais frequente até o compromisso com os valores essenciais se tornar parte de seu estilo de vida geral, reduzindo as exigências e a preocupação em termos de sucesso externo e levando a uma sensação mais equilibrada de autoestima.

Avaliação de metas e ações valorizadas

Considere quais de seus valores são mais importantes para você. Quais você está vivenciando de modo mais consistente e quais são os mais negligenciados? Isso vai levá-lo a começar a considerar naturalmente o que seria mais proveitoso para você de agora em diante.

AUTOAVALIAÇÃO: DESVIO DOS VALORES

Esse é um exercício comum da ACT. Use a tabela a seguir para avaliar onde você se encontra em relação aos valores pessoais e quais áreas valeria a pena priorizar.

1. Liste seus valores principais, identificados nos exercícios anteriores, na primeira coluna.
2. Na coluna "consistência", classifique a extensão em que suas ações ao longo da semana passada foram consistentes com seus valores pessoais (0–10).
3. Alguns valores são mais importantes que outros. Na coluna seguinte, classifique o quanto cada valor é importante para você (0–10).
4. Por fim, subtraia o escore de "consistência" do escore de "importância" de cada valor e registre o resultado na coluna do "desvio", para estimar o quanto você pode ter se desviado de – ou negligenciado – atividades que envolvem seus valores mais importantes.

Os valores com as taxas de desvio mais altas podem ser trabalhados como prioridade, mas este é apenas um guia rudimentar; sinta-se livre para usar outros critérios para decidir por onde começar a fazer mudanças.

VALORES	CONSISTÊNCIA	IMPORTÂNCIA	DESVIO

Para começar, enfoque apenas um ou dois valores essenciais e esferas da vida em que você talvez não tenha sido tão consistente com seus valores quanto gostaria. Mais adiante você pode ampliar o âmbito para abordar outros valores e áreas de funcionamento, um passo de cada vez.

TENTE AGORA: PLANEJAR AS AÇÕES VALORIZADAS INICIAIS

Pode ser útil começar rascunhando uma tabela como esta para gerar uma lista de atividades que seriam consistentes com seus valores essenciais e o tipo de pessoa que você quer ser, distinguindo estratégias gerais e táticas mais específicas para o valor principal que você quer trabalhar.

VALOR	ESTRATÉGIAS GERAIS	TÁTICAS ESPECÍFICAS
Ser um bom pai	1 Passar mais tempo com meus filhos	Ensiná-los a pintar Levá-los à praia Fazer perguntas a eles
	2 Dar um bom exemplo	Parar de fumar Cuidar meu linguajar Parar de reclamar das coisas na frente deles

Pergunte-se quais pequenas ou grandes ações alinhadas com seus valores mais importantes você poderia começar a adotar. Às vezes pode-se descobrir que as ações valorizadas são um fim em si mesmas, como tocar música ou ser criativo pelo prazer de sê-lo, enquanto outras ações naturalmente podem estar ligadas a outras metas, a serviço de valores, como finalizar o rascunho de um artigo, tentar passar em uma cadeira na faculdade em prol do aprendizado.

Estabelecer metas

Estabelecer metas pode ajudar a viver de acordo com os valores, contanto que as metas não comecem a eclipsar os valores. O estabelecimento de metas é mais bem abordado como um processo contínuo em que o viver valorizado começa a se tornar a verdadeira meta essencial. Por essa perspectiva, as metas não são inerentemente valiosas, mas apenas meios para a finalidade de viver de acordo com os valores essenciais em todos os momentos. O problema é que nossas metas estão sempre distantes demais, nos percebemos carentes ("desprovidos") das coisas que queremos. Nunca estaremos satisfeitos enquanto estivermos completamente focados na meta, ao passo que colocar o valor primário em nosso modo de viver nos permite incorporar continuamente o que valorizamos.

Estudos mostraram que, quando as pessoas escrevem suas metas com clareza, ficam mais propensas a tomar medidas para atingi-las, e que isso também ajuda a dar mais tempo para refletir e aprimorá-las. (Assim, lembre-se de que é importante fazer esses exercícios e escrever as coisas!) Muitas vezes é bom redigir em termos de resultados específicos, alcançáveis; por exemplo, usar o acrônimo SMART como guia. As metas geralmente devem ser escolhidas no interesse de seus valores essenciais, por isso pense com cuidado sobre a relevância delas para suas prioridades essenciais na vida.

IDEIA-CHAVE: ESTABELECER METAS SMART

Existem várias versões diferentes para o acrônimo SMART, amplamente usado em *coaching* de negócios e de vida, bem como em terapia comportamental. A seguinte versão se ajusta bem ao conceito de viver valorizado. As metas SMART devem ser:

- S (*specific*): específicas o bastante para serem claras, inequívocas.
- M (*measurable*): mensuráveis o bastante para que você saiba ao certo se e quando as atingiu.
- A (*achievable*): alcançáveis, realistas e dentro de sua esfera de controle.
- R (*relevant*): relevantes para os valores essenciais aos quais elas servem.
- T (*time-limited*): com limite de tempo, a serem alcançadas em um prazo específico ou com certa frequência.

Quando possível, as metas devem ser redigidas de forma positiva, em termos da presença do que você está tentando alcançar, e não da ausência do que está tentando reduzir ou evitar. Para nossos propósitos, as metas podem ser resultados individuais, como pintar a sala, ou uma série de realizações menores recorrentes, como arrumar as coisas ao final do dia.

Metas são uma forma muito útil de verificar se você está nos trilhos na busca de seus valores. Por exemplo, concluir com sucesso um artigo difícil poderia ser uma medida do quanto você está agindo bem de acordo com o valor de exercitar o conhecimento e o aprendizado. Porém, agir de acordo com seu valor é mais importante do que alcançar a meta de concluir o artigo. É melhor ter leveza em relação a metas; no viver valorizado, os valores têm prioridade sobre as metas.

TENTE AGORA: ESTABELECER METAS SMART

Uma vez que tenha identificado os valores essenciais mais importantes e as áreas de sua vida a serem trabalhadas, tente identificar metas (resultados) específicas e atingíveis consistentes com eles.

Valores
(Ser um bom marido, por exemplo.)

Metas SMART correspondentes
(Por exemplo, dizer a minha esposa que eu a amo e falar alguma coisa elogiosa para ela pelo menos uma vez por dia.)

Uma vez que tenha estabelecido metas específicas relacionadas a seus valores essenciais, você provavelmente precisará dividi-las em submetas menores e identificar os passos práticos exigidos para alcançá-las. Portanto, o planejamento da ação é a próxima coisa a considerar.

Aplicação de metas e ações

Planejamento da ação e agendamento de atividades

Você pode utilizar a tabela abaixo para começar a dividir suas metas valorizadas em ações mais específicas. Resuma os principais valores em que está trabalhando, suas metas de longo prazo, curto prazo ("submetas") e os primeiros passos que planeja dar.

VALORES	METAS DE LONGO PRAZO	METAS DE CURTO PRAZO	PRIMEIROS PASSOS

TENTE AGORA: AGENDAR AÇÕES VALORIZADAS

Se você quer uma abordagem mais completa, elabore uma lista de atividades que possam servir a seus valores essenciais e metas, incluindo pequenos passos fáceis, bem como atividades maiores ou mais difíceis. (Veja o capítulo sobre resolução de problemas para mais conselhos sobre soluções alternativas para alcançar metas.)

Considere coisas que você costumava fazer, mas pode ter reduzido ou parado de fazer, e se poderiam servir a seus valores pessoais. Classifique cada uma em termos de dificuldade prevista ou de desempenho (0–100%), não da probabilidade de atingir suas metas. Por fim, coloque suas atividades em ordem de dificuldade, da maior para a menor.

A seguir, simplesmente escolha atividades de sua lista e agende-as, anotando quando planeja tentá-las, a quais valores elas pretendem servir, quais metas essas atividades poderiam ajudar a alcançar, bem como a classificação da dificuldade prevista. Após completar cada tarefa, você também pode anotar o quão difícil realmente foi e quaisquer observações ou reflexões úteis.

Quais atividades você deve selecionar primeiro? Algumas atividades podem ser genuinamente mais urgentes que outras; por exemplo, você pode ter um prazo para concluir um artigo ou se candidatar a um emprego. É óbvio que isso vai influenciar seu agendamento. Entretanto, desde que não seja uma desculpa para procrastinar nas tarefas maiores, geralmente é melhor começar com as atividades mais fáceis e depois trabalhar hierarquia acima até as mais difíceis.

Comece com passos pequenos e dê os maiores mais adiante. Algumas atividades serão itens pontuais, como consertar uma cadeira quebrada, enquanto outras podem ser mais frequentes ou recorrentes, como ir à academia três vezes por semana. Se uma atividade deve ser feita repetidamente, você pode economizar espaço colocando-a como um só tópico em sua lista.

ATIVIDADE AGENDADA	A QUE VALOR DEVE SERVIR	A QUE META DEVE SERVIR	DIFICULDADE PREVISTA (%)	DIFICULDADE REAL (%)
1 Consertar a cadeira quebrada Segunda à noite	Ser pragmático e organizado	Arrumar a casa	50%	10%
2 Ir à academia Segunda, terça e quinta	Cuidar da saúde	Perder três quilos até abril	60%	70% 50% 30%
3				
4				
5				
6				
7				

Ultrapassar as barreiras à ação

Antecipar barreiras à ação

Os principais motivos para fracassar na conclusão de uma atividade valorizada geralmente são que você esquece a ação ou depara com obstáculos específicos, as barreiras à ação. As barreiras podem ser internas ou externas. Internamente você pode experimentar pensamentos ou sentimentos desagradáveis, como preocupação ou ansiedade. Também pode achar as consequências externas de suas ações ou as reações das outras pessoas problemáticas; por exemplo, pode deparar com dificuldades práticas, ou outras pessoas podem se opor a você.

IDEIA-CHAVE: BARREIRAS À AÇÃO

Barreiras à ação são obstáculos que parecem se interpor no caminho de suas metas e ações valorizadas. Você pode fazer uma distinção fundamental entre barreiras externas (ou práticas) e barreiras internas (pensamentos e sentimentos desagradáveis). Barreiras externas geralmente podem ser abordadas com métodos de resolução de problemas, enquanto barreiras internas são mais bem abordadas com as estratégias baseadas em *mindfulness* e aceitação descritas nos próximos capítulos.

Embora possamos falar em superar barreiras à ação, seria mais acurado dizer que muitas vezes se pode aceitar – e transitar através de ou viver com – pensamentos e sentimentos problemáticos em vez de se superar ou eliminá-los. Em certo sentido, eles só são barreiras ou obstáculos enquanto tentamos evitar ou controlar em vez de aceitá-los.

Faça um registro das atividades em que você corre risco de fracassar e anote as barreiras à ação com que possa deparar. Marque barreiras internas com "I" e barreiras externas com "E" e anote possíveis estratégias para ultrapassá-las. Isso é um plano inicial rudimentar. Ao ir adiante neste livro, você pode retornar à anotação e reavaliá-la depois de aprender novas maneiras de reagir a barreiras internas e externas. O formato abaixo pode ser usado para registrar as atividades.

ATIVIDADES VALORIZADAS	BARREIRAS À AÇÃO	ESTRATÉGIAS

Esquecimento de atividades agendadas

Um dos motivos mais simples e comuns para o fracasso em completar uma atividade agendada é esquecê-la. Terapeutas comportamentais chamam esse problema de controle do estímulo; você provavelmente falhou em arranjar lembretes adequados que poderiam induzi-lo, atuando como uma deixa ou estímulo para a atividade. Usamos lembretes todos os dias, do alarme que dispara pela manhã à lista de compras que levamos para o supermercado. A primeira coisa é simplesmente se perguntar: "Como posso me assegurar de lembrar de fazer essa atividade?".

Anotar as coisas em uma agenda como a apresentada acima vai ajudar, especialmente se você tiver como prioridade ler a lista todas as manhãs ou colocá-la em algum local onde repare nela com frequência. Falar para outras pessoas que você está planejando fazer alguma coisa pode ajudar, especialmente se for provável que elas o lembrem disso. Colocar notas adesivas em locais bem visíveis é uma estratégia popular, ou colocar um lembrete eletrônico no computador ou telefone. Organizar o ambiente para se lembrar é a chave. É comum usar lembretes adesivos dizendo "Lembre-se do que é importante" ou fotografias de entes queridos para estimular a consciência dos valores essenciais. Então não se esqueça de usar lembretes!

Ensaio mental da ação valorizada

Algumas pessoas consideram que o ensaio mental de uma atividade – imaginar-se fazendo-a em determinada ocasião – pode ajudar a lembrar-se da tarefa. Além disso, um dos problemas centrais de se engajar em uma ação valorizada é conseguir se recordar dos valores e permanecer ciente deles durante a atividade. Alguns autores sugerem que você poderia reservar um tempo pela manhã para contemplar seus valores essenciais e se preparar, comprometendo-se a agir de acordo com eles no decorrer do dia. Visualize o cenário onde a atividade deve ser executada e os passos específicos envolvidos. Imagine-se completando a tarefa da forma mais realista possível, enquanto aceita quaisquer barreiras internas que surjam e continua a focar em seus valores e em agir de acordo. Os antigos filósofos estoicos faziam algo parecido todas as manhãs, ensaiando mentalmente como planejavam agir de acordo com as virtudes cardinais e os preceitos que compunham sua filosofia pessoal de vida.

TENTE AGORA: ENSAIO MENTAL DA AÇÃO VALORIZADA

Feche os olhos e imagine-se vividamente dando os passos necessários para atingir alguma meta valorizada. Enquanto faz isso, mantenha o foco no valor intrínseco do que está fazendo. Se a sua meta é desafiadora, imagine as coisas de modo realista em vez de imaginá-las transcorrendo perfeitamente. Permita-se deparar com barreiras à ação em sua mente, tais como pensamentos ou sentimentos desconfortáveis. Pratique aceitá-los de boa vontade, enquanto permanece comprometido com seus valores básicos. Imagine sentir-se amedrontado e com dúvidas, por exemplo, mas distanciando-se disso, aceitando e continuando a agir em sintonia com seus valores e rumo à meta em vez de permitir que seus pensamentos e sentimentos controlem suas ações.

Barreiras externas: déficits de habilidades e resolução de problemas

Barreiras externas, obstáculos práticos à ação valorizada, incluem falta (déficit) de recursos (tempo, dinheiro, apoio), habilidades, conhecimento etc. Adquirir habilidades e conhecimentos específicos ou a resolução de problemas de forma criativa e sistemática são as principais abordagens face a barreiras externas. Caso surja uma barreira externa, você normalmente deve encarar sua superação apenas como uma nova meta a ser atingida.

Outro motivo para fracassar na conclusão de uma tarefa é simplesmente carecer das habilidades ou conhecimentos exigidos. A solução mais simples é reformular o plano de ação, de modo que a primeira atividade seja a preparação, ou seja, adquirir as habilidades ou conhecimentos que faltam. Por exemplo, você pode ter planejado ser mais assertivo com um vizinho barulhento, mas fracassar por não conseguir achar as palavras certas na hora. Se lhe faltam habilidades assertivas, você poderia planejar uma atividade que ajudasse a desenvolvê-las, por exemplo, ler um livro sobre assertividade, fazer um curso, escrever o que dizer de antemão e ensaiar no espelho, tratando essa preparação como a primeira atividade a ser concluída. Quando você tem dificuldade para descobrir como atingir uma meta, a abordagem metodológica específica para a solução de problemas usada na TCC pode ser útil. (Ver o capítulo sobre resolução de problemas.)

Barreiras internas: pensamentos e sentimentos

Barreiras internas, obstáculos psicológicos consistindo em pensamentos e reações emocionais automáticos, geralmente são um problema maior que os obstáculos externos. A principal estratégia das abordagens baseadas em *mindfulness* e aceitação é aprender a se comprometer com a ação valorizada e ao mesmo tempo aceitar e dar espaço para as barreiras que surgem pelo caminho. Algumas das estratégias terapêuticas discutidas em outras partes deste livro, tais como *mindfulness*, desfusão e aceitação, podem ser necessárias para lidar com esses obstáculos potenciais.

De acordo com a ACT, as barreiras internas à ação colocam a pergunta: "Você está disposto a ter essa experiência e ainda assim agir de forma consistente com o que valoriza?". Isso significa estar disposto a aceitar pensamentos e sentimentos desconfortáveis e permanecer comprometido com a ação valorizada. Quem é mais resiliente: alguém que não experimenta estresse nem coisas desagradáveis como preocupação e ansiedade ou alguém que sente o estresse, mas aceita de boa vontade e age de acordo com seus valores?

A principal estratégia da ACT para reagir às barreiras internas é a disposição ativa para dar espaço a elas em prol da manutenção do compromisso com o viver valorizado. Um bom exemplo seria o desconforto ou mesmo a dor e exaustão causados pelos exercícios quando você não está acostumado. Quando surge a barreira interna ao exercício, a melhor reação é aprender a aceitar de boa vontade, dar espaço e experimentá-la em prol do valor da autodisciplina e da meta de melhorar a saúde e a forma física.

Tentar distrair-se do desconforto, suprimi-lo, pode simplesmente ter efeito contrário, atraindo mais atenção para ele e tirando a atenção do valor de suas ações. Um motivo para aceitar experiências desagradáveis de boa vontade é que elas não estão sob o seu controle, e você jamais poderá eliminá-las por completo de sua vida. Portanto, é melhor aprender como viver com elas e ao mesmo tempo manter suas metas e valores.

Não se preocupe se isso parece desafiador. Nos próximos capítulos, você vai aprender como as barreiras internas e os pensamentos e sentimentos desagradáveis em geral podem ser experimentados de modo mais aberto e centrado. Isso envolve estratégias de aceitação, desfusão, consciência de si mesmo como observador e maior conexão com o momento presente.

Manter a resiliência com o viver valorizado

Manter um compromisso mais geral com o viver valorizado envolve uma série de processos. Por exemplo:

- Fazer um compromisso público, assumir uma posição e compartilhar valores com outros.
- Lembrar-se de focar primeiramente no valor intrínseco do seu comportamento o tempo todo, e não nas metas extrínsecas no futuro próximo ou distante.

- Planejar sistematicamente mais metas e ações específicas de acordo com valores importantes.
- Aceitar de boa vontade certas experiências desagradáveis em prol do viver valorizado.
- Renovar de modo persistente o compromisso com a ação valorizada sempre que vacilar, deslizar ou fracassar.

Fazer um compromisso público com suas metas e valores pode ser uma maneira útil de ajudar a firmar um compromisso privado mais forte. Por exemplo, diga aos amigos e familiares que você vai tornar certas metas e valores uma prioridade em sua vida e até que gostaria de ter o apoio deles.

Renovação do compromisso

Você deve estar preparado para quando ocorrerem reveses. Não permita que deslizes ou reveses sejam tomados como sinais para desistir de vez. Bem pelo contrário: simplesmente são oportunidades para você reafirmar o compromisso com seus valores essenciais. Por exemplo, mesmo que tenha fracassado muitas vezes em agir com integridade, você ainda pode permanecer genuinamente comprometido em agir com integridade como um valor básico.

Na verdade, você só pode fracassar caso assuma que sua meta é atingir algum resultado em vez de se comprometer a seguir seus valores escolhidos, pois sempre está em seu poder optar pelo compromisso, quer suas ações tenham êxito ou não. É como a antiga visão filosófica estoica de que o homem sábio jamais pode fracassar na vida porque ele almeja apenas fazer o que está sob seu controle, comandar-se ativamente a agir com virtude, de acordo com seus valores, de momento a momento, e aceitar as consequências, sejam elas um sucesso, sejam um fracasso. (Ver o capítulo sobre filosofia.)

Pontos de foco

Os pontos principais deste capítulo são:

- O viver valorizado define o que significa ser resiliente para você em termos da capacidade de lidar com barreiras a metas e ações valorizadas.
- Estabelecer metas, desde que tratadas com leveza, pode ser uma boa maneira de viver mais de acordo com seus valores.
- Agendar atividades valorizadas específicas pode levar a uma vida mais compensadora.
- A resolução de problemas normalmente é usada para lidar com barreiras externas à ação ou obstáculos práticos às suas metas.
- As estratégias descritas ao longo deste livro, em especial as de *mindfulness* e aceitação, são usadas para lidar com barreiras internas à ação, como pensamentos e sentimentos desagradáveis.

Próximo passo

É quase inevitável que seguir seus valores o leve a deparar com barreiras específicas à ação. Os capítulos a seguir vão mostrar como superar barreiras externas (práticas) usando a resolução de problemas e habilidades específicas, como a assertividade. Você também vai aprender como usar as estratégias de *mindfulness*, aceitação e outras para lidar de forma resiliente com barreiras internas, principalmente com experiências desagradáveis como pensamentos automáticos e sentimentos de aversão.

LEITURA ADICIONAL

Harris, R. (2008). *The Happiness Trap (Based on ACT: A Revolutionary Mindfulness-Based Programme for Overcoming Stress, Anxiety and Depression).*

Hayes, S. C. (2005). *Get Out of Your Mind and Into Your Life: The New Acceptance and Commitment Therapy.*

Simon, Sidney B., Howe, Leland W. e Kirschenbaum, Howard (1995). *Values Clarification: A Practical, Action-Directed Workbook.*

5

Aceitação e desfusão

Neste capítulo você vai aprender:

- Que flexibilidade e resiliência psicológica envolvem *mindfulness,* que pode ser entendida como abertura à experiência e centramento no momento presente.
- Uma forma aberta de resposta que envolve dois processos, chamados aceitação e desfusão.
- O que significa aceitação voluntária de experiências desagradáveis, por que isso é importante e no que difere da resignação passiva.
- Sobre a ilusão da fusão cognitiva inerente à linguagem e como isso alimenta a esquiva experiencial e problemas na vida.
- Diferentes estratégias para "desfundir" pensamentos e readquirir consciência destes como processos psicológicos que podem ser aceitos mais facilmente e receber espaço em prol da ação valorizada.

A mente é a governante da alma. Deve permanecer imperturbável diante das agitações da carne – tanto das gentis como das violentas. Não deve se misturar [isto é, fundir-se] a elas, mas isolar-se e manter essas sensações em seu lugar. Quando tais agitações chegarem a seus pensamentos por meio do elo congenial entre mente e corpo, não tente resistir à sensação. A sensação é natural. Mas não deixe a mente começar com julgamentos, chamando de "bom" ou "mau".

— Marco Aurélio, *Meditações*

Aquele que sabe como sofrer sofre menos. Ele aceita a dificuldade como ela é, sem acrescentar o terror que a preocupação e a apreensão produzem. Como o animal, ele reduz o sofrimento a sua expressão mais simples, vai até mesmo além, atenua a dificuldade pelo pensamento, é bem-sucedido em esquecer, em não mais sentir.

— Paul Dubois, *Self-Control & How to Secure It*, 1909

A importância da aceitação e da desfusão

Até aqui você explorou a ação valorizada e o papel da mudança do comportamento em prol de uma vida mais compensadora. Isso inevitavelmente o levará a deparar com certas barreiras à ação, em especial o obstáculo de pensamentos e sentimentos desagradáveis, tais como preocupação e ansiedade, e o ímpeto de agir de maneiras que colidem com seus valores. Vamos examinar o papel das estratégias baseadas em *mindfulness* e aceitação na resiliência, recorrendo a várias terapias psicológicas modernas baseadas em evidência, como a ACT.

Este capítulo provavelmente inclui mais jargão que os outros (como o "desfusão" do título). Isso porque alguns dos conceitos são especialmente sutis e facilmente incompreendidos, de modo que termos específicos têm de ser introduzidos para tentar deixar as instruções de autoajuda mais claras e mais fáceis de seguir. Estamos tratando da sua relação com suas experiências pessoais, algo que mais ninguém pode observar de forma direta e que às vezes pode ser difícil de colocar em palavras. Assim, você vai achar mais fácil acompanhar este capítulo se de fato estiver fazendo a maior parte dos exercícios descritos e estudando suas experiências com atenção.

Na abordagem que adotamos aqui, *mindfulness* e aceitação são vistas primariamente como estratégias em favor do viver valorizado. Nesse sentido, aceitação não é uma desistência passiva, bem pelo contrário: é uma disposição para experimentar pensamentos e sentimentos dolorosos no processo de agir, de viver de acordo com valores pessoais importantes. O compromisso de agir de acordo com os valores pessoais quase que inevitavelmente leva para fora da zona de conforto e ao encontro de várias barreiras à ação. Estas muitas vezes são problemas externos (práticos) a serem resolvidos, mas mais frequentemente são pensamentos e sentimentos, como ansiedade e preocupação, depressão e ruminação, ou raiva e cisma e fortes ímpetos de agir de certas maneiras. Desfusão refere-se ao processo de reagir aos pensamentos como eventos na mente em vez de assumi-los de forma literal e ficar absorto em seu significado. Como veremos a seguir, as experiências são mais fáceis de aceitar quando os pensamentos são vistos como de fato são. Juntas, desfusão e aceitação compõem o que se chama de um estilo de resposta aberta.

Você lembra o que foi dito sobre esquiva experiencial? Aceitação é o completo oposto da esquiva experiencial, é estar plenamente presente e aberto às experiências internas. Diferentemente de estilos mais convencionais de terapia e autoajuda, não se trata tanto de "se sentir melhor", mas de "ser melhor no sentir", melhor em experimentar a vida de modo pleno e direto. Isso inclui todo o repertório das emoções humanas, de alegria a tristeza. De início a noção de aceitação manejável é difícil de entender plenamente, requer tempo para se experimentar na prática e aprender a partir do experimento.

Como pensamentos e sentimentos negativos são uma parte normal da vida, o mais importante é como reagimos e como vivemos com eles, talvez minimizando seu impacto em nossa capacidade funcional quando ocorrem. Por exemplo, a palavra "paciência", que deriva do latim *pati*, "sofrer", talvez possa ser vista como outra forma de descrever a virtude requerida para se aceitarem certas formas de sofrimento. Ser paciente e aceitar sentimentos desagradáveis de boa vontade é sofrer "bem", em vez de combinar nosso sofrimento com impaciência e luta interna.

Se isso soa lúgubre, pode ser tranquilizador descobrir que, quando a aflição é aceita, ironicamente parece diminuir, talvez de forma mais elegante e natural do que quando tentamos lutar contra nossos sentimentos. Entretanto, observe que, se você aborda a aceitação deliberadamente como forma de eliminar pensamentos e sentimentos desagradáveis, corre o risco de torná-la não aceitação. "Só estou aceitando isso para me livrar!" com frequência não funciona muito bem, por isso é melhor esquecer por completo a ideia de controlar experiências desagradáveis e, em vez disso, focar em aceitá-las de forma mais sincera, permitindo que venham e vão livremente.

Pesquisa e aplicações

Em décadas recentes, o campo da terapia cognitivo-comportamental (TCC) voltou-se cada vez mais para a visão de que a aceitação de pensamentos e sentimentos desagradáveis pode ser uma estratégia mais saudável em longo prazo do que tentar eliminá-los ou controlá-los. A aceitação, em oposição à esquiva experiencial, foi relacionada a melhores resultados em terapia. Do mesmo modo, muitos estudos diferentes demonstraram a efetividade das abordagens baseadas na aceitação em uma gama de problemas (Hayes, Luoma, Bond, Masuda & Lillis, 2006).

Aceitação e resiliência

Enquanto a esquiva experiencial parece constituir fator de risco para futuros problemas relacionados ao estresse, é provável que a aceitação constitua importante ingrediente da flexibilidade psicológica e da resiliência emocional. Aprender a aceitar pensamentos e sentimentos desagradáveis significa abandonar esforços inúteis para controlar ou evitar experiências internas. Aceitação, portanto, é sinônimo de abandonar a agenda de mudanças impraticáveis, o que acarreta a redução do impacto da esquiva e de outras estratégias insalubres de enfrentamento.

Parece natural supor que desistir das tentativas de evitar ou controlar experiências internas contribua para a resiliência geral em longo prazo, especialmente porque muitos desses comportamentos, como abuso de álcool ou preocupação prolongada, são problemáticos e tendem a prejudicar a qualidade de vida e a capacidade de se dedicar às ações valorizadas. A aceitação também pode ser vista como abrir mão do esforço excessivo e com isso conservar energia, aumentando a resiliência emocional mediante a redução da fadiga e da exaustão emocionais.

ESTUDO DE CASO

Aceitação da ansiedade social

Keith era um empresário que ficava muito angustiado com seu nível de ansiedade em reuniões de trabalho e situações semelhantes, como entrevistas. Ele tentou muitos métodos de controle de ansiedade, de respiração profunda a várias formas de psicoterapia e autoajuda. Aprendeu a tentar visualizar-se como "o maior orador do mundo", para turbinar a autoconfiança. Porém, quando indagado "Como isso está funcionando no seu caso?", teve de admitir que não estava. Embora às vezes conseguisse administrar a ansiedade com relaxamento e turbinar a confiança com imagens mentais e conversa interna positiva, isso não durava muito, e logo ele estava se preocupando e brigando com os nervos em reuniões.

Decidimos tentar uma estratégia diferente e começamos a discutir o papel da ansiedade. Keith não tinha noção de que é bastante natural a frequência cardíaca aumentar um pouquinho ao falar em público, sendo provável que o corpo muito acertadamente produza mais adrenalina para ajudar o indivíduo a se projetar em uma sala cheia de gente. De fato, os sintomas físicos da ansiedade são em grande parte indistinguíveis dos sintomas de excitação. Keith percebeu que a luta contra a ansiedade estava criando um círculo vicioso. Quanto mais se preocupava por parecer ansioso, mais ansioso ele ficava. Reconheceu que, em situações nas quais não se importava caso se sentisse ansioso, como com amigos ou sozinho, ele se sentia "normal" e agia à vontade.

Embora Keith estivesse desesperado para evitar sentir-se ansioso, ficou óbvio que, se ele conseguisse se perdoar e aceitar a ansiedade como inofensiva e como algo que não era motivo de vergonha, ironicamente se sentiria menos ansioso. O desejo de evitar a aparência ansiosa era a principal causa da ansiedade. Ele se dispôs a tentar reverter essa estratégia e aceitar ativamente os sentimentos de ansiedade, abandonando quaisquer tentativas de suprimir ou escondê-los ao falar com os outros. Embora no começo fosse difícil, ele verificou que, com a prática, a nova estratégia aliviou a pressão e lhe permitiu sentir-se "normal" na presença dos outros, inclusive ao falar em reuniões. Keith ainda sentia certo nervoso, o que é bem normal, mas não se detinha nisso, nem permitia que afetasse sua concentração ou desempenho. Em vez disso, aceitava voluntariamente os sentimentos e se concentrava em apresentar suas ideias, ficando livre para focar a atenção no exterior e reagir com mais flexibilidade à tarefa em mãos.

Cultivo da flexibilidade psicológica

A cultura ocidental moderna, incluindo a maioria das abordagens em psicoterapia, tende a definir saúde mental basicamente em termos de redução de experiências (ou sintomas) desagradáveis, como ansiedade e depressão. Em um desvio bastante radical dessa perspectiva, a ACT define a saúde mental em termos de flexibilidade psicológica, entendida segundo seis processos centrais já descritos: consciência do eu-como-contexto, desfusão dos pensamentos da realidade e aceitação voluntária de experiências desagradáveis em prol do compromisso com a ação valorizada no momento presente. Em resumo, flexibilidade psicológica e resiliência consistem em *mindfulness* e comprometimento com o viver valorizado, o contrário da esquiva experiencial.

AUTOAVALIAÇÃO: ACEITAÇÃO DAS EXPERIÊNCIAS INTERNAS

Avalie a intensidade com que você acredita em cada uma das seguintes afirmações (0–10).

1. Sentimentos desagradáveis, como dor, tristeza ou ansiedade em geral são nocivos. (__/10)
2. Sinto que preciso controlar os sentimentos desagradáveis ou me livrar deles quando ocorrem. (__/10)
3. Para ajudar a me livrar deles, devo pensar em profundidade sobre o que meus pensamentos desagradáveis significam e de onde vêm. (__/10)
4. Ser incapaz de controlar pensamentos e sentimentos desagradáveis é um sinal de fraqueza que reflete muito mal em mim como pessoa. (__/10)
5. Para ser feliz e saudável, eu teria que eliminar pensamentos e sentimentos desagradáveis. (__/10)

Não se preocupe em somar o valor total, apenas olhe para as notas individuais. Dedique um momento para imaginar como seria sua vida, ao longo dos meses e anos por vir, se você avaliasse a crença em cada item com nota dez, o máximo. Agora pare um momento para imaginar como seria sua vida no futuro se você adotasse o ponto de vista contrário e fosse capaz de dar nota zero para cada item. Considere que mudanças de atitude valeriam a pena testar na prática.

Desfusão cognitiva

A ACT e outras terapias modernas têm desviado cada vez mais o foco do conteúdo dos pensamentos para a sua função. Não é *o que* você pensa, é *como* você pensa. A verdade ou falsidade dos pensamentos é menos importante do que a forma como você reage a eles. A ACT originalmente chamava-se "distanciamento compreensivo", porque coloca ênfase particular na técnica chamada de "distanciamento" na terapia cognitiva. No distanciamento, os pensamentos são vistos de forma desprendida, como se você tivesse recuado um passo, e também como meras hipóteses em vez de fatos, como separados da realidade que afirmam representar. O termo "desfusão cognitiva" agora é usado para descrever uma forma semelhante, mas ligeiramente mais sofisticada, de reagir.

IDEIA-CHAVE: FUSÃO COGNITIVA

Fusão cognitiva refere-se à tendência de reagir aos pensamentos como se fossem as coisas que representam. Os humanos parecem sofrer mais do que os animais em termos emocionais porque, somado à dor causada por eventos reais, também reagimos aos pensamentos e imagens desagradáveis com angústia. Somos capazes de ruminar sobre o passado e nos preocupar com o futuro de maneira mórbida porque fundimos nossos pensamentos com a realidade e reagimos como se os eventos imaginados de fato estivessem presentes aqui e agora. A fusão pode ser perfeitamente saudável, como quando nos perdemos ao ler um romance ou assistir a um filme, absortos na história. Entretanto, fundir-se com preocupação ou ruminação mórbidas é a receita para um maior sofrimento emocional e qualidade de vida prejudicada.

Fusão cognitiva refere-se à tendência de reagir aos pensamentos em termos do conteúdo literal, às vezes descrita como "ser convencido pelos pensamentos", ao contrário de apenas "ter pensamentos". É um tipo de delusão que se deve ao fato de nossos pensamentos se referirem a coisas além de nós mesmos e representá-las. Fusão significa tratar nossos pensamentos como se fossem o que significam. A palavra "gato" não é igual ao animal a que se refere, apenas o simboliza. Todavia, alguém com fobia severa a gatos pode reagir com ansiedade quando a palavra é mencionada, quase como se um gato de verdade estivesse presente.

A fusão é essencialmente o principal motivo da esquiva experiencial e uma barreira potencial à aceitação voluntária. A maior parte do sofrimento humano decorre da reação aos pensamentos, e não de ameaças físicas reais no ambiente imediato. A fusão permite que constructos verbais eclipsem nossa experiência sensorial direta do mundo, de modo que reagimos cada vez mais a ideias, e não à realidade concreta do momento presente. Muitas vezes parece que vivemos mais dentro de nossa cabeça do que na realidade quando nos fundimos a cadeias de pensamentos preocupados ou ruminantes, por exemplo.

A ACT baseia-se no pressuposto de que a linguagem não consegue expressar a experiência humana com perfeição, e por isso a confusão (ou fusão) entre os pensamentos e as experiências concretas que eles descrevem, bem como com a pessoa que pensa, é uma fonte comum de dificuldade psicológica. Desfusão significa experimentar os pensamentos como pensamentos, atividades mentais, e não como o que eles representam. A famosa pintura de Magritte de um cachimbo com a frase "Isto não é um cachimbo" ilustra bastante bem o conceito de desfusão – não é um cachimbo, é apenas a pintura de um cachimbo.

Isto não é uma cara triste.

Nossos pensamentos geralmente tentam representar a realidade, mas somos propensos a esquecer que eles são apenas representações, e não a coisa real. Em outras palavras, a fusão envolve olhar as coisas por meio dos pensamentos e confundi-los com a realidade, em vez de olhar os pensamentos de um ponto de vista mais distanciado. "O mapa não é o terreno", afirmou Alfred Korzybski, um dos pioneiros da TCC, há muitas décadas. Pensamentos não são fatos. Outra forma de explicar isso é que na fusão ficamos mais focados no conteúdo dos pensamentos, no seu significado, do que no processo do pensamento, no fato de estarmos usando palavras de determinadas formas.

Nossa experiência direta do pensamento é um processo mental, palavras e imagens na mente; vamos além da experiência quando tratamos nossos pensamentos como se fossem fatos sobre o mundo real ou sobre nosso caráter essencial. Essa é a ilusão intrínseca das palavras, o enfeitiçamento de nossa consciência pela linguagem que usamos. Do mesmo modo existe uma diferença fundamental entre ouvir uma história e ficar completamente absorto no enredo ou ouvir o processo da narração da história e observar o comportamento do narrador.

Assim, quando os pensamentos se fundem com as experiências, reagimos como se as coisas que eles representam estivessem presentes. A palavra "limão" ou mesmo a imagem mental de chupar um limão não necessariamente faz salivar, a menos que você fique de algum modo absorto em seu significado, fundindo-a com a coisa que representa; nesse caso, você pode reagir fisicamente como se estivesse provando suco de limão. Da mesma forma, preocupações catastróficas sobre o futuro podem ser experimentadas como uma simples sequência de palavras, uma história que contamos para nós mesmos sobre catástrofes que tememos, ou, se somos arrastados por elas em estado de fusão, podem provocar intensa ansiedade, como se o evento temido estivesse de fato acontecendo. Sob certos aspectos, a fusão pode parecer uma espécie de autossugestão ou auto-hipnose em que os pensamentos dominam a mente e evocam reações (Braid, 2009). Assim, o problema não são nossos pensamentos desagradáveis, mas nossa fusão com eles.

É bom aprender a identificar os primeiros sinais da fusão, notando quando você é fisgado por pensamentos inúteis, para que possa agir na mesma hora e se "desfundir" deles. Pensamentos fundidos angustiantes podem ser experimentados das seguintes formas:

- Os pensamentos parecem verdadeiros, como se fossem fatos, e reagimos como se estivessem acontecendo agora.
- Parecem sérios ou importantes, e focamos nossa atenção neles.
- Parecem irresistíveis, como se não tivéssemos escolha a não ser fazer o que dizem que temos de fazer.
- Parecem ameaçadores, como se precisássemos fazer alguma coisa para nos livrar deles.
- Refletem-se de modo negativo em nosso caráter essencial em vez de serem vistos como superficiais e automáticos.

Embora a fusão esteja relacionada à dose de crença que você tem em um pensamento, não é a mesma coisa que crença. Por exemplo, a maioria das pessoas acredita 100% que vai morrer um dia. Entretanto, algumas pessoas se preocupam com isso e sofrem de ansiedade por causa da morte, mesmo quando a morte é uma perspectiva distante. O conceito da morte é mais vívido e, em certo sentido, confunde-se com a realidade presente para aqueles que se fundem e se enredam nele. Por isso as abordagens de *mindfulness* tentam mudar a forma como usamos e nos relacionamos com esses pensamentos em vez de desafiar nossa crença em seu conteúdo.

Diversos problemas bastante insidiosos estão associados à fusão. Em primeiro lugar, quando julgamentos de avaliação (por exemplo, "isso é terrível!") são confundidos com descrições e tratados como propriedade literal da coisa avaliada, isso com frequência causa sofrimento. Em segundo, quando os pensamentos são tomados como descrição literal do eu (por exemplo, "sou estúpido!"), isso leva a um conceito rígido e artificial de quem você é, ligado a uma miríade de outros problemas. Voltaremos ao problema da autoconceitualização mais adiante, quando discutirmos a perspectiva alternativa, a experiência do eu-como-contexto, ou observador das experiências.

Outro problema comum é "dar motivos" quando pensamentos fundidos são tratados como causas da ação, motivos (ou desculpas) por que você "deve" se comportar de certa maneira. Na ACT isso é realçado substituindo-se a palavra "mas" no motivo dado pela palavra "e". "Quero falar em público, *mas* me sinto ansioso" fica "quero falar em público *e* me sinto ansioso". Sentir-se ansioso não é necessariamente o motivo pelo qual você não consegue executar a ação, pois é possível aceitar sentimentos de ansiedade ao falar. Quando praticar a desfusão de seus motivos para a ação, você descobrirá maior senso de flexibilidade e liberdade em seu comportamento em várias ocasiões, o que pode ser essencial para dar uma chance ao viver valorizado.

IDEIA-CHAVE: DESFUSÃO COGNITIVA

A desfusão cognitiva ocorre quando paramos de confundir os pensamentos com a realidade e os vemos como são, eventos mentais no aqui e agora, e não o que eles dizem que são, ou seja, o que simbolizam. Quando "desfundimos" pensamentos, os experimentamos apenas como palavras e imagens em vez de tomar seu significado de forma literal. Também podemos vê-los como os produtos automáticos e habituais de nossa mente, destroços e refugos de nossa história, em vez de algo especialmente significativo que tenhamos escolhido pensar. A desfusão faz com que os pensamentos percam sua qualidade evocativa automática, e isso ajuda a impedir que nos percamos em pensamentos que causam sofrimento emocional desnecessário.

Uma das consequências mais óbvias das estratégias de desfusão cognitiva é que as palavras avaliativas de repente tendem a parecer mais arbitrárias e sem sentido. Julgamentos de valor como "sou uma pessoa muito má" ou "essa situação é terrível" com frequência se mascaram como descrições literais do fato. De modo análogo, exigências, prescrições como "tenho de fazer as coisas direito" ou proscrições como "não devo cometer erros" muitas vezes são adotadas em sentido absoluto, rígido e literal. Quando se usam estratégias de desfusão, tais como repetir as palavras várias vezes em um tom de voz idiota, esse tipo de afirmação tende a parecer especialmente sem sentido e arbitrário. A desfusão, portanto, contribui para a flexibilidade psicológica e para uma atitude mais aberta e criativa em relação aos problemas.

A aceitação depende da desfusão, pois almejamos aceitar nossa experiência interna não pelo que parece percebida literalmente, mas como é na realidade, como um processo psicológico. Você pode aceitar o fato de que alguém discorda de você sem aceitar que o outro esteja certo. De modo semelhante, você pode aceitar o fato de que está preocupado com o futuro sem aceitar o conteúdo das preocupações como real. A desfusão típica implica o uso de estratégias que fazem palavras e frases problemáticas perder algo do significado percebido, de modo que possam ser aceitas mais facilmente como meros pensamentos em vez de serem experimentadas como fatos sobre a realidade. Algumas estratégias usadas para a desfusão cognitiva incluem:

- Repetir as palavras de modo excepcionalmente rápido por cerca de 30 segundos.
- Repetir as palavras lentamente, prestando atenção no processo de produção do som, reparando até nos menores movimentos dos músculos envolvidos ou nas mudanças na respiração.
- Dizer as palavras com outra voz, quem sabe como um personagem de desenho animado, ou soando como um ratinho a guinchar, um bicho-preguiça sonolento, um pato a grasnar etc.
- Cantar as palavras em alguma melodia incongruente, como "Daisy, Daisy" ou "Parabéns a você".
- Rotular pensamentos de forma explícita como pensamentos, por exemplo: "Agora estou tendo o pensamento de que não consigo lidar com isso" ou "minha mente está contando a mesma velha história sobre eu ser um idiota".

- Dizer "obrigado, mente!", como se fosse outra pessoa, como se sua mente e seus pensamentos fossem separados de sua consciência observadora.
- Lembrar que pensamentos são apenas reações automáticas sem sentido, como o ruído de fundo da consciência ou um rádio tocando na sala.
- Imaginar que cada pensamento que passa pela mente está acoplado a folhas que flutuam por um regato, ou escrito em cartazes carregados por soldados que passam marchando, ou escrito em nuvens a flutuar no céu, ou projetado na tela de um cinema vazio enquanto você observa à distância.

Todas essas técnicas são meros auxílios para o processo fundamental de desfusão, que você um dia será capaz de efetuar sem quaisquer artifícios. Com a prática, você aprenderá a "desfundir" certos pensamentos de imediato, só por vê-los como eventos arbitrários, distintos da realidade a que se referem. "Desfundir" pensamentos da realidade é importante porque fica mais fácil aceitá-los de boa vontade e ajuda a impedir que fiquem no caminho da ação valorizada.

TENTE AGORA: TÉCNICAS BÁSICAS DE DESFUSÃO (ROTULAR E LEITE, LEITE, LEITE)

Pegue um pensamento moderadamente angustiante e foque nele por uns dez segundos em estado de fusão. Observe o que você experimenta. Que pensamentos ou sentimentos são evocados de forma automática quando você se funde com essa ideia? Repita o mesmo pensamento por uns dez segundos, pronunciando-o devagar, mas acrescente antes as palavras: "Estou tendo o pensamento de que..." e observe o que acontece. Fale um pouco mais devagar e faça pausas entre as palavras. Você pode ampliar o senso de desfusão acrescentando: "Eu noto que estou tendo o pensamento de que..."; observe o que acontece.

Tente dizer a palavra "leite" para si mesmo e enfoque o que ela evoca: seu significado. Observe por um momento todas as diferentes sensações, imagens e outras associações evocadas pela palavra "leite". Agora tente repetir a palavra muitas vezes, rapidamente, por uns trinta segundos. O que acontece com a sua experiência do significado? (Essa técnica, apesar de comum na ACT, foi descrita pela primeira vez pelo psicólogo Titchener lá em 1916.)

Tente a mesma coisa com um pensamento ou ideia moderadamente angustiante. Resuma-o em uma palavra ou frase curta. Por exemplo, se você é perfeccionista e se preocupa com o fracasso, pode tentar usar a palavra "fracasso" ou "êxito". Observe primeiro que sentimentos e outras associações o termo costuma evocar. Agora repita a palavra rapidamente por uns trinta segundos. O que acontece com a noção de significado? Seus sentimentos mudam? Fica chato ou começa a soar como um ruído sem sentido? Sons sem significado podem parecer ruídos de animais em vez de linguagem humana.

De acordo com Hayes, pesquisas experimentais recentes com essa técnica mostraram que 20–45 segundos é a melhor duração e que 95% das pessoas reportam redução na credibilidade do pensamento.

LEMBRE-SE: DESFUSÃO DE PENSAMENTOS INÚTEIS

Quando ocorrer um pensamento angustiante, pergunte a si mesmo se o processo de pensamento está ajudando ou não. Em particular se é consistente com seus valores de vida mais importantes ou se atrapalha. Se é inútil ou atrapalha o viver valorizado, você pode "desfundi-lo", aceitar o que está experimentando e se comprometer com a ação valorizada no momento presente. A desfusão cognitiva tecnicamente envolve alterar a função dos pensamentos sem tentar mudar seu conteúdo ou impedir que ocorram. Pode ser aplicada a pensamentos automáticos, preocupação, motivos, desculpas, crenças e histórias que a mente conta sobre você, sua vida, outras pessoas, seu passado, futuro e tudo o mais.

Aceitar e abandonar

Na linguagem da ACT, flexibilidade psicológica consiste em aceitar voluntariamente nossa experiência do momento presente, "desfundida" de nosso pensamento, vendo da perspectiva do eu-como-observador, em prol do compromisso de viver de acordo com os valores pessoais autênticos. Para ser mais conciso, envolve uma maneira aberta, centrada e engajada de reagir às experiências. Aceitar experiências desagradáveis paradoxalmente também significa soltar qualquer apego subjacente a elas, abandonando a luta para evitá-las ou controlá-las e se permitir experimentá-las como são, no aqui e agora.

Quando nos recusamos a aceitar uma experiência desagradável, infelizmente a tendência é forçar a mente a prestar mais atenção naquilo, podendo chegar à preocupação excessiva. Embora a aceitação exija prestar atenção nos sentimentos desagradáveis, isso é temporário, e aceitar a experiência costuma significar que você prestará bem menos atenção neles em longo prazo. Entretanto, aceitação requer prática, e você pode ter que passar cinco minutos por dia, por exemplo, aprendendo a aceitar certos sentimentos a fim de fazer progresso, bem como aplicar essas habilidades ao longo do dia sempre que surgirem experiências internas desagradáveis.

IDEIA-CHAVE: ACEITAR E ABANDONAR

Na ACT a aceitação foi definida como "adoção voluntária de uma postura intencionalmente aberta, receptiva, flexível e sem julgamento em relação à experiência do momento" (Hayes, Strosahl & Wilson, 2012, p. 272). "Boa vontade" às vezes é usada especificamente no sentido de se colocar na presença de experiências que precisam primeiro ser aceitas. Aceitação de boa vontade, portanto, significa confrontar experiências dolorosas e experimentá-las como são de forma mais plena, ao mesmo tempo abandonando qualquer esforço para controlá-las ou eliminá-las. Na ACT isso foi comparado a:

- Segurar uma flor delicada nas mãos.
- Ficar pacientemente ao lado de alguém que tem uma doença grave.
- Contemplar uma exposição em um museu ou galeria de arte.
- Assistir uma criança que chora.

Muitas vezes é preciso algo parecido com compaixão por si mesmo para fazer isso de maneira adequada com seus pensamentos e sentimentos perturbadores, dando espaço para coisas que você costuma sentir-se compelido a evitar experimentar.

Você estaria disposto a ficar em uma fila por dez minutos, no frio e na chuva, algo que normalmente provoca aversão, para encontrar a pessoa que mais admira no mundo? Você iria tolerar de má vontade ou pareceria aceitável e até mesmo trivial como um meio para um fim, não obstante ser algo que você normalmente evitaria? Se você quer o fim, também tem que querer o meio. Aceitação significa abraçar experiências internas, pensamentos e sentimentos de forma ativa e consciente, sem luta desnecessária para mudar a frequência ou conteúdo, tentando evitar ou controlar. Alguns autores preferem o termo "expansão" para aceitação, significando abertura psicológica e flexibilidade ao dar espaço para experiências desagradáveis.

IDEIA-CHAVE: COMBINAR ACEITAÇÃO E DESFUSÃO

A aceitação deve ser entendida como subsequente à desfusão. Isso se refere à aceitação da experiência como ela é, não à aceitação da experiência como a mente a representa quando os pensamentos estão fundidos com a realidade. Se a mente conta histórias constantemente, o que aceitamos é o processo da narrativa, não o conteúdo literal ou o significado das histórias. Isso é importante porque a fusão cognitiva é uma grande fonte de sofrimento, e aceitação não significa chafurdar em pensamentos negativos fundidos com a realidade. Está implícito o pressuposto de que as experiências aceitas são relativamente inofensivas e normais, que em última análise não vale a pena tentar lutar com elas ou analisá-las e que elas podem vir e ir ao natural com o tempo se deixadas por si. A sensação de ameaça tende a restringir a atenção e tornar as reações rígidas e estereotipadas. Por outro lado, uma atitude de aceitação voluntária está associada à ampliação da atenção e a senso de flexibilidade, criatividade e abertura.

TENTE AGORA: ACEITAR EXPERIÊNCIAS DESAGRADÁVEIS (PRENDER A RESPIRAÇÃO)

Não faça isso se tiver problemas médicos que possam tornar inadequado prender a respiração por um período prolongado. Se estiver tudo bem, prepare-se para cronometrar o exercício. Você vai prender a respiração e tentar lidar com isso evitando prestar atenção a seus pensamentos, sentimentos e ao ímpeto de soltar o ar. Quando estiver pronto, feche os olhos, inspire profundamente e retenha o ar o máximo possível, observando seus pensamentos e sentimentos. Quando tempo conseguiu? Que tal foi? Quais pensamentos passaram por sua mente? O que aconteceu quando você tentou evitar prestar atenção a experiências difíceis ou desagradáveis? Foi fácil evitar reparar no impulso para soltar o ar? Foi difícil ignorar esse impulso?

Faça a mesma coisa de novo, mas dessa vez foque em aceitar voluntariamente os pensamentos e sentimentos e espere um pouquinho mais antes de soltar o ar, distanciando suas ações de seus sentimentos. Aceite o ímpeto de soltar o ar, mas não faça nada, distanciando-se pacientemente de quaisquer pensamentos que ocorram. Também veja o exercício como um aprendizado que você valoriza. Quanto tempo conseguiu dessa vez? O que aconteceu quando você enfocou a aceitação? Qual a diferença entre tentar suprimir o ímpeto de soltar o ar e apenas aceitá-lo? Qual a influência de colocar valor no experimento?

TENTE AGORA:
ACEITAR MEDIANTE A FISICALIZAÇÃO

Esta técnica foi incorporada às abordagens modernas baseadas em aceitação, sendo proveniente da terapia Gestalt, bem mais antiga, desenvolvida na década de 1950.

1. Pense em algo que evoque sentimentos desagradáveis brandos. Observe como são os sentimentos e onde se manifestam no corpo.
2. Agora imagine transformar (simbolicamente) o sentimento em uma forma ou objeto e se afastar dele, deixando-o (temporariamente) fora de seu corpo para que possa observá-lo à distância de vários passos.
3. Com paciência, tome nota de suas várias propriedades. Qual a cor, formato, textura e tamanho? Ele se movimenta ou se modifica? Observe as diferentes propriedades, uma de cada vez.
4. O que acontece com a sua reação ao ver dessa maneira? Você consegue aceitar a experiência de boa vontade a partir dessa perspectiva, abandonando qualquer esforço para controlá-la ou evitá-la?
5. Se você tiver uma sensação de resistência a aceitar a experiência, apenas trate a reação da mesma maneira. Coloque os sentimentos originais de um lado e transforme a resistência em um segundo objeto que você possa colocar ao lado do primeiro. De novo observe suas propriedades, depois abandone qualquer esforço e aceite-o de modo voluntário. Como o abandono do esforço afeta o objeto/sentimento original?
6. Você pode acolher de volta os dois objetos dentro de si e continuar a aceitar a experiência de boa vontade em prol dos seus valores? Continue a ver os sentimentos como meros objetos, como conteúdos da consciência, distintos da sua consciência observadora.

Às vezes fica mais fácil aceitar uma experiência desagradável se você consegue dissecá-la em seus componentes. Isso muitas vezes é feito dividindo-a em pensamentos, ações e sentimentos e aceitando ativamente um elemento de cada vez. Por exemplo, quando ansiosas, as pessoas muitas vezes tensionam os músculos e sentem o coração acelerar e a respiração ficar mais rápida e curta, enquanto observam os pensamentos e imagens amedrontadores passar pela mente. Ficar ciente dos elementos de uma experiência desagradável e focar em sua aceitação e desfusão, um de cada vez, pode ser mais fácil do que tratá-los como um único aglomerado volumoso. As pessoas que sofrem de ansiedade e depressão clínica tendem a fazer o contrário e veem as emoções como uma coisa única em vez de um conjunto de muitos elementos diferentes que mudam com o tempo.

TENTE AGORA: DESMEMBRAR AS EXPERIÊNCIAS

Na ACT, a metáfora do "monstro de lata" é usada para ilustrar o valor de desmembrar as experiências a fim de "desfundir" e aceitá-las. É estar diante de um monstro gigantesco, mas, ao desmontá-lo, ver que é feito apenas de latas velhas, pedaços de corda e arame, nada de especial.

1. Leve sua mente de volta a uma época agradável de quando você era criança e dedique um momento para reviver a memória. Observe que, embora as coisas fossem diferentes, existe alguma continuidade entre "lá e outrora" e "aqui e agora" – a sua consciência das coisas. Fique em contato com a sensação de si mesmo como simples observador consciente, que está além dos conteúdos da consciência. (Voltaremos a essa experiência do eu-como-observador em mais detalhes no próximo capítulo.)
2. Agora pegue uma experiência desagradável branda para trabalhar. (Não selecione nada que possa ser opressivo ou traumático sem a ajuda de um terapeuta.) Você vai explorar os diferentes elementos um a um e trabalhar em cada um com estratégias de desfusão e aceitação. A forma como você divide as coisas é bastante arbitrária, mas você seguirá a convenção de distinguir entre pensamentos, ações e sentimentos.

3. Permaneça conectado à noção de si como simples consciência, enfoque a experiência que quer aceitar e comece a prestar atenção unicamente nas sensações físicas associadas a ela. Se forem várias, enfoque uma de cada vez. Permita-se aceitar voluntariamente uma sensação de cada vez, abandonando ao máximo qualquer esforço antes de continuar. Observe onde as sensações estão focadas e também os sentimentos mais sutis na periferia. Experimente com curiosidade desapegada, considere onde seria o começo e o fim se você fosse traçar uma linha.
4. Agora faça o mesmo com quaisquer emoções associadas à experiência e, quando estiver pronto, continue a trabalhar da mesma maneira na aceitação de quaisquer impulsos comportamentais, pensamentos ou memórias, um de cada vez, abandonando todo o esforço e simplesmente mantendo-se aberto e presente em cada parte da experiência.
5. Uma vez que tenha aprendido a dividir a experiência em várias partes pequenas e aceitado uma a uma, você pode combiná-las e então enfocar a aceitação da experiência no todo, de uma vez só, acolhendo gentilmente cada um de seus elementos.

LEMBRE-SE: ACEITAÇÃO NÃO É "RESIGNAÇÃO" NEM "QUERER"

O termo "aceitação" é amplamente usado na terapia comportamental moderna para se referir à boa vontade de experimentar a presença de experiências desagradáveis sem necessariamente querê-las ou gostar delas. Nesse sentido, a aceitação é ativa, e não uma resignação passiva, em parte porque geralmente está a serviço da ação valorizada. O termo "boa vontade" às vezes é usado na tentativa de superar conotações inúteis da palavra "aceitação", tais como a noção de que envolve tolerância relutante, uma atitude de "aguentar firme". A aceitação de experiências desagradáveis com boa vontade ao tentar agir de acordo com os valores pessoais é vista como o contrário da esquiva experiencial e uma alternativa importante.

Manter a resiliência com a aceitação e a desfusão

Manter a resiliência com habilidades de desfusão e aceitação é importante para integrar essas técnicas adequadamente aos vários elementos da flexibilidade psicológica discutidos em outros capítulos deste livro. Felizmente, com a prática isso se tornará óbvio, pois a maioria desses processos está intimamente relacionada e entrelaçada. Por exemplo, é basicamente a fusão que nos deixa absortos em preocupações sobre o futuro ou ruminações sobre o passado, levando-nos a reagir como se o que estivéssemos pensando de fato fosse o presente, perdendo contato com o momento atual. Embora nossos pensamentos possam ser sobre o aqui e agora, o passado ou o futuro, o pensar sempre ocorre aqui e agora. Portanto, tão logo "desfundimos" os pensamentos sobre o passado ou o futuro, ficamos com a consciência do pensamento como pensamento, um processo no qual estamos engajados aqui e agora. Assim, a atenção plena no momento presente está intimamente ligada à desfusão de tais pensamentos.

Usar as habilidades de desfusão e aceitação com frequência em diferentes cenários e em resposta a uma ampla variedade de pensamentos e sentimentos vai ajudar a generalizar as habilidades até se tornarem parte potencial do seu estilo de vida. Quanto mais generalizadas se tornarem as habilidades, mais resiliente você ficará a uma ampla variedade de estressores. Para usar as habilidades com frequência, é provável que você deseje abreviar algumas delas. É possível aprender a "desfundir" pensamentos rapidamente, durante as atividades diárias, por uma variedade de métodos. Por exemplo, rotular pensamentos inúteis fundidos com uma única palavra que você repete três vezes rapidamente, como "pensamentos, pensamentos, pensamentos" ou "preocupação, preocupação, preocupação", pode se tornar uma maneira de desfusão rápida durante as atividades diárias.

Use uma tabela como esta para manter um registro diário de seu sofrimento emocional antes e depois de tentativas de lidar com, controlar ou evitar pensamentos e sentimentos desagradáveis. Quando surgir uma situação que o deixe perturbado, anote os pensamentos e sentimentos iniciais ("desconforto limpo"), classifique sua intensidade (0–100%) e o que você fez em reação. Por fim, avalie o quanto você estava angustiado após reagir ao problema inicial ("desconforto sujo"). Marque suas reações de aceitação com "A" e de controle com "C", para ajudar a monitorar qualquer diferença entre aceitar as reações iniciais ou lutar para controlá-las ou evitá-las.

Data/ horário situação	Pensamentos e sentimentos iniciais	Sofrimento inicial (%)	Reações (aceitação/ controle)	Sofrimento subsequente (%)

Veremos que a filosofia estoica, em particular, enfatiza em larga medida a aceitação dos eventos fora de nosso controle direto. De fato, o sábio Epicteto disse que, em resumo, ser instruído na filosofia estoica "é exatamente aprender a desejar cada coisa do jeito que ela acontece".

LEMBRE-SE: ACEITAÇÃO E DESFUSÃO FAZEM PARTE DA FLEXIBILIDADE PSICOLÓGICA

As habilidades de aceitação e desfusão complementam-se intimamente, pois a fusão costuma atrapalhar a aceitação. Além disso, ambas as habilidades se combinam com outras duas – consciência do momento presente e do eu-como-contexto – na definição de *mindfulness* na ACT. É principalmente a nossa experiência do aqui e agora que tem de ser aceita em prol do viver valorizado, e a nossa autopercepção é uma barreira poderosa à ação.

Quando a clarificação de valores e o compromisso com a ação são integrados, levam à meta da flexibilidade psicológica, que essencialmente é a definição de resiliência psicológica na ACT. Se a vulnerabilidade psicológica a eventos estressantes na vida se deve, em larga medida, à fusão cognitiva e à esquiva experiencial, os processos opostos – desfusão e aceitação – fazem parte da resiliência e da flexibilidade psicológica.

Pontos de foco

Os pontos principais deste capítulo são:

- Flexibilidade psicológica, o oposto da esquiva experiencial, consiste na aceitação consciente das experiências desagradáveis em prol do viver valorizado.
- *Mindfulness*, nesse sentido, combina estilos abertos e centrados de reagir à experiência; este capítulo descreveu o estilo de resposta aberta consistindo em estratégias de aceitação e desfusão.
- Desfusão envolve experimentar os pensamentos de forma menos literal, notando que são eventos na mente, sem ficar por demais absorto em seu significado ou conteúdo.
- Aceitação significa abandonar qualquer esforço e se permitir experimentar alguma coisa de forma plena, como se você estivesse estudando calmamente uma exposição em um museu ou galeria de arte.
- Aceitação e desfusão estão intimamente relacionadas, porque normalmente devemos "desfundir" os pensamentos para aceitá-los, aceitando o fato de que o pensamento está ocorrendo, e não o que ele está tentando dizer sobre a realidade.

Próximo passo

Examinamos aqui o que a ACT entende por *mindfulness*, o estilo de resposta aberta. No próximo capítulo, você vai aprender o que significa adotar uma resposta centrada, conectando-se de forma mais plena ao momento presente, bem como com consciência pura dos pensamentos e sentimentos, com o contexto em que ocorrem.

LEITURA ADICIONAL

Harris, R. (2008). *The Happiness Trap (Based on ACT: A Revolutionary Mindfulness Based Programme for Overcoming Stress, Anxiety and Depression).*

Hayes, S. C. (2005). *Get Out of Your Mind and Into Your Life: The New Acceptance and Commitment Therapy.*

6

Mindfulness e o momento presente

Neste capítulo você vai aprender:

- Que flexibilidade psicológica e resiliência também consistem em um estilo de reação centrada em relação ao senso de eu e ao momento presente.
- Como ficar mais atento ao ambiente no momento presente e à tarefa em mãos, em vez de perder o contato com a experiência e operar no piloto automático.
- Como se conectar consigo mesmo como "contexto" ou observador consciente de seus pensamentos e sentimentos e abandonar a fusão com seu autoconceito.
- Como entremear a prática de *mindfulness* sistematicamente em sua rotina diária.

O tempo é como um rio, composto de eventos que acontecem e de um curso violento, pois, assim que uma coisa foi vista, é levada embora e outra vem em seu lugar, e esta também será levada embora.

— Marco Aurélio, *Meditações*

Se você consegue extirpar as impressões que se agarram (ou seja, se fundem) à mente, o futuro e o passado, consegue tornar-se, como diz Empédocles (filósofo pré-socrático), "uma esfera que se rejubila em sua própria quietude", e se concentrar em viver o que pode ser vivido (o que significa o presente)... você pode então passar o tempo que lhe resta em tranquilidade. E em bondade. E em paz com o espírito dentro de você.

— Marco Aurélio, *Meditações*

A importância de estar centrado

O que você realmente está fazendo agora? Como está usando sua mente e corpo? Quem é você neste instante? Com que parte de sua experiência você se identifica? Quem está fazendo a identificação? Onde é "o aqui" para você? Você é seus pensamentos e sentimentos? Ou consegue manter-se ciente de ver seu fluxo de consciência à distância? Onde exatamente você está "localizado"? Você é o observador ou os pensamentos observados? O que faz de você a mesma pessoa que era quando criancinha? Que continuidade existe em sua consciência de si ao longo dos anos? Você já ficou tão preocupado com seus pensamentos que deixou passar alguma coisa importante que estivesse acontecendo?

Todas essas perguntas se relacionam à consciência de estar centrado no aqui e agora como um observador atento de suas experiências. Embora eu fale bastante sobre *mindfulness* e meditação neste capítulo, não estou assumindo nem excluindo nada espiritual ou místico. Estar atento ao momento presente é parar e "apreciar a paisagem".

As práticas de meditação *mindfulness* são extremamente comuns em terapias psicológicas modernas baseadas em evidência, devido à capacidade comprovada de ajudar a cultivar a flexibilidade psicológica e o controle da atenção. Além disso, as pesquisas mostraram que você não precisa ser um mestre zen: mesmo exercícios curtos de *mindfulness* podem ser de algum benefício em muitos casos. A atenção flexível ao momento presente permite aprender a experimentar até os pensamentos e sentimentos desagradáveis com atenção plena, com desapego, sem estreitar e monopolizar a atenção. Estar centrado dessa forma permite a conexão com o senso de perspectiva, com o que é importante no momento presente e com os valores, bem como com a forma de agir aqui e agora baseado nos valores.

O que é *mindfulness?*

O conceito de *mindfulness*, familiar a muita gente por causa das práticas de meditação budistas, é central em muitas abordagens modernas de terapia, sendo que cada uma tem uma concepção levemente diferente do significado. Seguindo na linha dos capítulos anteriores, vamos usar a definição de *mindfulness* da ACT, desenvolvida a partir dos elementos-chave de resposta aberta e centrada. Tendo examinado o estilo de resposta aberta em termos de estratégias de aceitação e desfusão, agora estamos prontos para discutir o papel de estar centrado. Um estilo de resposta centrado também consiste em dois elementos: consciência do momento presente e um senso de eu-como-contexto, estar ciente de si como observador da própria experiência. Também vamos explorar como esses processos interagem e se combinam intimamente para constituir uma atitude de *mindfulness* e flexibilidade psicológica.

IDEIA-CHAVE: *MINDFULNESS*

Mindfulness proporciona uma maneira alternativa e mais flexível de reagir aos pensamentos. Uma das características mais fundamentais da ansiedade é envolver um estreitamento súbito da atenção e do comportamento: a atenção fica automaticamente mais focada em fontes potenciais de perigo, e o comportamento torna-se rígido e estereotipado, nos sentimos impelidos a lutar, congelar ou fugir. Entretanto, qualquer coisa que permita reagir de modo diferente a eventos angustiantes, sem se esquivar nem buscar segurança, pode reduzir a angústia. *Mindfulness*, conforme entendido aqui, envolve dois estilos intimamente relacionados de resposta flexível:

1. Resposta aberta, consistindo em desfusão dos pensamentos e aceitação voluntária das experiências internas.
2. Resposta centrada, consistindo em consciência do momento presente e do eu-como-observador ou "contexto" dos pensamentos e sentimentos.

Pesquisa e aplicações

De modo semelhante aos capítulos anteriores, os processos discutidos aqui integram a ACT e foram empregados em pesquisas sobre uma gama de problemas. Todavia, a consciência atenta no momento presente foi enfatizada em particular nas pesquisas sobre depressão clínica e transtorno de ansiedade generalizada (TAG), em que desempenha importante papel em abordagens de tratamento baseadas em *mindfulness* e aceitação. As técnicas de meditação *mindfulness* também se mostraram eficazes na redução geral do estresse. Uma revisão recente (meta-análise) que juntou os dados estatísticos de 39 estudos diferentes verificou que em média as abordagens baseadas em *mindfulness* tiveram efeitos de tratamento classificados como "moderados" para sintomas de ansiedade e depressão no geral e "grandes" efeitos em indivíduos com ansiedade ou transtornos de humor diagnosticáveis (Hofmann, Sawyer, Witt & Oh, 2010). Em contraste, uma revisão abrangente das pesquisas sobre autoestima verificou que, ao contrário da crença popular, as tentativas diretas de impulsioná-la são potencialmente contraproducentes e raras vezes proporcionam quaisquer benefícios psicológicos (Baumeister, Campbell, Krueger e Vohs, 2003). Como veremos, *mindfulness* com frequência acarreta um senso de autoaceitação e distanciamento que contrasta de forma direta com a noção popular de manutenção da autoestima.

Parte do motivo para o amplo espectro de problemas em que a prática de *mindfulness* atua é que o sofrimento emocional com frequência envolve ruminação do passado ou preocupação quanto ao futuro. Quando a atenção está plantada no momento presente, limita a frequência e a duração de certos tipos de pensamento mórbido, e isso parece ajudar a reduzir o impacto da ansiedade, da depressão e de problemas correlatos. Portanto, aprender a controlar a atenção de modo a ser capaz de enfocar o momento presente e o seu campo de consciência de modo mais flexível e mais centrado pode apresentar uma função preventiva, contribuindo para a resiliência em adversidades futuras.

Mindfulness e resiliência

Atenção ao momento presente e ao eu-como-observador da experiência interna contribui para a flexibilidade psicológica e a resiliência. Os tipos de técnica de meditação descritos aqui são amplamente empregados no manejo de estresse em geral, bem como em problemas clínicos mais sérios. Uma das vantagens-chave da prática de *mindfulness* é ser uma abordagem simples e genérica, que pode ser usada a qualquer hora e que facilmente se torna parte do estilo de vida. Pode ser usada de forma preventiva na ausência de distúrbios importantes ou em caráter reparador após eventos altamente estressantes. Estar centrado na consciência de si como observador no momento presente também facilita ficar ciente da conexão entre as ações e os valores pessoais. Portanto, *mindfulness* é uma prática notavelmente adequada à construção da resiliência geral, em particular em uma abordagem de autoajuda como a apresentada aqui.

ESTUDO DE CASO

Meditação *mindfulness*

Duncan sofria de períodos de depressão leve, um problema que, no caso dele, ia e vinha. Ao longo dos anos, tentou uma série de abordagens terapêuticas e de autoajuda e se desgastou com o esforço para mudar sua autoimagem, suas atitudes e comportamento. Parecia estar em luta constante com os sentimentos. Até que um dia, quando se encontrava em um centro de retiro budista, decidiu desistir da batalha e simplesmente aceitou seus pensamentos e sentimentos enquanto praticava *mindfulness* regularmente ao longo do dia. Para sua surpresa, aquilo pareceu funcionar naquilo em que as outras estratégias haviam falhado. A prática de *mindfulness* não transformou seus sentimentos de maneira drástica, mas de imediato aliviou a tensão causada pela batalha contra eles, e lentamente os pensamentos e sentimentos tornaram-se menos opressivos e persistentes.

Na terapia subsequente, Duncan aprendeu a praticar com mais regularidade, sentando-se em meditação formal por cerca de 15 minutos todas as noites e introduzindo períodos mais curtos de *mindfulness* ao longo da rotina diária. Com a continuidade, notou que no geral os pensamentos e sentimentos perturbadores pareciam menos poderosos e mais fáceis de aceitar. Começou a experimentar uma variedade mais rica de pensamentos e sentimentos, uma vez que os velhos pensamentos depressivos passaram a monopolizar menos a atenção. O humor melhorou, e Duncan ficou apto a levar a vida de modo mais satisfatório. Quando ocorriam reveses, ele tinha maior capacidade de lidar de maneira resiliente, centrando a atenção no aqui e agora em vez de ruminar sobre os problemas.

Conexão com o momento presente

Tomar contato mais direto com o ambiente por meio dos sentidos e se conectar mais plenamente com o local onde você está e com o que está de fato fazendo aqui e agora faz parte de todas as abordagens de *mindfulness*. Fritz Perls, fundador da terapia Gestalt, costumava dizer: "Perca a cabeça e recobre os sentidos". A ideia é que, parando com o pensamento excessivo, a preocupação com o futuro e a ruminação do passado, podemos aprender a ficar cônscios do momento presente de maneira mais plena, o que leva a uma experiência de vida mais rica e satisfatória. Por isso o treinamento em *mindfulness* costuma envolver o aprendizado de ficar em contato com as ações e o ambiente no aqui e agora. O momento presente é como o rosto do universo, é o único lugar onde a ação pode ter início. O futuro ainda não existe, o passado já passou. Tudo o mais está ausente, exceto o aqui e agora que se apresenta a você.

Um aspecto importante da prática de *mindfulness* no momento presente é que, notando exatamente o que está fazendo, seus pensamentos e ações, você poderá distinguir padrões viáveis e inviáveis de comportamento com mais facilidade. Em outras palavras, se age sem pensar, esquecido de si mesmo, você tende a ignorar muitas oportunidades sutis de aprender a partir das consequências de suas ações. Aprender com a experiência direta tende a levar a um comportamento mais flexível e adaptativo, se comparado a seguir regrais verbais aprendidas com outras pessoas. Ou seja, estudar a experiência pessoal como ela é e aprender com isso pode proporcionar uma contribuição fundamental para a flexibilidade psicológica e a resiliência nas adversidades futuras. Às vezes uma simples desaceleração pode ajudar, por deixá-lo mais ciente de experiências que do contrário passariam batidas, antes de você conseguir tomar pleno conhecimento delas. Por isso muitos exercícios de *mindfulness* envolvem mudar a consciência com calma e paciência, registrando assim diferentes aspectos da experiência.

Como pode ser possível alguém perder o contato com a realidade do momento presente? A fusão cognitiva é uma das principais fontes de alienação do aqui e agora. Muitos pensamentos, em especial os angustiantes, tendem a se referir ao passado (ruminação) ou ao futuro (preocupação) e, portanto, nos afastar do momento presente. Assim, "desfundir" os pensamentos pode contribuir para o contato com o momento presente. Embora seus pensamentos com frequência se refiram ao passado ou ao futuro, sempre ocorrem no momento presente. Só podemos viajar no tempo, para fora do momento presente, em nossa imaginação, fundindo o pensamento com a realidade. Por sua vez, focar na experiência concreta do momento presente pode desviar nossa atenção de pensamentos abstratos, tais como julgamento de valores, e trazer maior atenção às sensações de momentos físicos específicos que experimentamos no aqui e agora, como nossa respiração, o modo como usamos os músculos, os sons ao redor ou as formas e cores em nosso ambiente.

Muitas vezes se diz que a habilidade central na meditação é a capacidade de detectar a consciência se extraviando e trazê-la de volta para a observação do momento presente. Claro que, para a consciência, é natural voar para longe da interação com o aqui e agora. Certas categorias de pensamento podem ter maior probabilidade de fisgar sua atenção e atraí-lo para a fusão; por exemplo, pensamentos sobre o futuro, sobre a própria tarefa, ou memórias que envolvam sentimentos fortes. A ironia é que capturar a atenção quando ela se extravia pode ser visto como uma oportunidade de desenvolver essa aptidão básica. Se a mente não vagueia ocasionalmente durante a meditação, é provável que você obtenha poucos benefícios ao meditar. De modo semelhante, o compromisso infalível de agir de acordo com seus valores pessoais é muito raro, talvez impossível. Entretanto, a capacidade de flagrar a si mesmo extraviando-se do viver valorizado no aqui e agora e se compromissar de novo com os valores, no fim das contas, pode ser mais importante do que o grau de sucesso em se devotar com perfeição aos valores. Em outras palavras, a capacidade de detectar e se recobrar de lapsos referentes à atenção plena e ao viver valorizado fica especialmente próxima do cerne da resiliência psicológica.

A atenção plena no momento presente pode ser aprendida com o uso de uma variedade de técnicas, muitas derivadas de técnicas de meditação muito antigas. Por exemplo, como forma de desfusão e centramento, é útil rotular as experiências em categorias descritivas amplas, tais como:

- Pensamentos e julgamento de valores
- Emoções
- Memórias e imagens
- Sensações físicas

- Impulsos ou inclinações para executar certas ações

Você poderia dizer "Tenho o pensamento de que minha cadeira é muito desconfortável" ou "Estou notando o impulso de me espreguiçar". Trata-se de uma técnica comum a diferentes abordagens de treinamento em consciência que pode ser usada quando se senta em uma espécie de meditação e também praticada regularmente ao longo do dia por algumas semanas. Uma versão um pouquinho mais formal, comum na ACT, envolve sentar-se por cerca de cinco minutos imaginando um curso d'água onde caem folhas que são lentamente levadas pela correnteza. Você imagina que cada pensamento que surge é afixado em uma folha e flutua lentamente rio abaixo. Imagine palavras ou imagens sendo afixadas nas folhas. Em particular, observe quando o rio para de fluir, ou seja, quando você fica distraído ou fundido com um pensamento; coloque esse pensamento em uma folha e continue de onde parou. Isso é principalmente uma forma de aprender a detectar quando você é fisgado por pensamentos, algo provável de acontecer mesmo com a prática.

TENTE AGORA: OBSERVAR DO QUE VOCÊ ESTÁ CIENTE

O contato com o momento presente pode ser fomentado com o uso de uma linguagem puramente descritiva, não julgadora ou avaliadora. A linguagem pode ser usada para controlar a atenção de maneira gentil; descrever as coisas para si mesmo força a prestar atenção com mais consciência e por um tempo ligeiramente maior.

Essa técnica, derivada da terapia Gestalt, é usada em algumas outras abordagens de *mindfulness*. Dedique alguns minutos à prática, completando a seguinte frase: "Neste instante, estou ciente de...", colocando diferentes coisas a cada vez. Nomeie e descreva de forma breve as diferentes sensações que experimenta no aqui e agora. Por exemplo: "Neste instante, estou ciente de pressionar as teclas do meu computador... Agora estou ciente de uma leve dor de cabeça que sinto há algum tempo... Agora estou ciente do som do aquecimento central... Agora estou ciente da vontade de coçar o nariz", e assim por diante.

Evite julgamentos de valor, tente se ater à descrição das propriedades básicas das coisas que experimenta no momento e aos pensamentos, sentimentos e impulsos que passam por sua consciência. Não acrescente ou subtraia nada. Com o tempo, abandone por completo o uso da linguagem e apenas preste atenção silenciosa na experiência do momento presente, sem descrever nem julgar, sem dizer nada.

Centramento e autoconsciência

O mito da autoestima

Albert Ellis, um dos pioneiros da terapia cognitiva, escreveu um livro intitulado *The Myth of Self-Esteem* (2005). Recorrendo ao trabalho prévio de Alfred Korzybski, Ellis argumentou que a autoestima invariavelmente está condicionada a eventos externos que em alguma medida estão nas mãos do destino. Autoestima, seja alta, seja baixa, envolve "estimar" ou avaliar a si mesmo em termos gerais, como se você pudesse ser resumido em uma única característica, como "sou estúpido", ou uma classificação geral de valor, como "não valho nada". Ellis acreditava que isso era basicamente irracional, pois ninguém pode ser classificado com tanta facilidade por um único atributo. Também argumentava que isso era basicamente insalubre, ou neurótico, para usar o velho termo, porque contingenciava a autoestima a um critério ou outro, depositando-a sobre fundações instáveis no caso de um dia surgirem motivos de dúvida. Por exemplo, muita gente tem autoestima positiva baseada no sucesso material, popularidade ou aparência. Contudo, esse castelo de cartas pode vir abaixo, transformando-se em baixa autoestima, tão logo essas coisas sejam levadas embora ou mesmo colocadas em dúvida.

Claro que a autoestima muitas vezes se baseia em comparações com outras pessoas. Ter um carro esporte pode fazer com que eu me sinta um sucesso e turbinar minha autoestima por um tempo. Mas e se eu me mudar para um bairro mais rico e verificar que meus vizinhos possuem não só carros esportivos, mas também lanchas velozes? Sempre existe alguém em melhor situação ou mais bem-sucedido, e a ironia é que ao termos sucesso é mais provável deparar com tais pessoas e começar a nos comparar com elas.

Fazer comparações "para cima" é uma fonte bem conhecida de perturbação emocional. É bem menos frequente as pessoas fazerem comparações "para baixo", o que envolveria ficarem gratas por estar muito melhor do que muita gente. O simples fato de estar lendo este livro sugere que você provavelmente está em melhor situação financeira que a maioria da população mundial, que vive em relativa pobreza. Contudo, com quem você costuma se comparar? A verdade é que, em última análise, essas comparações são arbitrárias e, portanto, sem sentido.

Ellis sugeriu que a alternativa para a autoestima condicionada era a autoaceitação incondicional (AAI), definida como uma atitude de aceitar a si mesmo incondicionalmente, com seus defeitos, sem tentar se rotular ou avaliar como um todo ou fazer comparações arbitrárias com os outros. Isso se aproxima da noção de autoaceitação encontrada em abordagens modernas baseadas em aceitação e *mindfulness*. Da mesma forma que suspendemos julgamentos de valor sobre a experiência do aqui e agora para nos conectarmos a ela mais plenamente, podemos aprender a suspender julgamentos de valor positivos e negativos sobre nós mesmos.

O eu como conteúdo (eu conceitualizado)

Quem é você? Por quê? Pensamentos sobre o seu senso de identidade e histórias sobre a sua vida com frequência são os mais emaranhados e difíceis de "desfundir". Você pode tratar as autoconceitualizações – pensamentos, crenças e histórias sobre si mesmo – da mesma forma que outros pensamentos problemáticos, "desfundindo-as" com as estratégias já discutidas neste livro. Tanto as crenças positivas como as negativas sobre si mesmo podem causar problemas. Ter autoestima elevada, por exemplo, poderia se tornar um ponto de vista rígido, predispondo a consciência e impedindo que se aprenda com os erros. Entretanto, a maioria das pessoas verifica que, quando avança na desfusão dos pensamentos sobre autoconceito, o senso de identidade, começa a se sentir um tanto desconfortável, como se a própria existência estivesse ameaçada. Quem é você se não aquele que seus pensamentos e crenças dizem que você é? O que é você se não o seu autoconceito? Um senso alternativo de autoconsciência ou identidade decorre de aprender a se conectar mais plenamente com o campo de consciência em si do que com seu conteúdo, o que é chamado de perspectiva do observador ou eu-como-contexto na ACT.

AUTOAVALIAÇÃO: GIRANDO OS DIAIS DA AUTOIDENTIFICAÇÃO

Considere as seguintes questões sobre o seu senso de identidade e tente avaliar o quanto concorda com cada uma, de zero (de modo nenhum) a 5 (completamente):

- Me identifico com a aparência externa do meu corpo no espelho. (__/5)
- Sou o que meu corpo se parece por dentro, as sensações físicas. (__/5)
- Me identifico com minhas emoções. (__/5)
- Sou minhas ações físicas no mundo. (__/5)
- Sou meus pensamentos, o fluxo de consciência que passa por minha mente. (__/5)

- Sou minhas crenças subjacentes ou duradouras, minha filosofia de vida. (__/5)
- Sou meu conceito de mim. (__/5)
- Sou a combinação de todos os conteúdos de minha consciência – pensamentos, ações, sentimentos. (__/5)
- Sou o espaço de consciência dentro do qual meus pensamentos, ações e sentimentos acontecem. (__/5)

Não há sentido em somar esses números. De fato, não existe uma resposta certa ou errada. Contudo, agora tire um tempo para um experimento mental, imaginando com cuidado como seria mudar essas notas, como se você girasse seu senso de identificação para cima e para baixo em um dial. Em particular, como seria aumentar ou reduzir o senso de identificação com o conteúdo da sua experiência, incluindo o conceito de si mesmo? Como seria aumentar ou diminuir o senso de identidade com o espaço, o campo de consciência dentro do qual ocorrem suas experiências? Tire um tempo para fazer esses experimentos com sua autoconsciência e senso de identidade.

O eu como um processo

O eu também pode ser experimentado como um fluxo de consciência ou "processo de autoconsciência contínua" no aqui e agora, momento a momento. Em vez de ser resumido por afirmações avaliativas amplas, o eu é experimentado em termos de um fluxo de descrição das experiências sensoriais concretas no momento presente, naturalmente cambiantes em vez de rigidamente fixas. É o senso de autoconsciência que emerge quando se rotulam e descrevem com plena atenção as experiências concretas à medida que acontecem no aqui e agora, por exemplo: "Agora estou pensando em...", "Agora tenho o impulso de..." etc.

O eu-como-contexto (perspectiva do observador)

Quando observam suas experiências, você também se observa a observá-las – e de onde? A ACT em particular enfatiza o conceito de experimentar o eu como consciência pura ou contexto do processo mental em vez de se identificar com o conteúdo da consciência – pensamentos e sentimentos específicos. Em outras palavras, distingue o eu observador do eu pensante. De início é um conceito complicado. Da mesma forma que os pensamentos podem se fundir à realidade, sua identidade também pode se fundir a certos pensamentos caso você se permita ficar imerso neles. O único jeito de realmente entender isso é não verbalmente.

"Desfundir" o autoconceito e ficar centrado no contexto mais amplo de consciência permite maior flexibilidade psicológica, tornando as experiências desagradáveis menos problemáticas. Pense em sua consciência como a luz iluminando uma sala. É fácil se concentrar em olhar os objetos na sala – os conteúdos da consciência. É mais difícil focar a atenção na luz que ilumina os objetos, porque ela não é uma "coisa". Em certo sentido, você é a consciência de suas experiências, mas, como a consciência não é uma "coisa", é difícil apreendê-la e permanecer ciente de sua presença por mais de um instante fugaz.

Na ACT o eu-como-contexto é explicado pela metáfora de um tabuleiro de xadrez. Imagine um tabuleiro de xadrez do tamanho do universo, estendendo-se ao infinito. As peças brancas e pretas estão eternamente engajadas em combate umas contra as outras. Cada vez que o jogo parece acabado, não demora muito e o tabuleiro é montado de novo, e o jogo recomeça. Você pode pensar nas peças pretas como seus pensamentos negativos e nas brancas como seus pensamentos positivos ou competitivos. O jogo é como o embate constante na mente. Agora, pareceria natural imaginar que você é o lado branco ou o lado preto, mas isso pode ser visto como uma metáfora para a fusão. Da perspectiva do eu-como-contexto, você é o tabuleiro, o contexto ou espaço onde o jogo acontece. Isso coloca o "eu" fora da batalha em andamento, como um observador à distância, no nível do tabuleiro. Em outras palavras, você é os pensamentos que tem ou o espaço consciente onde essas e outras experiências acontecem?

TENTE AGORA: EXERCÍCIO DE AUTOIDENTIFICAÇÃO

Este exercício contemplativo de uma escola de psicoterapia mais antiga chamada psicossíntese foi assimilado pelas abordagens modernas baseadas em *mindfulness* e aceitação.

1. Feche os olhos e lembre-se de algo que aconteceu quando você era criancinha. (De momento é melhor escolher uma lembrança agradável ou que pelo menos não seja particularmente angustiante.) Imagine que você está lá, como se estivesse acontecendo agora. Veja o que você viu. Ouça o que ouviu. Sinta o que sentiu. Ao fazer isso, fique ciente de sua consciência e se observe como um observador consciente experimentando essas coisas. Você é a mesma pessoa, embora muitas coisas possam ter mudado. Observe a continuidade entre a sua experiência de você naquela época e de agora. Você ainda é o mesmo observador de suas experiências, embora tudo o mais possa ter mudado ao longo do tempo.
2. Agora, continuando a identificar a percepção de sua percepção com consciência pura, foque a atenção nas sensações do corpo aqui e agora. Você tem um corpo, mas você não é esse corpo. Você pode observar as sensações de seu corpo à distância, sem se identificar com elas. Fique ciente da transitoriedade das sensações no corpo, observe que elas se alteram, ao passo que a consciência que as observa permanece igual.
3. Agora, ainda continuando a se conectar consigo mesmo como observador ou consciência pura, enfoque suas emoções. Observe como as emoções vêm e vão enquanto você é sempre o mesmo

observador. Fique ciente de si mesmo observando suas emoções. Você é o contexto em que elas ocorrem, o mesmo observador que experimenta todos esses sentimentos diferentes.

4. Agora, da mesma perspectiva, como o contexto de suas experiências, observe os pensamentos a passar por sua mente. Isso é mais difícil porque os pensamentos tendem a fisgá-lo sorrateiramente e fazer com que você se funda a eles antes de perceber o que aconteceu. Todos os dias você tem milhares de pensamentos transitórios. Ao longo da vida, você terá incontáveis milhões de pensamentos individuais, e suas crenças e atitudes vão mudar e evoluir. Observe como os pensamentos são transitórios e que mesmo crenças arraigadas podem mudar com o tempo. Você tem pensamentos, mas você não é seus pensamentos. Você tem crenças, mas você não é suas crenças. Fique ciente de si mesmo como observador de seus pensamentos, vendo-os à distância. Embora os pensamentos venham e vão, você ainda é a mesma pessoa a observá-los.
5. Repare que, apenas por observar essas coisas, você pode ficar ciente da consciência pura como observadora das experiências; o observador não é a coisa observada. Você tem um corpo, tem pensamentos, ações e sentimentos, mas você não é apenas essas coisas. Você pode recuar um passo disso tudo e ficar ciente de si mesmo como observador consciente, separado dos conteúdos da consciência. Não tente mudar nada, não tente impedir que nada mude. Apenas fique ciente de si como seu campo de consciência, um espaço psicológico flexível e expansivo onde diversas experiências podem vir e ir livremente.

Fazer contato com o campo mais amplo de consciência pura que contém as experiências muitas vezes proporciona um senso de estabilidade, paz e tranquilidade. A partir dessa perspectiva, a desfusão e a aceitação de outras experiências se tornam muito mais fáceis e menos ameaçadoras. Como disse o poeta Emerson certa vez, dessa perspectiva você é como "um globo ocular transparente", que nada mais é que a consciência de ver as coisas. Seu conceito de si é apenas um dos muitos conteúdos da consciência de que você está potencialmente ciente. Por natureza, a pessoa que você costuma pensar que é se situa diante do seu olhar, e não atrás dele.

O senso de eu-como-observador é desconhecido pela maioria das pessoas porque a identidade delas se fundiu aos conteúdos da consciência. Por outro lado, essa consciência pura é a coisa mais familiar do mundo, porque está e sempre esteve no plano de fundo aonde quer que você vá. Por definição, não pode ser expressa em palavras, pelo menos não de modo muito satisfatório. É a percepção de si mesmo como consciência, além do que é captado com o uso da linguagem. O eu-como-contexto é o seu senso de continuidade da consciência. Mesmo que a autoconsciência não possa ser descrita com facilidade, pode ser apontada e trazida à sua atenção fazendo as seguintes perguntas esquisitas:

- Onde está o "aqui" para mim?
- Onde está o "agora" para mim?
- Onde está o "eu" para mim?

"Desfundir" pensamentos também tende a intensificar a consciência direta de onde o "eu", o "aqui" e o "agora" estão situados, por fazer com que os conteúdos da consciência pareçam mais arbitrários e menos ameaçadores ao seu autoconceito. O interessante é que os psicólogos descobriram que a capacidade de localizar o "eu" parece relacionada à capacidade de adotar outras perspectivas, inclusive de empatia com outras pessoas e de compaixão por elas. Assim, até mesmo exercícios como se imaginar sendo uma versão mais velha e mais sábia de si no futuro, dando conselhos para o eu atual, o que envolve a adoção de perspectivas fantasiosas, pode ajudar a intensificar seu senso de eu-como-contexto. Se você imagina tudo sobre si mesmo e seu mundo sendo diferente, o que permanece igual? Você ainda observa as coisas por meio da mesma consciência, o que empresta continuidade à sua experiência, não importando o quanto os conteúdos possam ter mudado.

Com a meditação, a maioria das pessoas fica cada vez mais ciente de um senso de desapego ou distanciamento de seus pensamentos. Do mesmo modo que os sonhos ocorrem automaticamente à noite, você vai perceber que muitos de seus pensamentos são reflexos, habituais e automáticos e não deliberadamente escolhidos por você. Essa percepção também pode levar a um senso de maior distanciamento dos pensamentos. Na ACT, às vezes se faz a distinção entre a mente que produz os pensamentos e a consciência distanciada que os observa. Pessoas que meditam conseguem falar cada vez mais sobre sua mente geradora de pensamentos, quase como se estivessem falando de outra pessoa. Na meditação fica mais fácil ver pensamentos automáticos e outras experiências internas como "refugos" da mente, ou o ruído de um rádio ao fundo, emitindo trechos arbitrários de conversas.

Não há dúvida de que pode parecer traumático divorciar a identidade dos conteúdos da mente, mas o conceito não é novidade. Faz parte da filosofia budista, que na Índia era conhecida como filosofia do "não eu" (*anatta-vada*), e das antigas filosofias greco-romanas, como o estoicismo, em que a essência do eu era descrita como *pneuma*, uma rajada de vento. Sob certo aspecto, "desfundir" a identidade dos conteúdos da consciência pode parecer o sacrifício de alguma coisa, e até os fundadores da ACT às vezes referem-se a isso como uma espécie de morte metafórica ou mesmo "suicídio conceitual".

Na mesma linha, Sêneca, o grande filósofo estoico romano, certa vez escreveu: "Uma pessoa que aprendeu a morrer desaprendeu a ser escrava". Em outras palavras, você consegue sacrificar seu conceito de eu e se conectar com a experiência real de estar consciente aqui e agora? Marco Aurélio, outro estoico, disse que, quando a consciência "recua para dentro de si mesma" e ali encontra contentamento, torna-se autônoma e invulnerável, como uma esfera perfeita, uma fortaleza ou santuário. Estudiosos chamaram essa forma especial e resiliente de autoconsciência de cidadela interior do estoicismo (Hadot, 1998). Por isso Marco Aurélio escreveu: "Mantenha sua mente centrada nela mesma".

> Você pode escapar de tudo a hora que quiser voltando-se para dentro. Nenhum lugar para onde possa ir é mais pacífico – mais livre de interrupções – do que sua própria alma... Um instante de recordação e aí está a tranquilidade completa. Por tranquilidade me refiro a uma espécie de harmonia.
>
> Assim, continue escapando de tudo – dessa maneira. Renove-se. Mas seja breve e básico. Uma visita rápida deve ser o bastante para... mandá-lo de volta preparado para enfrentar o que o aguarda.
>
> — Marco Aurélio, *Meditações*

IDEIA-CHAVE: O EU-COMO-CONTEXTO

A ACT faz uma distinção básica entre duas formas radicalmente diferentes de experimentar o eu: eu-como-conteúdo e eu-como-contexto. A maioria das pessoas tende a se identificar com os conteúdos da consciência observados por elas – seus pensamentos e sentimentos. Isso está fadado a ficar sob ameaça quando pensamentos e crenças essenciais sobre si mesmo, como "eu sou estúpido", são "desfundidos". Uma perspectiva alternativa seria identificar-se com a consciência em si, com o contexto em que essas experiências ocorrem. Em outras palavras, não sou meus pensamentos, memórias ou sentimentos. Sou a consciência que os observa. Assumir pensamentos ou crenças sobre si mesmo como descrições literais, fundidas com o senso de eu, pode aumentar o sofrimento.

Animais e crianças provavelmente não têm conceito de si dessa forma; parece que só o adquirimos pelo uso da linguagem. Contudo, a linguagem representa a realidade de modo imperfeito e é propensa a distorção, especialmente quando trata julgamentos de valor como se fossem descrições literais. Julgamentos de valor sobre si mesmo, como "não valho nada", portanto, estão entre as formas de fusão cognitiva potencialmente mais problemáticas. Isso pode ser válido até para crenças positivas, que também podem se tornar uma prisão para o eu se mantidas com rigidez e fundidas a ele. Fica mais fácil "desfundir" pensamentos e aceitar experiências desagradáveis a fim de agir de maneira valorizada quando se tem um senso de eu que vai além dessas coisas. À medida que as crenças literais sobre si mesmo são "desfundidas", você pode se ver à procura de um senso de eu que não seja abalado por esse processo, que transcenda pensamentos e sentimentos individuais.

Meditação *mindfulness*

Os diferentes elementos de resposta aberta e centrada juntam-se muito bem na prática da meditação *mindfulness*, que pode assumir várias formas.

TENTE AGORA: *MINDFULNESS* AO COMER

A forma mais comum desse exercício envolve comer uma passa com atenção plena, o que faz parte de várias abordagens baseadas em *mindfulness*. Entretanto, o conceito de comer com autoconsciência pode ser encontrado em muitas abordagens terapêuticas diferentes, retrocedendo à primeira metade do século 20, como a terapia Gestalt e o relaxamento progressivo, e em práticas de meditação consideravelmente mais antigas. Trata-se de um belo exemplo da diferença entre *mindfulness* e funcionamento no piloto automático – sem consciência do momento presente –, porque muitas vezes comemos rápido, como um meio para um fim, em vez de saborear a experiência e apreciar seu valor intrínseco.

Pegue uma passa, ou qualquer alimento que pareça adequado, e se permita usar todos os sentidos para contemplar suas características sem pressa. Olhe o alimento por algum tempo, sinta a textura em suas mãos ou cheire com atenção antes de colocar na boca lentamente. Assuma uma mente de iniciante, como se estivesse experimentando tudo isso com curiosidade pela primeira vez. Sem pressa, explore o sabor e a textura em sua boca antes de começar a mastigar lenta e atentamente, observando o que os seus sentidos revelam sobre o que acontece em sua boca. Observe também os músculos que você está tensionando ou utilizando na mandíbula, boca e em outras partes, assim como a expressão facial enquanto mastiga. Repare em particular como a simples observação mais cuidadosa da experiência do momento presente pode transformá-la, e também como os pensamentos e associações mentais que podem tirá-lo da experiência de comer no aqui e agora são facilmente ativados em sua mente. Traga-se continuamente de volta à experiência do momento presente. Como você detecta quando a atenção vagueia da experiência de comer? Como você faz para retornar a ela?

TENTE AGORA: VARREDURA DO CORPO

O exercício de "varredura do corpo" também é usado em diversas abordagens, em especial na terapia cognitiva baseada em *mindfulness* (MBTC, *mindfulness-based cognitive therapy*), em que uma versão de 45 minutos é uma das principais práticas iniciais. A versão curta abaixo oferece uma ideia geral do exercício. Você pode deitar e fechar os olhos. Antes de começar, acomode-se para ficar confortável e centrado.

1. Respire lentamente pelo nariz. Não tente alterar a respiração, tampouco tente impedir que se altere, simplesmente abandone quaisquer tentativas de controle consciente e deixe-a por si, aceitando-a como for.
2. Observe as sensações que acompanham sua respiração, o abdômen subindo e descendo ou a caixa torácica expandindo-se levemente e depois relaxando. Medite sobre a respiração, ao mesmo tempo

deixando-a solta, e observe até mesmo as menores sensações enquanto inspira e expira. Se ocorrerem pensamentos, apenas reconheça, aceite e gentilmente retorne a atenção para a respiração e as sensações físicas.

3. Agora volte a atenção para a sola dos pés. Examine o corpo a partir da sola dos pés, subindo pelos tornozelos, panturrilhas e canelas. Estude as sensações na pele e nos músculos debaixo dela. Permita-se aceitar o que quer que sinta e abandone quaisquer tentativas de mudar qualquer coisa por enquanto.
4. Agora deixe sua atenção subir pelas coxas até os quadris da mesma maneira.
5. Agora continue a examinar seu corpo desde o abdômen e o tronco até o peito e os ombros.
6. Agora deixe sua atenção propagar-se dos ombros para os braços e até a ponta dos dedos.
7. Agora examine dos ombros para o pescoço, até a cabeça e o rosto.
8. Fique ciente do corpo inteiro por um momento e aceite as sensações que está experimentando, enquanto segue focado na respiração.
9. Se quiser, imagine que, enquanto inspira e expira naturalmente, sua respiração permeia todo o seu corpo, ajudando a mantê-lo focado em aceitar quaisquer sensações que experimente.

TENTE AGORA: SENTAR EM MEDITAÇÃO *MINDFULNESS*

Se possível, esta deve ser uma prática central, pois ajuda a reunir os elementos de outras estratégias de *mindfulness* e aceitação discutidas neste livro. Em termos ideais, você deve começar meditando cerca de 5–20 minutos todos os dias, ou pelo menos 2–3 vezes por semana. A postura em que você se senta não é importante, contanto que seja confortável e adequada para permanecer imóvel durante a sessão. Cruzar as pernas ou os braços pode causar formigamento, fazendo com que você queira se mexer. Deitar ou recostar-se pode deixá-lo sonolento. Em geral, a menos que esteja acostumado a sentar de pernas cruzadas, a melhor posição será sentar-se ereto em uma cadeira, com as costas sem apoio e as mãos repousando à vontade no colo. Você pode manter os olhos abertos – e nesse caso é bom fixar o olhar gentilmente em algum ponto à frente, em vez de olhar ao redor – ou fechar os olhos, talvez a opção preferível no início.

A seguir sente-se e não faça absolutamente nada. Ou melhor, permaneça atento, em estado de aceitação, aberto e centrado, ciente de si a observar o momento presente. Talvez verifique que focar a atenção na respiração ajuda a permanecer centrado no momento presente. Não tente alterar a respiração e não tente impedir que se altere, apenas aceite sua respiração, seja ela como for, e preste atenção às sensações. Se os pensamentos fisgarem sua atenção, o que inevitavelmente vai acontecer, e sua mente vagar, apenas detecte o fato e volte a atenção para a respiração gentilmente. Tente permanecer completamente presente na experiência da respiração ao longo de toda a inspiração e expiração. Observe o subir e descer do abdômen, as costelas expandindo-se levemente, a duração de quaisquer pausas entre as respirações e até as menores sensações em outras partes do corpo enquanto respira.

Se necessário, você pode usar rapidamente algumas das técnicas de desfusão já discutidas neste livro para desenredar sua atenção dos pensamentos. Se ajudar, pode repetir uma palavra em sua mente a cada expiração, como um "dispositivo de centramento", para ancorar a atenção no momento presente. Uma alternativa é contar de dez a zero, um número a cada expiração, recomeçando do dez quando chegar ao zero ou caso sua atenção vagueie e você se perca na contagem. Permaneça conectado ao momento presente, atento a si mesmo como observador consciente de suas experiências, aceite voluntariamente o fluxo de consciência e abandone qualquer esforço de controlar as experiências.

Aplicação de *mindfulness* no cotidiano

Uma característica comum de muitas abordagens terapêuticas é que os exercícios mais longos podem ser usados para desenvolver a habilidade em casa, durante períodos de meditação prescritos, por exemplo, enquanto outras estratégias são projetadas para aplicação em situações do mundo real cotidiano. Existem duas formas principais de fazer isso:

1. Aprender a fazer exercícios curtos e frequentes de *mindfulness* ao longo do dia, em uma variedade de situações.
2. Aprender a integrar elementos de *mindfulness* às tarefas e atividades triviais, como comer ou caminhar.

Também é possível combinar as duas estratégias acima: por exemplo, fazendo um exercício curto de meditação, de 2–3 minutos, antes e quem sabe depois de uma tarefa – como escrever uma carta –, e executar a tarefa com atenção plena. As duas abordagens ficarão mais fáceis e mais eficientes caso se siga alguma prática inicial de exercícios mais longos e mais formais, como a varredura do corpo já descrita.

TENTE AGORA: MEDITAÇÃO *MINDFULNESS* CURTA

Técnicas de "minimeditação", como o espaço de três minutos para respirar, da terapia cognitiva baseada em *mindfulness* (MBCT), são empregadas como uma oportunidade de prática rápida e frequente ao longo do dia e em várias situações. Podemos pensar nisso como uma pequena brecha de atenção plena mais profunda entre as atividades ordinárias do cotidiano. Na MBCT a meta é fazer isso pelo menos três vezes por dia, em horários prescritos, ou como uma estratégia baseada em aceitação quando surgem experiências desagradáveis. Entretanto, você pode optar por fazer mais seguidamente, talvez até por uns poucos minutos a cada hora durante algumas semanas. Essa mudança do foco da atenção pode ser vista como um breve estreitamento em algum ponto de ancoragem ou "dispositivo de centramento" (como a respiração), seguido de um alargamento para o momento presente e a tarefa em mãos ao se concluir o exercício e retomar a tarefa cotidiana de forma atenta.

O seguinte exercício curto de *mindfulness* incorpora elementos de várias terapias baseadas em *mindfulness* e aceitação:

1. Comece parando o que quer que esteja fazendo, saia do piloto automático e fique ciente do que está experimentando no momento presente, em especial pensamentos ou sentimentos desagradáveis que possam provocar o impulso de combatê-los ou evitá-los.
2. Concentre ou foque a atenção nas sensações da respiração no momento presente, como faz em exercícios de meditação *mindfulness* mais longos, enquanto também aceita voluntariamente quaisquer sentimentos desagradáveis, imaginando a respiração fluindo através deles, criando um senso de espaço ao redor deles e observando suas propriedades de forma distanciada.
3. Conclua expandindo a consciência gradativamente por todo o corpo e por fim de volta ao ambiente e às tarefas em mãos no momento presente antes de retomar lenta e atentamente as atividades em que esteja envolvido.

Se ajudar, dê instruções verbais a si mesmo, como "Embora eu não goste desses sentimentos, vou aceitá-los de maneira ativa e ver o que acontece" ou "Deixe de lutar e aceite". Você pode considerar útil repetir mentalmente uma palavra curta de sua escolha ("um", por exemplo) a cada expiração. Isso pode servir ao duplo propósito de agir como um "dispositivo de centramento" para a atenção e como palavra-chave para ajudar a recordar rapidamente o estado de atenção plena das experiências anteriores.

Você pode fazer essa prática por dois ou três minutos ou transformá-la em uma meditação mais longa, de uns 10–20 minutos, se necessário. Lembre-se: a meta não é se livrar das experiências desagradáveis, e sim abandonar a luta e aceitá-las. Entretanto, muitas vezes ocorre o efeito colateral de as experiências desagradáveis serem reduzidas com estratégias de aceitação desse tipo.

A prática de *mindfulness* durante a atividade física (meditação em movimento), como caminhar lentamente, também é comum em diferentes abordagens modernas e na antiga meditação budista. Na terapia cognitiva baseada em *mindfulness* (MBCT), isso envolve a prática de posturas de *hatha* ioga e alongamentos com *mindfulness*. Também pode ser comparada à prática de relaxamento diferencial do treino em relaxamento progressivo, que discutiremos em um capítulo subsequente.

Manter a resiliência com *mindfulness*

Algumas pessoas, entre elas muitos budistas, praticam a meditação como parte de seu estilo de vida. Com certeza isso parece uma aspiração saudável se você deseja construir resiliência emocional duradoura. Entretanto, essas estratégias serão usadas de modo mais intermitente por muita gente. Quer você decida ou não continuar usando a prática de *mindfulness* ao longo da vida, poderia ser útil empregá-la em termos mais gerais pelo menos por algumas semanas, para observar o que acontece.

Como no caso de outras abordagens, pode ser importante fixar metas para lembrá-lo de executar as estratégias de *mindfulness* por breves momentos. Durante duas semanas, por exemplo, você poderia ter como meta conectar-se com o momento presente e seu senso de eu-como-contexto por no mínimo um minuto a cada hora do dia. Não existe limite máximo para a duração de cada minimeditação, de modo que, se quiser seguir por mais de um minuto, é ainda melhor.

Outra possibilidade é se comprometer a fazer o mesmo antes de comer ou beber, de trocar de tarefa, de sair de uma sala etc. Conectar-se com o senso de eu-como-observador é uma forma de encontrar um refúgio de pensamentos e sentimentos desafiadores e algo a que possa retornar com frequência. Embora a prática vá se tornar mais familiar, você sem dúvida vai dar por si tendo que "desfundir" pensamentos e crenças sobre si mesmo repetidamente, algo que na verdade nunca tem fim, embora se torne mais fácil com a repetição.

Pontos de foco

Os pontos principais deste capítulo são:

- A consciência do momento presente e do eu-como-observador constitui uma forma centrada de reagir a experiências.
- A resposta centrada, somada à abertura e ao engajamento, completa nossa descrição dos elementos essenciais da flexibilidade psicológica e da resiliência.
- A atenção no aqui e agora ajuda a limitar a tendência da mente de ficar absorta em ruminação mórbida sobre o passado ou preocupação mórbida sobre o futuro.
- A consciência do eu-como-contexto ajuda a superar problemas de autoestima condicional e, em vez disso, cultivar uma forma de autoaceitação incondicional.
- As técnicas de meditação assumem uma variedade de formas, mas reúnem harmoniosamente os quatro elementos de *mindfulness*: aceitação, desfusão e consciência do momento presente e do eu-como-contexto.

Próximo passo

Tendo explorado os processos e estratégias fundamentais de uma abordagem para a resiliência baseada em *mindfulness* e aceitação, os capítulos a seguir descrevem uma série de habilidades e técnicas adicionais derivadas de abordagens mais tradicionais e consagradas da TCC para a construção de resiliência.

LEITURA ADICIONAL

Harris, R. (2008). *The Happiness Trap (Based on ACT: A Revolutionary Mindfulness-Based Programme for Overcoming Stress, Anxiety and Depression).*

Hayes, S. C. (2005). *Get Out of Your Mind and Into Your Life: The New Acceptance and Commitment Therapy.*

Kabat-Zinn, J. (2004). *Full Catastrophe Living: How to Cope with Stress, Pain and Illness, using Mindfulness Meditation* (edição de 15 anos).

7

Relaxamento progressivo

Neste capítulo você vai aprender:

- O método de relaxamento progressivo de Edmund Jacobson (também conhecido como controle da tensão) e o procedimento chamado de treino abreviado em relaxamento progressivo (APRT – *abbreviated progressive relaxation training*).
- Como evitar o erro comum de se esforçar para tentar relaxar em vez de simplesmente soltar a tensão.
- Como melhorar a consciência da tensão no corpo cultivando o senso muscular.
- Como liberar os níveis residuais sutis de tensão muscular e relaxar progressivamente em profundidade maior que a habitual até o extremo do relaxamento absoluto.
- Como liberar a tensão muscular rapidamente por apenas recordar a sensação de soltar e usar uma técnica especial de contagem.
- Como liberar (metaforicamente) a tensão/preocupação mental e se acomodar melhor na consciência satisfeita do momento presente.

Aprender a passar do estado de tensão muscular que em geral caracteriza a vida moderna para um estado de relaxamento notável em poucos minutos ou menos; repetir vezes e mais vezes até o relaxamento tornar-se habitual – essas são as metas do controle da tensão do ponto de vista atual.

— Jacobson, *You Must Relax*

A importância da tensão e do relaxamento muscular

É dito com frequência que as pessoas precisam aprender a relaxar em favor da saúde e do bem-estar, mas raramente se ensina como fazer isso de maneira adequada. Este capítulo vai explicar como estudar a tensão muscular e aprender a controlá-la usando uma versão simplificada de uma antiga técnica muito conhecida chamada relaxamento progressivo, às vezes conhecida como controle da tensão.

O termo "relaxamento progressivo" de fato é usado em referência a uma série de métodos muito semelhantes oriundos da abordagem original desenvolvida por Edmund Jacobson (1888–1983) na década de 1920. Jacobson foi um médico e fisiologista respeitado que conduziu um programa muito extenso de pesquisa sobre tensão e relaxamento muscular. Ele começou os estudos de pós-graduação em 1908, na Universidade de Harvard, onde seus experimentos demonstraram que o relaxamento muscular profundo reduzia a resposta a ruído forte inesperado (reflexo de sobressalto). Depois de lecionar e de conduzir pesquisas nas universidades de Cornell e de Chicago, Jacobson continuou suas pesquisas no Laboratório de Fisiologia Clínica de Chicago de 1936 até a década de 1960. Jacobson desenvolveu um aparelho chamado neurovoltímetro integrador, empregado em sua pesquisa para medir as contrações musculares. Ele resumiu seus achados e a técnica desenvolvida no texto científico *Progressive Relaxation* (1929 [1938]), mais tarde apresentado em formato de um livro de autoajuda mais curto, *You Must Relax* (1934 [1977]).

Joseph Wolpe, um dos fundadores da terapia comportamental, introduziu uma versão muito abreviada e simplificada da abordagem de Jacobson no final da década de 1950 (Wolpe, 1958). Esse método foi ainda mais simplificado por Bernstein, Borkovec e Hazlett-Stevens (2000) no início da década de 1970. Essa abordagem às vezes é referida por treino abreviado em relaxamento progressivo, para distingui-la do método original de Jacobson (Bernstein, Carlson & Schmidt, 2007). Essa família de técnicas tem sido amplamente usada no tratamento de problemas clínicos como ansiedade generalizada, fobias específicas, insônia e certas condições físicas e psicossomáticas, como dor de cabeça, transtornos intestinais e dor nas costas. O método descrito neste capítulo é uma forma ainda mais simplificada e abreviada do treino abreviado em relaxamento progressivo, adaptada para o treinamento em resiliência.

O que é relaxamento progressivo?

Os músculos esqueléticos são constituídos de muitas fibras individuais mais ou menos da espessura de um fio de cabelo. Existem cerca de 1.030 músculos desse tipo no corpo humano, o que responde por quase metade do peso total. Indiscutivelmente, o único controle direto voluntário que você tem sobre seu corpo é por intermédio desses músculos. Eles funcionam pela simples contração ou encurtamento quando um sinal nervoso é enviado do cérebro e pelo afrouxamento ou alongamento quando o sinal é reduzido ou cessa completamente, o que consiste no nível de relaxamento muscular absoluto. Quando os músculos se contraem, geram uma sensação de tensão – ou sinal de controle – bastante vaga e sutil; Jacobson acreditava que a percepção disso pelo indivíduo era central para o desenvolvimento do autocontrole sobre o corpo e suas funções.

Algumas pessoas acreditam poder relaxar muito facilmente sem treinamento, e existem muitas técnicas rápidas que de fato fazem com que as pessoas se sintam muito relaxadas. Entretanto, muitas vezes a percepção de que o relaxamento profundo possa ser alcançado rapidamente tem algo de ilusório. É possível (de fato comum) que uma pessoa reporte sentir-se mentalmente (subjetivamente) relaxada em grande profundidade, enquanto é visível que ainda está tensionando os músculos – franzindo o cenho, cerrando os dentes ou curvando os ombros, por exemplo. Jacobson verificou que, quando as pessoas deitam e tentam relaxar, é comum haver uma tensão residual nos músculos. Ele acreditava que era particularmente importante aprender a relaxar além desse nível, mesmo que em pequeno grau. De acordo com seus achados, o relaxamento dos músculos esqueléticos costuma ser seguido de relaxamento mental, isto é, a cessação dos pensamentos, imagens e emoções, relaxamento dos órgãos, como o sistema digestivo, e redução dos batimentos cardíacos e da pressão sanguínea.

IDEIA-CHAVE: RELAXAMENTO PROGRESSIVO DOS MÚSCULOS

É importante entender que, por relaxamento, de uma perspectiva fisiológica, Jacobson se referia a relaxamento muscular, o que definiu especificamente como a ausência completa de toda contração ou tensão, isto é, o afrouxamento e alongamento das fibras musculares.

O que queremos dizer com "progressivo"? Jacobson descreveu seu método de relaxamento como "progressivo" em três aspectos (1977, p. 104):

1. Cada músculo relaxado em determinado momento deve ser progressivamente mais afrouxado a cada minuto de prática.
2. Diferentes grupos de músculos são relaxados um a um até o corpo todo ter sido progressivamente relaxado por meio dos principais grupos musculares.
3. Com a prática diária, o nível geral de tensão habitual diminui, de modo que o indivíduo fica progressivamente mais relaxado ao longo da vida e em um espectro mais amplo de situações e atividades.

Jacobson advertiu aos aprendizes de seu método que, nos estágios iniciais de treinamento, mesmo quando se sentem completamente relaxados, é muito provável que ainda haja níveis de tensão residual nos músculos – tensão essa que o método desenvolvido por ele tem por meta relaxar progressivamente.

O MÉTODO DE JACOBSON

O curso original de treino em relaxamento progressivo de Jacobson tinha duração de um ano e requeria sessões diárias usando muitas posições físicas diferentes. Entretanto, começava com uma modalidade de treinamento de consciência chamada cultivo do senso muscular, semelhante à meditação *mindfulness* em alguns aspectos, mas focada especialmente em aumentar a consciência do corpo. Requer paciência, treinamento sistemático na auto-observação minuciosa das sensações musculares (cinestesia) e da tensão muscular, às vezes descritas como "o mundo debaixo da pele".

Além disso, Jacobson acreditava ser da maior importância relaxar a região dos olhos, por ter verificado que essa tensão estava intimamente ligada aos processos mentais, incluindo preocupação e ansiedade. Com base em pesquisas utilizando eletrodos para medir a atividade muscular, os proponentes do relaxamento progressivo concluíram que, quando os olhos estão completamente relaxados, as imagens mentais tendem a cessar. Aprender a reduzir a atividade mental costuma ser difícil no começo, mas fica mais fácil com a prática, à medida que as tensões físicas sutis associadas à atividade mental são identificadas.

LEMBRE-SE: RELAXAMENTO PROGRESSIVO REQUER PRÁTICA

O controle da tensão é uma habilidade física, como aprender a jogar tênis ou andar de bicicleta; embora algumas pessoas peguem rápido, para a maioria é necessário perseverança. Você deve ler este capítulo com atenção antes de começar a testar as técnicas. Todavia, será difícil você entender completamente até começar a praticar. Para obter pleno benefício, você deve se planejar para dedicar pelo menos vinte minutos por dia para praticar o relaxamento; o treinamento em geral se estende por três a cinco semanas, embora o tempo necessário para relaxar possa diminuir consideravelmente com a prática. Ainda assim, algumas ideias e práticas podem interessar ou beneficiar algumas pessoas de imediato.

O ERRO DO ESFORÇO: O RELAXAMENTO COMO "NÃO FAZER NADA"

No treino em relaxamento progressivo, a técnica de liberar a tensão foi descrita como soltar, desligar a força, deixar os músculos colapsar ou amolecer etc. Às vezes é referido como ir na direção negativa, ao contrário de ir na direção da tensão, para enfatizar a noção de que se trata simplesmente de parar de tensionar os músculos, cessar a atividade, em vez de fazer um esforço para relaxar. Jacobson referiu-se ao relaxamento muscular como negativo devido à ausência de qualquer sensação positiva do relaxamento muscular. Uma máxima dessa abordagem é: esforço para relaxar é sempre fracasso em relaxar.

Em termos estritos, o relaxamento muscular só pode ser experimentado como a negação ou o soltar da tensão. Assim, os músculos inicialmente são tensionados, em parte para despertar a consciência para o que não deve ser feito. As instruções de Jacobson para liberar músculos específicos após o tensionamento inicial são:

> O que quer que você faça (ou não faça) quando começa a relaxar é o que você deve manter, indo além do ponto onde a região parece perfeitamente relaxada!
>
> (Jacobson, 1939, p. 50)

Esse é o relaxamento progressivo além do nível comum de tensão residual, rumo a novos níveis mais profundos.

LEMBRE-SE: ESFORÇO PARA RELAXAR É FRACASSO EM RELAXAR

Na teoria, o relaxamento absoluto, a liberação de toda a tensão, deve ser fácil e livre de esforço, como simplesmente não fazer nada. Acontece que de início está longe de ser fácil não fazer nada quando você tem o hábito de fazer demais sem perceber. É preciso prática para aprender o que significa eliminar a tensão e o esforço por completo.

Quando começam a tentar relaxar, as pessoas muitas vezes cometem o erro de subestimar o nível de tensão residual nos músculos, inadvertidamente tensionando outros músculos para se forçar a relaxar ou para manter um membro imóvel ou baixá-lo. Jacobson referiu-se a isso como erro de principiante ou erro do esforço. Daí a máxima: "Todo esforço para relaxar é fracasso em relaxar" (Jacobson, 1977, p. 111).

Relaxar é uma modalidade especial de inatividade. Embora haja sensações que acompanhem o relaxamento muscular, como respiração suave, calma mental ou sonolência, estas são consequências ou efeitos colaterais. Não existe uma sensação física positiva do relaxamento muscular. Existe apenas a sensação de tensão muscular em vários níveis. Você não pode enfocar a ausência de tensão, assim como não pode enfocar a ausência de dor. Não há nada de positivo para imaginar, apenas a ausência de sensação. O cérebro não pode "gerar" o relaxamento de forma ativa, pode apenas "parar de gerar" tensão. Relaxar o corpo é simplesmente parar de tensionar os músculos. Muito literalmente, relaxar é não fazer nada; o paradoxo é que é muito difícil não fazer absolutamente nada, e a prática costuma exigir uma quantidade surpreendente de autoconsciência e paciência, para pegar o jeito.

ALGUMAS CRÍTICAS E LIMITAÇÕES POTENCIAIS

Um possível inconveniente inerente ao método de estudar a tensão muscular poderia ser o encorajamento de uma preocupação excessiva com os músculos. Existe certo motivo para crer que prestar atenção demais aos músculos tende a deixá-los mais tensos. Entretanto, Jacobson enfatizou que, com a prática, pode se atingir um "meio-termo feliz", no qual as sensações de tensão podem ser localizadas mais rápida e facilmente e a atenção exigida diminui naturalmente com o tempo, à medida que o relaxamento se torna um hábito. Contudo, esse método pode não ser adequado para pessoas com tendência a se preocupar em excesso com as sensações físicas.

ACEITAÇÃO E RELAXAMENTO APLICADO

Já discutimos a corrente moderna das abordagens para terapia baseadas em *mindfulness*, que substituem a esquiva experiencial pela aceitação voluntária de experiências desagradáveis, como preocupação, ansiedade e tensão. Existe um espaço para debater se as habilidades de enfrentamento via relaxamento são ou não uma forma de esquiva experiencial. Vários terapeutas da linha da aceitação inclinaram-se ao peso de evidências que respaldam o relaxamento aplicado para tentar conciliar as duas abordagens. As pesquisadoras Lizabeth Roemer e Susan Orsillo recentemente desenvolveram uma abordagem que combina elementos da terapia de aceitação e compromisso (ACT) com o relaxamento aplicado para o tratamento do transtorno de ansiedade generalizada (TAG) (Roemer & Orsillo, 2002).

Na abordagem baseada em *mindfulness* e aceitação de Roemer e Orsillo, o relaxamento muscular progressivo enfatiza o desenvolvimento da consciência das sensações físicas durante a tensão e o relaxamento, o foco no momento presente e a aceitação voluntária das experiências resultantes. Em certos aspectos, talvez seja semelhante à abordagem original de Jacobson, que enfatiza a atenção plena no senso muscular e o aprender a abandonar qualquer esforço para relaxar. O foco não é controlar ou evitar experiências internas como a ansiedade, e sim "observar e permitir a presença de certas experiências internas e praticar o abandono da luta com as sensações físicas" (Roemer & Orsillo, 2009, p. 211).

Assim, os clientes são encorajados a ficar abertos a quaisquer experiências que surjam, enquanto observam que o relaxamento progressivo pode ajudar a reduzir o estresse e a ansiedade, muitas vezes por reduzir as tentativas de lutar contra a experiência interna e tentar modificá-la. Em outras palavras, em vez de tentar afastar a ansiedade com o relaxamento, podemos pensar em relaxar na aceitação dos sentimentos ansiosos e no abandono da luta para tentar controlá-los. Quando as pessoas ficam ansiosas, a tensão muscular pode ser vista como uma reação defensiva automática, evoluída ao longo de milhões de anos, na qual o corpo é tensionado, adotando uma configuração muscular para lutar, fugir ou congelar e iludir a detecção. Aceitar pensamentos e sentimentos ansiosos automáticos e ao mesmo tempo liberar voluntariamente a tensão muscular pode ser visto como uma forma voluntária de baixar a guarda e abandonar o esforço para lidar com a ansiedade por meio de ação física. Em outras palavras, pode ser visto como uma forma de soltar e aceitar os sentimentos desagradáveis em maior profundidade, em vez de tentar controlá-los.

Os fundadores da ACT recentemente descreveram como o relaxamento progressivo pode ser combinado com seu modelo de flexibilidade psicológica (Hayes, Strosahl & Wilson, 2012, p. 208). Eles argumentam que o relaxamento progressivo pode proporcionar uma maneira de aprender a ficar centrado e observar as experiências à medida que ocorrem, desenvolvendo uma consciência mais ampla e mais flexível do momento presente. Isso é feito mudando a atenção periodicamente para observar quais pensamentos estão sendo experimentados durante o relaxamento antes de levar a atenção de volta para a parte do corpo que está sendo relaxada.

Pesquisa e aplicações

Jacobson envolveu-se na condução de um amplo estudo militar no qual cem oficiais da Marinha foram treinados para ser professores de relaxamento progressivo. Eles ministraram cursos de dez semanas com até trezentos participantes, treinando um total de 15,7 mil cadetes durante sete meses. Verificou-se diminuição de ferimentos físicos, da ansiedade e da fadiga entre os participantes, bem como melhora do sono em comparação com os outros cadetes. Em 1951, um relato do projeto, intitulado "Métodos de relaxamento nas escolas de aviação naval dos Estados Unidos", foi publicado pelo comandante William Neufeld no *American Journal of Psychiatry*.

Revisões mais recentes das pesquisas sobre os métodos de relaxamento progressivo concluíram que as evidências respaldam seu valor no tratamento de problemas como insônia, ansiedade, certos tipos de dor aguda e crônica e algumas condições físicas relacionadas ao estresse, como hipertensão, asma ou síndrome do intestino irritável (Bernstein, Carlson & Schmidt, 2007, p. 90). Além disso, essas revisões compõem a base de uma técnica subsequente de terapia comportamental chamada relaxamento aplicado, que, como veremos no próximo capítulo, mostrou-se efetiva em diferentes problemas, conforme uma variedade de estudos.

Em 2008, uma equipe de psicólogos da Itália publicou um artigo intitulado "Treino em relaxamento para a ansiedade: uma revisão sistemática de dez anos com meta-análise" (Manzoni, Pagnini, Castelnuovo & Molinari, 2008). A revisão de 27 pesquisas incluindo mais de mil participantes concluiu que o relaxamento progressivo, o relaxamento aplicado e a meditação eram as formas mais efetivas de treino em relaxamento para reduzir a ansiedade. A análise estatística classificou o benefício geral ("tamanho médio do efeito") do treino em relaxamento como "médio" para "alto", proporcionando forte evidência de seu valor para reduzir diferentes tipos de ansiedade em diferentes populações.

Relaxamento progressivo e resiliência

Por que esperar até a tensão se tornar um problema? Tensionamento muscular obviamente é uma questão de grau, e a tensão desnecessária pode ser liberada preventivamente antes de causar dano. Embora o relaxamento progressivo muitas vezes seja usado de forma terapêutica, para tratar problemas existentes, como transtornos de ansiedade ou doenças relacionadas ao estresse, foi planejado para também ser usado de maneira preventiva. Em especial, o método de relaxamento diferencial de Jacobson, que você vai aprender mais adiante, envolve o controle da tensão muscular ao longo do dia, durante diferentes tarefas e situações, para o desenvolvimento de um estilo de vida mais relaxado em longo prazo. Esse tipo de relaxamento também pode ajudar a deixar a pessoa mais centrada no momento presente, permitindo-lhe agir mais de acordo com seus valores, algo central em nossa definição de resiliência.

Falta uma pesquisa direta sobre o relaxamento progressivo como forma de construção de resiliência, embora a técnica faça parte do Programa de Resiliência Penn, usado para prevenir a ansiedade e a depressão (REIVICH & SHATTÉ, 2002, pp. 193–196). Entretanto, a partir de sua experiência clínica, Jacobson também reportou que o relaxamento diferencial poderia ajudar as pessoas a suportar muitas enfermidades físicas, por conservar a energia e permitir ao corpo funcionar de forma mais resiliente. Além disso, especialistas da área reportaram que até estudantes que não sofrem de quaisquer problemas médicos ou psiquiátricos específicos tendem a descrever uma sensação de bem-estar geral maior e uma melhora na capacidade de lidar com estressores menores (incômodos diários) depois do treino em relaxamento progressivo. Conforme um dos seguidores mais próximos de Jacobson afirmou, aprender o relaxamento progressivo pode ser "como dinheiro no banco", proporcionando meios de se preparar para enfrentar adversidades de modo resiliente (McGuigan, 1981, p. 208).

PRECAUÇÕES QUANTO ÀS TÉCNICAS DE RELAXAMENTO PROGRESSIVO

Especialistas em relaxamento progressivo afirmam que não existem riscos significativos ou contraindicações ao uso. McGuigan, um dos expoentes no método de Jacobson, disse brincando que o único dano potencial do relaxamento muscular poderia ser você relaxar na frente de um caminhão vindo em sua direção (McGuigan, 1981, p. 217). Entretanto, há algumas precauções que seria bom mencionar antes de prosseguirmos.

Uma pequena minoria reporta reações negativas ao relaxamento profundo, como náusea, dor de cabeça, desorientação e ansiedade, embora as pesquisas sugiram que tais reações costumem ser transitórias e inofensivas. Também tendem a diminuir com a prática. Pessoas propensas a ataques de pânico às vezes os experimentam em resposta ao relaxamento, provavelmente porque sensações naturais de sonolência e desorientação ativem o medo de perder o controle. Se você é propenso a ataques de pânico, deve ir com calma e cuidado no relaxamento progressivo, mas deve perceber que as sensações são normais e inofensivas. São semelhantes àquelas experimentadas ao adormecer à noite.

Se você tem algum quadro médico que possa ser agravado pelo tensionamento dos músculos ou pelo relaxamento profundo, é claro que deve se abster dessas técnicas caso não sejam aprovadas por seu médico. Tensionar certos músculos pode ser especialmente inadequado caso você tenha determinados tipos de lesão física ou problemas cardiovasculares. Em caso de dúvida, deve-se sempre consultar o médico.

Avaliação da sua tensão

Sabemos que o relaxamento muscular tende a ter efeitos benéficos, embora haja diferentes formas de explicar os motivos disso. Jacobson enfatizou o conceito de que os níveis residuais de tensão muscular tendem a aumentar a vulnerabilidade ao estresse em reação a certos eventos. Usou como ilustração a analogia com sua pesquisa anterior em reflexo de sobressalto, que verificou que ruídos altos inesperados provocavam um susto maior em indivíduos com músculos tensionados do que naqueles com a musculatura relaxada. Indivíduos relaxados eram mais resilientes ao efeito de ruídos altos, sobressaltando-se menos e se recuperando mais rápido.

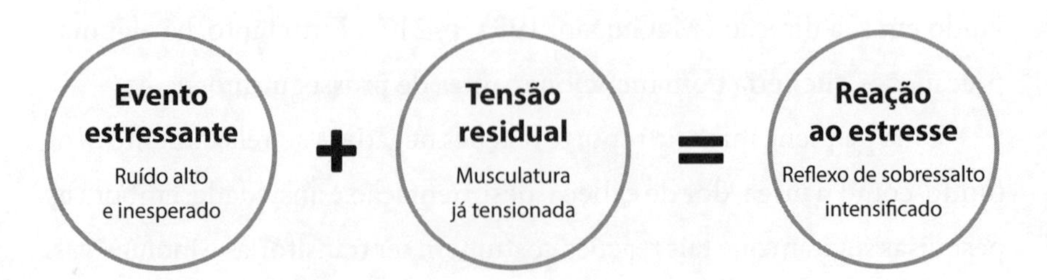

Jacobson descreve em detalhes como aprender a detectar sinais de tensão e usá-los como critério para detectar uma futura tensão, como um comprador que leva uma amostra de cor para ajudar a identificar a tonalidade que ele procura na loja. A sensação de tensão muitas vezes é bastante vaga e tênue: "Quando moderada, a tensão não é agradável nem desagradável, e sim particularmente indistinta e desprovida de características" (Jacobson, 1997, p. 109). Na abordagem de Jacobson, um dos motivos para se manter uma tensão inicial por um ou dois minutos é ajudar a identificar a localização da tensão muscular, especialmente se o músculo começa a manifestar uma leve sensação de fadiga.

TENTE AGORA: EXPERIMENTO INICIAL DE LIBERAÇÃO DA TENSÃO (FLEXIONAR O PULSO)

Mantenha o braço imóvel e erga a mão direita, flexionando-a para trás na direção do pulso o máximo possível, quase que em ângulo reto com o antebraço. Mantenha a posição por uns trinta segundos, a menos que fique desconfortável demais. Onde você sente mais tensão enquanto mantém a posição? Onde estão as sensações mais fortes? Jacobson usava essa técnica para introduzir os pacientes no relaxamento muscular.

Quando solicitados a indicar onde sentiam a tensão, muitos apontavam para o pulso. Jacobson disse que a sensação seria mais bem descrita como uma distensão na junta, o que é uma consequência ou efeito colateral da tensão. A verdadeira sensação de tensão (contração muscular) é na parte posterior do antebraço, onde se situa o principal músculo utilizado. Perceba que a sensação de tensão no músculo geralmente é mais tênue e sutil do que as sensações de distensão ou desconforto no pulso.

Isso provoca confusão, pois as pessoas tendem a confundir a sensação de desconforto em diferentes partes do corpo com a verdadeira sensação de tensão nos músculos que estão sendo contraídos e que precisam ser liberados para se alcançar o verdadeiro relaxamento muscular.

Vamos usar uma escala para ajudá-lo a avaliar e cultivar a consciência dos seus níveis de tensão. Não será necessariamente muito exata até você ter cultivado a habilidade de detectar a tensão. Entretanto, o uso regular da escala, junto com outros exercícios, vai ajudar a deixá-lo mais ciente dos sinais de tensão no corpo. Digamos que 100% na escala denotam tensão física absoluta, o mais tenso que você imagina poder sentir-se. No extremo oposto, 0% denota relaxamento absoluto, o mais fisicamente relaxado que você imagina poder sentir-se. As mensurações de Jacobson sugeriram que a maioria das pessoas está longe de ficar completamente livre de tensão mesmo quando se deita e se sente bastante relaxada fisicamente. Assim, vamos presumir que é improvável seu nível de tensão ser de 0% no início do treinamento.

LEMBRE-SE: CLASSIFIQUE SEUS NÍVEIS DE TENSÃO (0–100%)

Para classificar sua tensão, feche os olhos por um instante e examine o corpo inteiro em busca das mais ínfimas sensações de tensão, contração e espasmo muscular. Não tente mudar nada. Não tente relaxar nesse estágio. Apenas classifique seu nível de tensão na escala de 0–100%. Após estabelecer seu nível de tensão, tente escrever uma lista curta das sensações específicas em que baseou seu índice.

Tente avaliar seus níveis de tensão com frequência. Faça isso antes e depois de utilizar exercícios específicos de relaxamento. Faça também quando notar que está ficando tenso, angustiado ou durante situações desafiadoras. Além disso, faça pausas frequentes ao longo do dia, quem sabe a cada hora, para avaliar seu nível de tensão atual. Quando possível, registre as sensações específicas usadas para chegar ao índice. O objetivo é cultivar maior consciência da tensão muscular e antecipar as sensações físicas típicas que ocorrem, em especial as sutis ou tênues que de início possam ter sido ignoradas.

Uma vez entendida a base lógica, o treino padrão em relaxamento progressivo na terapia comportamental começa pela tensão e soltura dos músculos de dezesseis diferentes partes do corpo. Não vamos trabalhar nesses grupos musculares separadamente, mas seria bom você começar examinando seu corpo a partir deles, como um guia para ajudar a identificar os pontos críticos de tensão.

AUTOAVALIAÇÃO: TENSÃO NOS 16 GRUPOS MUSCULARES

Dedique um tempo para classificar seu nível de tensão em cada um dos seguintes grupos musculares, em uma escala de 0–100%.

1. Mão e antebraço direito. (__%)
2. Bíceps e/ou tríceps direito. (__%)
3. Mão e antebraço esquerdo. (__%)
4. Bíceps e/ou tríceps esquerdo. (__%)
5. Testa, parte superior do rosto. (__%)
6. Maçãs do rosto, olhos e nariz, parte intermediária do rosto. (__%)
7. Bochechas e mandíbula, parte inferior do rosto. (__%)
8. Pescoço e garganta. (__%)
9. Peito, ombros e parte superior das costas. (__%)
10. Região abdominal. (__%)
11. Coxa direita. (__%)
12. Panturrilha direita. (__%)
13. Pé direito. (__%)
14. Coxa esquerda. (__%)
15. Panturrilha esquerda. (__%)
16. Pé esquerdo. (__%)

As estimativas serão muito rudimentares até você aprender melhor a cultivar o senso muscular. Mas você pode repetir esse exercício periodicamente ao longo do dia para apontar áreas de tensão que surjam em diferentes momentos e situações, elaborando um mapa mental de como a tensão se distribui através do corpo. Além de aprender a relaxar em termos gerais, você poderia destinar um tempo adicional para enfocar a tensão e liberação de áreas problemáticas identificadas.

Tente agora: tensione o grupo muscular com o índice mais alto por dez segundos no mínimo e então relaxe progressivamente, soltando em mais profundidade por no mínimo trinta segundos. Repita umas três vezes e então reclassifique o nível de tensão nessa parte do corpo.

Além disso, vamos usar uma versão ligeiramente modificada do registro da prática no relaxamento aplicado (ver o próximo capítulo), para avaliar o progresso no uso de todas as habilidades de relaxamento aprendidas (Öst, 1987, p. 400).

REGISTRO DA PRÁTICA DAS HABILIDADES DE RELAXAMENTO					
Data/ horário	Habilidades praticadas	Tensão antes (%)	Tensão depois (%)	Duração (minutos)	Comentários (Problemas? Insights?)

Você deve começar a usar esse registro agora mesmo para avaliar suas novas habilidades e monitorar seu progresso. As habilidades de relaxamento abordadas neste e no próximo capítulo, que poderiam ser registradas no diário da prática, incluem tensão-relaxamento (sete grupos), tensão-relaxamento (quatro grupos), relaxamento por recordação, relaxamento por contagem, relaxamento diferencial e relaxamento controlado por pistas.

Treino em relaxamento progressivo

Os métodos de treino abreviado em relaxamento progressivo requerem prática diária por até dez semanas (Bernstein, Carlson & Schmidt, 2007, p.

115). Entretanto, esse período é reduzido para três a cinco semanas quando usado como prelúdio para o relaxamento aplicado. Assim, a abordagem de autoajuda simplificada descrita aqui se baseia em um programa de cinco semanas de prática diária de relaxamento progressivo para ajudar a construir resiliência mediante o aprendizado do controle de tensão geral. Mais adiante você vai aprender como transferir essas habilidades para diferentes situações e atividades por meio do relaxamento diferencial e como relaxar rapidamente diante da adversidade mediante o relaxamento aplicado.

SEMANA(S)	PROCEDIMENTOS
1-2	Tensão-relaxamento de sete grupos musculares
3	Tensão-relaxamento de quatro grupos musculares
4-5	Relaxamento unicamente por recordação e contagem

Opcional: aplicar a seguir os métodos de relaxamento diferencial e aplicado descritos mais adiante.

Preparação

O ideal é que você esteja deitado ou ao menos reclinado, com a cabeça apoiada, de maneira que lhe permita relaxar completamente os músculos do pescoço. Todavia, deitar na cama, debaixo das cobertas, tarde da noite, com as luzes apagadas, não é recomendado durante o treino em relaxamento, a menos que você queira pegar no sono! Tire os sapatos e certifique-se de que as roupas são soltas e confortáveis. Tire os óculos, caso use. Desligue o telefone, feche a porta e se organize para que as possíveis perturbações sejam evitadas ou reduzidas ao mínimo. Diminua a iluminação nas sessões iniciais se achar que isso ajuda. Cruzar os braços ou pernas ou repousar os braços no apoio de uma cadeira durante o relaxamento profundo por um período prolongado pode causar formigamento, pela diminuição da circulação. Portanto, é melhor deixar os pés paralelos, as pernas estendidas e as mãos ao lado do corpo, caso esteja deitado, ou os pés no chão e as mãos no colo, caso esteja sentado. Os olhos normalmente devem ficar fechados durante os exercícios de relaxamento.

LEMBRE-SE: DEITE, FIQUE QUIETO E PARE DE SE AGITAR!

Como esse procedimento envolve especificamente o relaxamento dos músculos, o que requer liberação e inação completas, é melhor você manter qualquer movimento físico no mínimo. Entretanto, se realmente precisar se mexer, por causa de uma coceira no nariz, por exemplo, tente fazê-lo com o mínimo de interrupção do relaxamento. Faça um movimento breve, fique confortável e tente usar apenas os músculos necessários, deixando o resto do corpo relaxado.

Relaxamento por contração-soltura (cultivo do senso muscular)

Jacobson recomendava uma prática diária de cinquenta minutos, mas as abordagens modernas do treino abreviado em relaxamento progressivo requerem cerca de 15–20 minutos de prática duas vezes por dia no início, podendo ser uma vez por dia mais adiante. Contudo, o procedimento sempre começa com alguma forma de ciclos de contração-soltura, para ajudar o cultivo do senso muscular mediante a repetida observação do contraste entre tensionar e soltar.

IDEIA-CHAVE: TENSÃO VOLUNTÁRIA DOS MÚSCULOS

Por que tensionar os músculos a fim de relaxar? Existem duas explicações principais. Jacobson treinou indivíduos a estudar as sensações específicas da tensão em diferentes músculos a partir do tensionamento deliberado por 1–2 minutos, o que é um tempo muito maior do que parece! O objetivo original era ficar bem mais ciente de como você usa os músculos, detectando sinais tênues de tensão que você normalmente ignora, ou seja, uma forma de treinamento em autoconsciência física chamada cultivo do senso muscular.

Além disso, os terapeutas comportamentais mais tarde argumentaram que tensionar os músculos e depois soltá-los tende a levar a um relaxamento mais profundo do que o normal, explicado pela analogia com o movimento de um pêndulo, movendo-se primeiro na direção da tensão para aumentar o impulso contrário na direção do relaxamento. Os que enfatizam essa argumentação, a base da APRT, tendem a recomendar períodos bem mais curtos de tensão, de 5–7 segundos. (Jacobson não era muito entusiástico a respeito desse sistema.)

Em todo caso, presume-se que tensionar antes de soltar ajuda a aprender a detectar e eliminar a tensão mais plenamente e relaxar progressivamente além da capacidade normal, atingindo um estado muito mais profundo e completo de relaxamento. Pela minha experiência, ambas as perspectivas têm pontos válidos, e tensionar os músculos provavelmente serve a dois propósitos. Embora nosso foco aqui seja a abordagem abreviada, algumas pessoas podem querer adotar elementos do método original de Jacobson e tensionar os músculos por mais tempo, para ajudar a estudar a tensão e aprender a desenvolver autoconsciência mais profunda e quem sabe maior autocontrole muscular.

Este capítulo vai ensinar como fazer uma versão muito abreviada da abordagem padrão de relaxamento muscular progressivo usada na terapia comportamental. A maioria das abordagens de relaxamento muscular progressivo começa com o treinamento em tensionar e soltar dezesseis grupos musculares diferentes, o que de início leva cerca de 45 minutos. Trata-se de um procedimento bastante rigoroso. Dominado esse estágio, os grupos musculares são combinados em sete grupos, para abreviar o processo, e por fim em quatro grupos principais, na versão mais curta dessa técnica.

Para fins de autoajuda, sem o apoio de um terapeuta para treiná-lo, recomendo pular o primeiro estágio, de relaxamento de dezesseis grupos musculares. Em vez disso, comece dividindo o corpo nos sete grupos musculares descritos aqui, para simplificar o procedimento. Isso vai reduzir o tempo das primeiras sessões práticas de 45 para uns vinte minutos. Veremos que mais adiante essas sessões vão se tornar ainda mais curtas.

<table>
<tr><th>16 GRUPOS</th><th>7 GRUPOS</th><th>4 GRUPOS</th><th>RELAXAMENTO GERAL</th></tr>
<tr><td>Mão e antebraço dominantes</td><td rowspan="2">Mão e braço dominantes</td><td rowspan="4">Mãos e braços</td><td rowspan="8">O corpo inteiro, usando uma palavra-chave ou contagem</td></tr>
<tr><td>Bíceps e/ou tríceps dominantes</td></tr>
<tr><td>Mão e antebraço não dominantes</td><td rowspan="2">Mão e braço não dominantes</td></tr>
<tr><td>Bíceps e/ou tríceps não dominantes</td></tr>
<tr><td>Testa (parte superior do rosto)</td><td rowspan="3">Rosto e mandíbulas</td><td rowspan="4">Rosto, mandíbulas e pescoço</td></tr>
<tr><td>Maçãs do rosto, olhos e nariz (parte intermediária do rosto)</td></tr>
<tr><td>Bochechas e mandíbulas (parte inferior do rosto)</td></tr>
<tr><td>Pescoço e garganta</td><td>Pescoço e garganta</td></tr>
<tr><td>Peito, ombros e parte superior das costas</td><td rowspan="2">Peito, costas e abdômen</td><td rowspan="2">Peito, costas e abdômen</td><td rowspan="8"></td></tr>
<tr><td>Região abdominal</td></tr>
<tr><td>Coxa dominante</td><td rowspan="3">Perna e pé dominantes</td><td rowspan="6">Pernas e pés</td></tr>
<tr><td>Panturrilha dominante</td></tr>
<tr><td>Pé dominante</td></tr>
<tr><td>Coxa não dominante</td><td rowspan="3">Perna e pé não dominantes</td></tr>
<tr><td>Panturrilha não dominante</td></tr>
<tr><td>Pé não dominante</td></tr>
</table>

TENTE AGORA: PROCEDIMENTO BÁSICO DE TENSÃO-RELAXAMENTO

Vamos descrever a seguir uma rotina completa de tensão-relaxamento incluindo sete grupos musculares (Bernstein, Borkovec & Hazlett-Stevens, 2000, pp. 37–38). Entretanto, para entender corretamente a técnica básica, vamos começar experimentando em detalhes com um só grupo de músculos: mão e braço direitos.

Prepare seu ambiente e ajeite-se em uma posição adequada para relaxar, conforme já descrito. Dedique um momento para relaxar e se acomodar antes de começar. Quando estiver pronto, foque toda a atenção na mão e braço direitos. Para tensionar todos os músculos da mão e braço direitos por alguns segundos, cerre o punho e tente flexionar e estender o braço ao mesmo tempo, para tensionar o bíceps e o tríceps, colocando os músculos antagonistas em conflito. Não tensione demais, basta um nível de tensão moderado, que não deve ser doloroso ou excessivamente desconfortável. Tente também tensionar os músculos de modo seletivo. Tensione apenas os músculos requeridos e mantenha o resto do corpo tão relaxado e inativo quanto possível.

Agora foque em onde os músculos estão de fato se contraindo: enquanto flexiona levemente o braço direito na altura do ombro, tensione os músculos e cerre o punho, mantendo a tensão por uns 5–7 segundos. Tente flexionar e estender o braço ao mesmo tempo, para ativar os músculos antagonistas. Não conte os segundos, apenas estime a passagem do tempo, não é preciso ser exato. Foque toda a atenção na sensação de tensão, os músculos repuxando e endurecendo, e não nas outras sensações do corpo.

Encerrado o período de tensionamento, inspire fundo, retenha o ar por 1-2 segundos e relaxe o braço completamente ao expirar. Não tente relaxar lentamente, deixe os músculos afrouxaram-se o máximo possível instantaneamente. Continue então a relaxar por mais uns 30–60 segundos. Não se concentre demais nos músculos, pois isso pode deixá-los tensos, mas siga pensando em liberar a tensão por completo. Observe o contraste entre a sensação de tensão nos músculos recrutados e o subsequente relaxamento ou soltura progressiva.

Sem a presença de um terapeuta para orientá-lo, depois de liberar a tensão pode ser bom prestar atenção na respiração, deixando que fique mais lenta, regular e automática, e dizer a si mesmo para soltar os músculos mais e mais a cada expiração. Em vez de contar os segundos, você pode simplesmente relaxar durante umas 8–15 respirações completas, mais ou menos contando ou estimando as expirações. Cabe observar que Jacobson acreditava que esse pensamento, inclusive dizer a si mesmo para soltar, era incompatível com o relaxamento total, com certeza com os músculos envolvidos na fala. Assim, você pode diminuir gradualmente o uso de autoinstruções à medida que o relaxamento progride até a quietude mental ou ao relaxar especificamente os músculos da face.

Encerrado o período de relaxamento, repita o procedimento, tentando fazer uma liberação mais completa da tensão na segunda vez. Esse é um exemplo para mostrar como você deve relaxar cada um dos sete grupos musculares descritos no procedimento.

Ao tensionar e soltar os músculos durante qualquer um desses exercícios, é particularmente importante ter em mente que você está trabalhando para ser capaz de relaxar apenas pela recordação. Assim, você deve começar com esse objetivo em mente e prestar grande atenção à sensação de soltar, aprendendo como ela é e memorizando.

LEMBRE-SE: O EFEITO DA PRÁTICA

De início você pode achar difícil tensionar um grupo de músculos sem retesar várias outras partes do corpo. Entretanto, isso costuma ficar mais fácil com a prática. Você sempre deve tentar isolar o grupo muscular que está tensionando enquanto mantém o resto do corpo relaxado. Mantenha-se imóvel, mas não tente ficar imóvel tensionando-se, apenas abandone qualquer impulso de se mexer ou inquietar. Se tiver que se mexer para permanecer confortável, faça isso, mas a meta é aprender a deixar os músculos frouxos e relaxados o máximo possível durante toda a sessão.

Você deve adequar o relaxamento progressivo às suas necessidades. Por exemplo, se verificar que um grupo muscular teima em não relaxar, você deve modificar a abordagem, focando mais nessa região, tensionando e relaxando por mais tempo ou fazendo mais repetições.

TENTE AGORA: PROCEDIMENTO INICIAL DOS SETE GRUPOS MUSCULARES

Supõe-se aqui que você leu o procedimento básico anterior e experimentou o bastante para lembrar o que ele implica e quais são as sensações-chave. Cada um dos sete grupos musculares abaixo deve ser tensionado e relaxado duas vezes antes de se avançar para o grupo seguinte (Bernstein, Borkovec & Hazlett-Stevens, 2000, pp. 52–54). Os músculos são sempre tensionados por 5–7 segundos antes de serem relaxados por 30–60 segundos. Isso deve levar uns 15–20 minutos no total.

1. Braço e mão direitos. Cerre o punho, flexione o braço levemente na altura do ombro e tensione o bíceps e o tríceps, tentando flexionar e estender o braço simultaneamente. Mantenha a tensão por 5–7 segundos antes de inspirar fundo, expirar e afrouxar a mão e o braço completamente. Continue a soltar os músculos por 30–60 segundos e a seguir repita o ciclo de tensão-relaxamento mais uma vez antes de prosseguir.
2. Braço e mão esquerdos. Exatamente como acima.
3. Rosto e mandíbula. Como acima, mas esses músculos são tensionados franzindo o cenho, apertando os olhos bem fechados e cerrando a mandíbula. Franza o cenho juntando as sobrancelhas, ao mesmo tempo fechando as pálpebras e apertando bem, enrugando o nariz, cerrando

os dentes e repuxando os cantos da boca como em um sorriso arreganhado. Vai dar a sensação de (e parecer!) que você está retorcendo o rosto numa espécie de careta por 5–7 segundos, antes de soltar todos os músculos da face. Quando se relaxam completamente os músculos da mandíbula, dentes e lábios normalmente se separam levemente, como se a boca estivesse mole.

4. Pescoço e garganta. Esses músculos são tensionados ao tentar levar o queixo ao peito e ao mesmo tempo erguê-lo, usando os músculos antagonistas para criar tensão, o que muitas vezes causa um leve tremor. Tentar levantar e baixar o queixo ao mesmo tempo ajuda a tensionar todos os músculos da região do pescoço. Os músculos do pescoço normalmente permanecem tensos em alguma medida, mesmo quando o resto do corpo está relaxado, para manter a cabeça erguida. Você deve se manter reclinado, com a cabeça apoiada, para conseguir relaxar os músculos do pescoço por completo. Com isso sua cabeça pode rolar levemente para um lado, dependendo da posição do corpo.
5. Peito, costas, ombros e abdômen. Esse agrupamento combina diversos grupos musculares que podem ser relaxados um a um. Todavia, aqui são reunidos em favor da brevidade. Inspire fundo e retenha o ar por 5–7 segundos enquanto puxa as omoplatas para trás, aproximando-as, e retesa o abdômen, como se fosse levar um soco no estômago, ou tenta empurrar o abdômen para dentro e para fora ao mesmo tempo. Expire ao soltar todos esses músculos de uma vez só e respire naturalmente enquanto continua a soltar.
6. Perna e pé direitos. Erga a perna levemente enquanto aponta os dedos dos pés para cima e vira o pé levemente para dentro, para tensionar os músculos.
7. Perna e pé esquerdos. Exatamente como acima.

Por fim, examine o corpo em busca de sensações remanescentes de tensão, por mais tênues que sejam, e tente soltar mais completamente, se necessário repetindo o ciclo de tensão-relaxamento para o grupo muscular. Conclua cada sessão continuando a relaxar de forma progressiva, focando em soltar mais profunda e completamente por 1–2 minutos antes de abrir os olhos e se mover com calma. Se preferir, pode contar de 1 a 5 mentalmente, para emergir do relaxamento aos poucos. Você deve tentar o relaxamento diferencial ao concluir cada exercício, movendo-se devagar de início e usando apenas os músculos necessários, conservando o máximo possível do relaxamento físico durante as atividades subsequentes.

Você pode fazer experiências em termos de quantidade de tempo e métodos de tensão para chegar à abordagem que funciona melhor para você. Essas são apenas técnicas padronizadas, embora tenha se verificado que funcionam bem para a maioria dos pacientes na prática clínica e dos participantes de pesquisas. Você deve resistir ao ímpeto de fazer atalhos no treino de relaxamento. Entretanto, às vezes será apropriado abreviar o método acima de várias formas. Por exemplo, algumas pessoas podem considerar benéfico relaxar apenas a cabeça e o tronco em certas ocasiões, omitindo braços e pernas. No procedimento de praxe, uma vez que os sete grupos musculares possam ser relaxados com facilidade, são feitas combinações para reduzir a quatro o número de grupos.

O procedimento anterior deve ser usado pelo menos uma vez por dia – o ideal são duas vezes – por 1–2 semanas antes de se avançar para a próxima forma abreviada do exercício.

TENTE AGORA: PROCEDIMENTO CURTO DOS QUATRO GRUPOS MUSCULARES

Supõe-se que você tenha lido o procedimento básico e o método inicial dos sete grupos musculares e testado o suficiente para seguir para o estágio seguinte, abreviando as coisas com a combinação dos músculos em quatro grupos amplos (Bernstein, Borkovec & Hazlett-Stevens, 2000, pp. 54–56). Mais uma vez, cada um dos grupos deve ser tensionado e liberado duas vezes antes de se seguir para o próximo. Os músculos são tensionados sempre por 5–7 segundos antes de serem soltos por 30–60 segundos. Isso normalmente reduz a sessão para menos de dez minutos no total.

1. Braços e mãos. Ambos os punhos são cerrados ao mesmo tempo, e os braços são levemente flexionados e tensionados juntos, usando o mesmo procedimento empregado para cada braço no procedimento anterior.
2. Rosto, mandíbula e pescoço. Igual à versão dos sete grupos musculares, mas agora os músculos do rosto são contraídos, a mandíbula é cerrada e os músculos antagonistas do pescoço são retesados simultaneamente. Isso com frequência causa um leve tremor.
3. Peito, costas, ombros e abdômen. Exatamente como no procedimento dos sete grupos musculares.
4. Pernas e pés. Ambas as pernas são erguidas simultaneamente, e os pés são virados levemente para dentro, usando o mesmo procedimento dos sete grupos musculares.

De novo, sinta-se livre para testar e modificar esse procedimento básico em termos de duração ou estratégias de tensão, para encontrar uma abordagem que funcione bem para você. Lembre-se de focar em especial na sensação de soltar, para memorizar exatamente como é, já que no futuro você vai recordar a sensação para relaxar ainda mais rápida e facilmente.

Uma vez que a versão dos quatro grupos musculares esteja suficientemente dominada, o que costuma exigir prática diária por cerca de uma semana, você deve avançar para o estágio seguinte: relaxamento por recordação.

Relaxamento por recordação e contagem

O relaxamento por recordação (ou apenas liberação) é virtualmente idêntico ao exercício anterior de tensão-relaxamento dos quatro grupos musculares, exceto que o estágio de tensão é completamente omitido daqui em diante. Os músculos não devem mais ser tensionados, a menos que seja difícil relaxá-los; nesse caso, você deve retornar temporariamente à estratégia de tensão-relaxamento anterior para o grupo que está tendo problemas em relaxar.

TENTE AGORA: RELAXAMENTO POR RECORDAÇÃO E CONTAGEM

Supõe-se que você tenha dominado os métodos anteriores de tensão-relaxamento e testado o suficiente para seguir para o próximo estágio, abreviando o processo ao relaxar os quatro grupos amplos apenas pela recordação. Isso normalmente reduz a sessão para cerca de 3–4 minutos no total.

1. Braços e mãos. Foque toda a atenção nos músculos dos braços e mãos, observando quaisquer sensações de tensão, por mais sutis ou tênues que sejam. A seguir relaxe os músculos progressivamente, recordando como foi a sensação de soltar a tensão nos exercícios anteriores. Continue a soltar mais profunda e completamente por 30–45 segundos, ou pelo tempo que costuma levar para expirar 8–12 vezes. Se ajudar, instrua-se mentalmente a continuar soltando mais profundamente a cada expiração, quem sabe baixando a voz até o silêncio à medida que relaxa.
2. Rosto, mandíbula e pescoço. Exatamente como acima.
3. Peito, costas, ombros e abdômen. Exatamente como acima.
4. Pernas e pés. Exatamente como acima.

Opcional: volte à estratégia anterior de tensão-relaxamento caso seja difícil relaxar um grupo específico ou reste alguma tensão perceptível.

Por fim, conte mentalmente de dez a zero a cada expiração. Enquanto expira e conta, tente soltar progressivamente a tensão ao longo de todo o corpo, de forma mais profunda e completa. Ao concluir, continue o relaxamento progressivo em silêncio por 1–2 minutos antes de abrir os olhos lentamente e voltar ao estado normal.

Uma vez que você tenha aprendido a relaxar em mais profundidade com a contagem, essa técnica pode ser utilizada sozinha para atingir o relaxamento com rapidez. Jacobson recomendava uma técnica semelhante para induzir ao sono, que envolvia o relaxamento progressivo dos olhos e a seguir do resto do corpo, a cada expiração.

ESTUDO DE CASO

Bruxismo (ranger de dentes)

O bruxismo ou ranger de dentes é um bom exemplo de uma forma muito específica de problema relacionado à tensão, muitas vezes reportado por pessoas que sofrem de ansiedade e preocupação crônicas. Em um estudo mais antigo, usando outro método bastante semelhante ao relaxamento progressivo, dois dentistas treinaram um grupo de quatorze pacientes a cerrar os dentes por cinco segundos e então soltar os músculos por cinco segundos. Isso era repetido cinco vezes seguidas, e a rotina era executada seis vezes por dia durante duas semanas (McGuigan, 1981, p. 113). Dentro de dez dias, onze pacientes (79%) haviam parado de ranger os dentes, e seis meses depois estavam ainda melhores.

Ranger os dentes ou apenas cerrar ou tensionar a mandíbula é um sinal comum de acúmulo de tensão, preocupação e ansiedade reportado por muitos de meus clientes. Sue, por exemplo, estava perturbada por causa do estresse no trabalho e no relacionamento. Sue tinha problemas para pegar no sono à noite por causa das preocupações, e às vezes acordava de madrugada sentindo-se ansiosa e tensa. Ela estava ciente da tendência de ranger os dentes, mas com o treinamento também percebeu que estava tensionando a mandíbula e outros músculos associados à fala quando se preocupava ao pensar nos problemas. Usando a tensão-relaxamento em geral e enfocando especificamente a mandíbula cerrada, Sue conseguiu administrar a preocupação e também dormir mais facilmente à noite. Ao controlar a tensão nos músculos da mandíbula, ela aprendeu a controlar a preocupação, ansiedade e o sono de uma forma que ajudou a lidar melhor com os problemas que surgiam no trabalho e em casa, tornando-a mais resiliente frente às adversidades.

Manter a resiliência com o relaxamento progressivo

O relaxamento diferencial foi a abordagem original adotada por Jacobson para ajudar a transferir as habilidades do relaxamento progressivo para uma série de situações e atividades da vida cotidiana, com a meta última de detectar e soltar a tensão habitualmente, o tempo todo, com um mínimo esforço consciente – 24 horas por dia, todos os dias. O relaxamento diferencial envolve basicamente a identificação regular de qualquer tensão desnecessária presente nas atividades diárias e o uso das habilidades de relaxamento progressivo já aprendidas para eliminá-la (Jacobson, 1977, p. 131). Pode envolver apenas o relaxamento por recordação de músculos específicos ou o uso da estratégia de tensão-relaxamento onde a tensão é mais renitente.

O relaxamento diferencial tem três vantagens principais:

1. Aumenta a oportunidade de praticar as habilidades de relaxamento progressivo além das sessões prescritas, muitas vezes durante o dia.

2. Ajuda a reduzir a ansiedade generalizada e a tensão crônica ao longo do dia.
3. Ajuda a desenvolver habilidades de relaxamento para situações específicas diante de adversidades significativas ou aborrecimentos diários menos importantes.

Assim, o relaxamento diferencial contribui particularmente para a construção de resiliência, porque desafia o indivíduo a tornar suas habilidades de relaxamento mais gerais e duradouras, algo que ajuda a lidar com as adversidades e tem ainda função preventiva. O relaxamento diferencial está intimamente relacionado ao relaxamento aplicado, que será abordado no próximo capítulo, e os dois muitas vezes são combinados.

Jacobson observou que esse conceito não era uma novidade. Oradores e cantores muitas vezes aprendem a relaxar enquanto usam apenas os músculos relevantes para preservar a voz, esportistas costumam ficar mais relaxados quando aprendem a usar os músculos com mais eficiência, bailarinos e acrobatas aprendem a usar os músculos de forma mais seletiva à medida que desenvolvem graça e habilidade. De acordo com McGuigan, o melhor exemplo talvez seja o corredor de longa distância, que usa apenas os músculos necessários para correr, conservando energia ao relaxar o resto do corpo.

TENTE AGORA: POSIÇÕES DE RELAXAMENTO DIFERENCIAL

Comece relaxando de forma progressiva, utilizando uma das estratégias anteriores – as mais simples são o relaxamento por recordação e a técnica de apenas contar. (Outra possibilidade é usar uma palavra-chave para relaxar rapidamente, conforme será descrito no próximo capítulo.) Volte a usar a estratégia de tensão-relaxamento para músculos teimosos, caso necessário.

Ao final de sua sessão de relaxamento, comece enfocando a transição de deitado ou reclinado para sentado ereto. Mova-se devagar e se concentre em usar apenas os músculos que precisa tensionar. Uma vez sentado ereto, com os olhos abertos, tente liberar qualquer tensão desnecessária do corpo enquanto usar outros músculos – dos olhos e do pescoço, por exemplo. Fique alguns minutos olhando em redor enquanto tenta minimizar qualquer tensão no corpo usando o relaxamento por recordação ou outras estratégias.

A seguir, tente levantar-se lentamente, usando os músculos apenas o necessário. Fique em pé por alguns minutos enquanto continua a relaxar o resto do corpo, usando os músculos dos olhos, pernas etc. para permanecer em pé, olhando calmamente ao redor.

Após experimentar pequenos movimentos, tente caminhar muito lentamente em um ambiente calmo, quem sabe apenas andar em círculos pela sala por alguns minutos. Continue a relaxar progressivamente, usando apenas os músculos necessários durante a atividade e mantendo a tensão em nível mínimo por todo o corpo.

Por fim, tente relaxar enquanto está sentado, depois em pé e caminhando, em um ambiente ruidoso, onde você normalmente ficaria distraído com as coisas ao redor. Tente aprender a relaxar progressivamente, mantendo a tensão no mínimo, em qualquer ambiente, mesmo quando envolvido em uma situação desafiadora.

Uma vez que seja capaz de minimizar a tensão em quase qualquer situação ou atividade, você deve progredir para aprender a relaxar sistemática e frequentemente ao longo do dia. O passo seguinte é relaxar progressivamente quase que o tempo todo, até se tornar habitual e automático detectar a tensão e liberar, onde quer que você esteja e seja o que for que esteja fazendo. Por exemplo, você poderia tentar fazer uma pausa para examinar seu corpo à procura de tensão e relaxar progressivamente por cerca de um minuto a cada uma hora do dia. Como a maioria das coisas, requer algum esforço de início, mas se torna muito mais rápido e fácil com a prática.

Pontos de foco

Os pontos principais deste capítulo são:

- Relaxamento progressivo é uma habilidade física que requer auto-observação e prática sistemática e paciente, assim como a maioria das outras habilidades físicas, como aprender a dançar ou jogar tênis.
- Esforço para relaxar é fracasso em relaxar, visto que esforço implica atividade física ou mental e, portanto, tensão adicional.
- Embora de início o relaxamento progressivo envolva estudar a tensão em diferentes grupos musculares, isso no fim é eliminado em favor do relaxamento por recordação e outros métodos mais curtos.
- O relaxamento progressivo começa em casa, por assim dizer, mas a meta final é o relaxamento diferencial durante a atividade cotidiana, o que leva à resiliência física e emocional em longo prazo.
- O relaxamento diferencial ou seletivo permite conservar a energia por se utilizarem apenas os músculos necessários durante as atividades cotidianas, liberando o excesso de tensão e de esforço; isso proporciona o meio principal para se desenvolver um estilo de vida mais relaxado, e com isso construir resiliência.

Próximo passo

No próximo capítulo, você vai aprender a usar uma forma muito mais rápida de relaxamento. Essa abordagem foi desenvolvida nos anos 1980 e na sequência foi considerada particularmente efetiva no tratamento da ansiedade, em especial da preocupação e da ansiedade disseminada ou generalizada. De fato, o relaxamento aplicado desenvolveu-se em larga medida do relaxamento progressivo, e o conteúdo do próximo capítulo parte do pressuposto de que você leu, aprendeu e começou a dominar as técnicas do relaxamento progressivo, em especial o relaxamento por recordação e contagem.

LEITURA ADICIONAL

Bernstein, Douglas A.; Borkovec, Thomas D. & Hazlett-Stevens, Holly (2000). *New Directions in Progressive Relaxation Training: A Guidebook for Helping Professionals.* Na verdade é um manual para terapeutas, e não para o público em geral, mas contém o melhor relato abrangente sobre relaxamento muscular progressivo e treino em relaxamento progressivo modernos.

Jacobson, Edmund (1976). *You Must Relax.*

McGuigan, F. J. (1981). *Calm Down: A Guide to Stress and Tension Control.*

Próximo passo

8

Relaxamento aplicado

Neste capítulo você vai aprender:

- Como fazer do relaxamento progressivo uma habilidade de enfrentamento mais rápida e portátil, chamada relaxamento aplicado.
- Como desenvolver a autoconsciência, detectando os primeiros sinais de tensão muscular e espirais emocionais negativas.
- Como usar a imaginação para soltar a tensão em antecipação a situações estressantes, ensaiando mentalmente as habilidades de enfrentamento.
- Como aplicar habilidades de relaxamento rápido em resposta a sinais de alerta precoces de espirais emocionais negativas em situações reais.

A primeira meta é ficar totalmente relaxado e aprender que tal é isso; a seguinte é aperfeiçoar o suficiente para fazê-lo fácil e rapidamente em situações não estressantes. A seguir vem a questão de ser capaz de relaxar sob estresse moderado, depois sob grande estresse e por fim chegar ao ponto em que um estado relaxado é o habitual e o de tensão é raro.

— Haugen et al., *A Therapy for Anxiety Tension Reactions*, 1958

Temos visto que franzir o cenho é a expressão natural ao se deparar com alguma dificuldade ou experimentar algo desagradável em pensamento ou ação, e aquele cuja mente é afetada frequente e prontamente dessa maneira fica propenso a ser mal-humorado ou levemente raivoso ou rabugento, e normalmente mostrará isso franzindo o cenho.

— Charles Darwin, *The Expression of the Emotions in Man and Animals*, 1872

A importância do relaxamento aplicado

O que é relaxamento aplicado?

O relaxamento aplicado foi desenvolvido em 1978 pelo professor Lars-Göran Öst no Centro de Pesquisas Psiquiátricas da Universidade de Uppsala, na Suécia. Também foi desenvolvido por Tom Borkovec, professor de psicologia da Universidade Estadual da Pensilvânia, nos Estados Unidos, particularmente para a ansiedade generalizada e a preocupação excessiva. Deriva-se de um grupo de abordagens intimamente relacionadas, todas com ênfase no ensaio do relaxamento e de outras habilidades de enfrentamento, desenvolvidas por terapeutas comportamentais na década de 1970 e chamadas de dessensibilização por meio do autocontrole, treino em gerenciamento de ansiedade e treinamento de inoculação do estresse. Mais recentemente, elementos do relaxamento progressivo e aplicado foram combinados com as abordagens de terapia baseadas em *mindfulness* e aceitação que compõem a base de capítulos anteriores deste livro (Roemer & Orsillo, 2009).

ESTUDO DE CASO

O nascimento de minha filha Poppy

Quase ignorei este exemplo ao escrever este capítulo, mas... minha filha nasceu há cerca de oito meses com a utilização do relaxamento aplicado. Foi o primeiro bebê de Mandy, minha esposa, e ela decidiu dar à luz em casa, sem o uso de medicação para alívio da dor antes, durante ou após o parto – nem mesmo um comprimido de paracetamol.

O estágio preparatório para dar à luz costuma ser bastante longo – cerca de nove meses. Isso oferece uma bela oportunidade de se desenvolverem habilidades de relaxamento ao lidar com aborrecimentos cotidianos, dor e desconforto leves e ansiedade e preocupação pela expectativa do grande dia. Mandy quis experimentar diferentes técnicas durante a gravidez e acabou escutando com bastante regularidade um CD de relaxamento aplicado que elaborei para usar com meus clientes de terapia e inclui o treinamento no uso de uma palavra-chave que ela repetia com frequência enquanto ensaiava mentalmente o processo do parto.

O nascimento de Poppy correu bem, só que Mandy teve dores lombares no trabalho de parto, que normalmente são bastante intensas. Mandy experimentou alguma dor, mas conseguiu manejar com o uso de técnicas de relaxamento e respiração. Houve um momento crítico em que se sentiu muito sobrecarregada, mas eu ajudei-a a enfrentar por meio do foco na respiração e no relaxamento. Ela fechou os olhos e ficou bem tranquila, profundamente absorta em suas experiências internas por um longo período, enquanto esperava as parteiras chegarem. De fato, mal reagiu ao ruído que as parteiras fizeram ao conversar em voz alta e desempacotar o equipamento médico na cozinha.

O trabalho de parto de Mandy foi bem curto, cerca de seis horas, o que tem sido amplamente reportado como um benefício do relaxamento e da auto-hipnose em estudos de pesquisa e é considerado muito bom para a mãe e o bebê. Talvez por seu parto ter sido muito natural e relaxado, Poppy é de fato um bebê muito feliz, saudável e contente. Gosto de pensar que ela é nossa evidência pessoal dos méritos do relaxamento aplicado. Existem muitos estudos mais antigos que descrevem dados positivos de pesquisa com técnicas semelhantes de auto-hipnose para o parto. Apenas depois do nascimento de Poppy descobri que em 2005 uma equipe de pesquisadores do Irã (Bastani, Hidarnia, Kazemnejad, Vafaei & Kashanian, 2005) conduziu um teste clínico com 110 mulheres que forneceu evidência científica indiscutível da redução do estresse e da ansiedade com o treino de relaxamento aplicado na gravidez. De fato, os pesquisadores reportaram redução de 40% no nível de ansiedade e redução nos níveis gerais de estresse dessas gestantes, enquanto o estresse das mulheres não treinadas aumentou.

Em resumo, o relaxamento aplicado envolve o cuidadoso automonitoramento e registro dos primeiros sinais sutis de tensão, emoções negativas (raiva, ansiedade) ou preocupação, bem como aprender a soltar na mesma hora, interrompendo voluntariamente a espiral habitual com o uso de técnicas de relaxamento muito rápidas, em especial uma palavra-chave associada ao relaxamento profundo. Entretanto, a abordagem é dividida em uma série de estágios, que em geral começam com o treino abreviado em relaxamento progressivo descrito no capítulo anterior.

IDEIA-CHAVE: ESTÁGIOS DO RELAXAMENTO APLICADO

O relaxamento aplicado normalmente consiste em uma série de estágios que poderíamos resumir da seguinte forma para fins de autoajuda e construção de resiliência:

- Autoavaliação e preparação
  1. Conhecimento sobre a natureza do estresse
  2. Automonitoramento dos sinais de alerta
- Aprendizado e ensaio das habilidades de enfrentamento
  3. Relaxamento progressivo: ciclos de tensão-relaxamento
  4. Relaxamento progressivo: relaxamento por recordação (apenas liberação)
  5. Treino em relaxamento controlado (condicionado) por palavra-chave
- Aplicação e manutenção das habilidades de enfrentamento
  6. Treino em relaxamento diferencial
  7. Relaxamento rápido e frequente (relaxamento controlado por palavra-chave)
  8. Aplicação de habilidades de enfrentamento para situações específicas imaginadas (dessensibilização por meio do autocontrole)
  9. Aplicação em situações estressantes específicas no mundo real
  10. Manutenção de longo prazo (e construção de resiliência geral)

O relaxamento diferencial e o relaxamento rápido e frequente envolvem ficar mais relaxado no geral, o tempo todo, ao longo de várias atividades e situações. Por outro lado, o relaxamento aplicado no mundo real ou imaginário costuma envolver o enfrentamento de situações específicas mais estressantes ou desafiadoras.

LEMBRE-SE: RELAXAMENTO APLICADO PRESSUPÕE TREINO EM RELAXAMENTO PROGRESSIVO

Este capítulo tem como base o anterior e presume que você já passou um tempo adquirindo com sucesso as habilidades básicas em relaxamento progressivo, inclusive o cultivo do senso muscular. Você poderia tentar usar algumas técnicas sem ter treino em relaxamento, mas é mais provável que seja bem-sucedido se primeiro certificar-se de que consegue detectar a tensão muscular e relaxar com bastante eficiência.

Pesquisa e aplicações

O relaxamento aplicado foi originalmente desenvolvido como técnica para tratar clinicamente a ansiedade generalizada severa e fobias específicas. Entretanto, também se verificou eficiente para uma gama de problemas relacionados ao estresse e à ansiedade, como insônia, ataques de pânico, fobia social, claustrofobia, agorafobia, hemofobia, fobia dentária, dores de cabeça, dor nas costas, epilepsia e zumbido nos ouvidos (Öst, 187, p. 404). No momento, a evidência mais forte para o relaxamento aplicado é no tratamento do transtorno de ansiedade generalizada (TAG), que envolve preocupação crônica e ansiedade severa a respeito de uma variedade de tópicos.

IDEIA-CHAVE: RESILIÊNCIA E OBJETIVO GERAL DAS TÉCNICAS DE ENFRENTAMENTO

Pretende-se que as habilidades do relaxamento aplicado sejam as mais gerais possíveis, de modo que possam ser transferidas para uma ampla gama de situações e eventos. De fato, o relaxamento foi descrito como a aspirina do gerenciamento do estresse, embora hoje haja mais cautela para garantir que não seja mal empregado como uma forma de esquiva experiencial.

O relaxamento aplicado deriva de uma abordagem desenvolvida nos anos 1970 pelo professor Donald Meichenbaum, chamada treinamento de inoculação do estresse. Envolve confrontar repetidas vezes situações estressantes na realidade ou na imaginação como forma de desenvolver habilidades de enfrentamento e construir resiliência geral, tendo por base a analogia da inoculação por vírus. A ideia é que você deve tentar encarar seus medos de modo sistemático, em doses graduais, normalmente começando com os mais fáceis e ensaiando o uso das habilidades de enfrentamento para dominar cada situação de sua hierarquia, uma de cada vez (veja a seguir). Ao aprender a usar o relaxamento e outras habilidades em uma ampla gama de situações diferentes, as pessoas tendem a ficar mais autoconfiantes e aptas a lidar com o estresse em geral. Todavia, requer paciência.

Relaxamento aplicado e resiliência

O uso das técnicas de relaxamento aplicado para a construção de resiliência lembra o tratamento clínico de ansiedade generalizada e preocupação excessiva. A construção de resiliência costuma envolver o aprendizado para lidar com os muitos e pequenos aborrecimentos do cotidiano e o preparo para lidar com uma série de adversidades mais sérias, incluindo cenários reais e hipotéticos. Isso costuma ser feito mediante o ensaio mental do uso de habilidades de enfrentamento, como executar uma espécie de treinamento para o caso de incêndio, para lidar com infortúnios no futuro.

De acordo com Öst, 90–95% dos pacientes treinados por ele e seus colegas também conseguiram adquirir a habilidade de relaxamento aplicado em grau satisfatório (Öst, 1987, p. 403). Embora as técnicas de relaxamento muitas vezes promovam melhora rápida, os benefícios de longo prazo foram questionados algumas vezes. Entretanto, Öst revisou doze estudos de pesquisa nos quais os pacientes foram acompanhados em média por onze meses após a conclusão do treino em relaxamento aplicado para uma variedade de problemas. Os achados mostraram não só que os efeitos benéficos foram mantidos no longo prazo, como também que 75% dos sintomas de estresse continuaram a diminuir muito depois de o programa inicial de tratamento ter sido concluído (Öst, 1987, p. 407). Isso sugere que o relaxamento aplicado pode melhorar uma ampla gama de problemas comuns em um espaço de tempo relativamente curto e que os benefícios muitas vezes continuam a aumentar em longo prazo. Aprender o relaxamento aplicado parece um bom investimento e uma maneira óbvia de construir resiliência emocional e melhorar o enfrentamento de diversas adversidades estressantes.

LEMBRE-SE: ANSIEDADE SEVERA PODE EXIGIR UM TERAPEUTA

Esse trecho discutiu como você pode aplicar o relaxamento na imaginação e na realidade para lidar com situações altamente estressantes que do contrário você teria o impulso de evitar. Entretanto, se a ansiedade é particularmente severa, pode exigir o apoio de um terapeuta profissional. Em caso de dúvida, você deve se aconselhar com seu médico.

Autoavaliação e monitoramento dos sinais de alerta

O primeiro estágio do relaxamento aplicado consiste em avaliar suas reações atuais, ao mesmo tempo treinando-se para desenvolver maior consciência física e mental. Cultivar a consciência da tensão muscular sutil faz parte de todos os treinos em relaxamento progressivo, mas o relaxamento aplicado tende a lançar a rede um pouco mais longe em busca de quaisquer pensamentos ou sentimentos que possam sinalizar o início de estresse excessivo, pensamento preocupado ou emoções negativas como raiva ou ansiedade. O relaxamento aplicado coloca ênfase particular na detecção dos sinais de alerta. Quanto antes você detectar episódios ou espirais de pensamentos e sentimentos estressantes, mais efetivas serão as suas habilidades de enfrentamento para cortar o mal pela raiz.

Gatilhos externos e construção hierárquica

Uma das primeiras tarefas para aprender a controlar emoções negativas consiste em identificar o leque de eventos que costumam deflagrar o problema e detectar aspectos comuns. Os gatilhos mais importantes podem ser situações de alto risco, e é importante você antecipá-las a fim de poder desenvolver resiliência emocional. Você deve criar uma lista de situações estressantes que possa classificar em termos do quão tenso se sente ao imaginá-las ocorrendo, e colocá-las em ordem de importância. Essa lista pode vir em parte de um registro de situações em que você de fato experimenta estresse (ver abaixo), mas também pode incluir situações com as quais você se preocupa, evita ou antecipa como um problema futuro.

IDEIA-CHAVE: HIERARQUIA DE SITUAÇÕES ESTRESSANTES

Esboçar uma lista de situações ou acontecimentos problemáticos vai ajudá-lo a se dar conta de quando precisa ficar atento a reações de estresse e usar suas habilidades de enfrentamento. A lista também compõe a base de uma abordagem sistemática para a aplicação de habilidades de enfrentamento, na imaginação e na realidade, de eventos estressantes de maneira gradativa ou em etapas, começando com os mais fáceis. O relaxamento aplicado às vezes assume uma abordagem mais simples do que outras formas de terapia comportamental e combina diferentes problemas em uma lista única, classificando-os apenas como leves, moderados ou severos. Por exemplo:

- Estresse leve
  - Trabalhar em um projeto que está com os prazos atrasados
  - Telefonar para os clientes
- Estresse moderado
  - Falar durante pequenas reuniões de equipe no trabalho
  - Lidar com clientes zangados
- Estresse severo
  - Fazer um discurso no casamento de um amigo em janeiro
  - Lidar com uma possível demissão

Elementos das espirais de estresse

As pessoas muitas vezes partem do pressuposto de que as emoções negativas desafiam a análise, como se fossem um acontecimento vago que vem do nada, o que os psicólogos chamam de modelo ingênuo das emoções. Entretanto, é mais útil distinguir os diferentes elementos que compõem as emoções e pensar em termos de uma sequência de reações, muitas vezes referidas como um modelo de escalada em espiral. A maneira mais comum de fazer isso envolve determinar uma distinção básica entre pensamentos (cognições) e sentimentos (sensações psicológicas). Estresse e emoções negativas, portanto, podem ser vistos como a inter-reação recíproca entre certos pensamentos, ações e sentimentos, que podem exibir tendência a crescer com o tempo ou parecer espiralar fora de controle e se tornar opressivos.

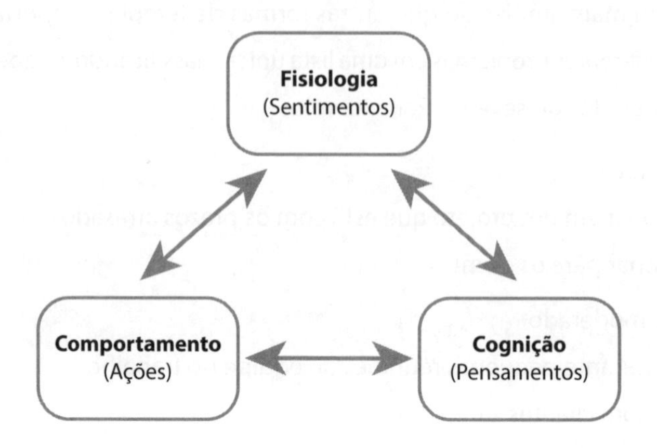

Sinais de alerta

O relaxamento aplicado coloca ênfase particular na identificação dos primeiros sinais de uma espiral negativa, os de alerta de emoção negativa. As pessoas quase sempre falham em reparar nesses primeiros sinais, mas reagem de modo automático, notando sua aflição apenas quando cresceu a um ponto em que é mais difícil de controlar. A lógica para aprender a detectar os sinais de alerta, portanto, é muito simples: quanto mais cedo você flagrar uma reação negativa, mais fácil detê-la.

Quando as pessoas lutam para controlar a preocupação, a ansiedade ou a raiva, as tentativas de enfrentamento muitas vezes estão condenadas ao fracasso, porque ocorrem tarde demais. Como diz o ditado, uma pessoa prevenida vale por duas, o que no caso poderia se referir a lidar com o estresse, bem como a consertar o estrago. O relaxamento aplicado envolve aprender a abandonar as reações estressantes antes que realmente comecem a crescer, o quanto antes, melhor.

> A força desses componentes varia entre os pacientes, mas pesquisas prévias verificaram que a maioria das pessoas experimenta alguma modificação fisiológica na sequência de um pensamento

negativo, o que aumenta a reação fisiológica, e assim por diante, em um círculo vicioso.

(Öst, 1987, p. 398)

Assim, o relaxamento aplicado enfoca particularmente as reações físicas iniciais, inclusive sensações fisiológicas e tensão muscular, e tenta relaxar e soltá-las, como no treino em relaxamento progressivo. Contudo, os primeiros pensamentos, imagens e outros sentimentos – os sinais iniciais de preocupação – podem ser abandonados da mesma maneira. Além de detectar os sinais de alerta, tente observar a sequência específica de pensamentos, ações e sentimentos que ocorrem em situações estressantes ou durante episódios de preocupação, a fim de que você possa romper a cadeia em diferentes pontos.

AUTOAVALIAÇÃO: SINAIS DE ALERTA

Abaixo estão listados sinais de alerta iniciais de estresse ou ansiedade. Tente avaliar mais ou menos com que frequência você se observa exibindo essas reações ao experimentar níveis altos ou moderados de estresse. Calcule a frequência em uma escala de 0–100%, em que 100% significa que você sempre se inquieta quando estressado, e 50% significa que faz isso na metade do tempo.

- Inquietação, como mexer no cabelo, roer as unhas, bater o pé ou tamborilar os dedos. (__%)
- Movimentar-se ou caminhar mais depressa, de modo agitado, ou andar de um lado para o outro. (__%)
- Falar mais rápido, em tom de voz mais tenso, fazendo uma pausa menor entre as frases, mudando o tom ou o volume da voz. (__%)

- Alterações na respiração, muitas vezes correspondendo a alterações no som da voz, como respirar mais rápido, mais no alto do peito, de forma irregular, segurar a respiração ou suspirar. (__%)
- Mudanças na expressão facial, em especial franzir o cenho, ficar carrancudo, estreitar os olhos, olhar fixamente. (__%)
- Tensionar outras partes do corpo, em especial cerrar o maxilar ou ranger os dentes, tensionar o pescoço ou curvar os ombros, apertar as mãos. (__%)
- Sensações fisiológicas, como aumento dos batimentos cardíacos, tremor, suor, náusea, borboletas na barriga, sufocamento, boca seca, nó na garganta, ondas de calor, rubor, tontura. (__%)
- Preocupação, como pensamentos ou imagens de coisas dando errado (catástrofes) ou sobre sua incapacidade de enfrentar. (__%)

Fique atento a esses e outros sinais de alerta. Essa observação pode ser considerada uma forma de treinamento em autoconsciência, semelhante à prática de meditação *mindfulness*.

"Preocupação" é indiscutivelmente um caso especial e consiste em uma sequência de pensamentos (e às vezes imagens) temerosos e tentativas improdutivas de se preparar ou de resolver problemas que tendem a se prolongar por um tempo.

Fases cronológicas da angústia (antes, durante, depois)

Em alguns casos, também é proveitoso distinguir os estágios cronológicos amplos de um episódio individual ou de uma espiral de emoção negativa. Existem diversas maneiras de fazer isso, mas o mais comum é simplesmente a distinção do antes, durante e depois de um incidente estressante:

1. Antes: antecipação ou preparativos antes de uma situação ou acontecimento estressante.

2. Durante: confrontação da situação ou acontecimento estressante, exposição ao acontecimento.
3. Depois: recuperação da situação estressante e reflexão sobre o que aconteceu; também é o momento em que você pode se recompensar (ou "fortalecer") por tentar usar suas estratégias de enfrentamento.

Muitas vezes é possível suplementar com a distinção entre a reação imediata quando confrontado com uma situação estressante e o que acontece logo depois, se os sentimentos crescem a um ponto crítico. Muitas vezes esse é o estágio em que você pode sentir o ímpeto de agir de maneiras inúteis, por exemplo, fugindo, congelando ou ficando agressivo.

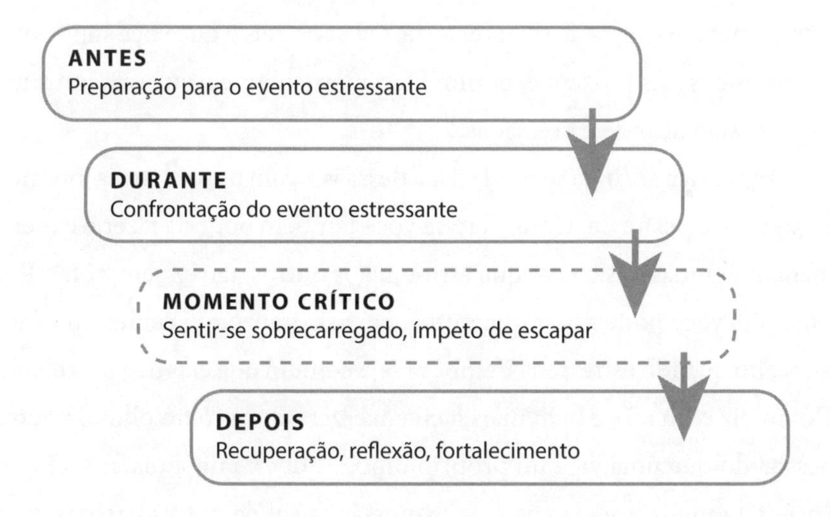

Algumas vezes as habilidades de enfrentamento do relaxamento aplicado podem ser usadas antes, durante e depois de eventos estressantes. Óbvio que é bem mais proveitoso abandonar a tensão quando exposto a uma situação estressante. Entretanto, também pode ser importante relaxar preventivamente, logo antes, em antecipação a uma situação estressante ou de alto risco, ou ao se preocupar de antemão. O relaxamento também pode ser usado depois, para minimizar a ruminação *post-mortem* ou mórbida

– demorar-se inutilmente no que aconteceu, em vez de se recuperar e refletir sobre as coisas com uma mentalidade mais relaxada e construtiva. Assim como usar o relaxamento antes, durante e depois de situações estressantes na vida real, também pode ser útil fazer o ensaio mental do relaxamento aplicado e imaginar o uso das habilidades de enfrentamento antes, durante e depois de situações antecipadas ou hipotéticas.

TENTE AGORA: FAÇA UMA LISTA DOS SINAIS DE ESTRESSE

Dedique um momento para listar os sinais externos de estresse que você observa em outras pessoas, tentando especificá-los ao máximo. O que você vê ou ouve na reação delas que indica que estão ficando estressadas? Acrescente a essa lista de sinais externos observáveis o que você supõe que as outras pessoas possam experimentar internamente e que seja um sinal de que estão ficando estressadas.

Agora elabore uma segunda lista, dessa vez com os seus sinais internos e externos de estresse. Considere se você também poderia fazer e experimentar algumas das coisas que atribuiu aos outros, talvez sem notar. Por exemplo, você pode notar que outras pessoas franzem o cenho ou falam mais alto quando estressadas, embora seja comum que elas não percebam. Como diz o ditado, é bem mais fácil enxergar um cisco no olho de outra pessoa do que uma viga no próprio olho. Aqui está uma pista: será que você nota mudanças na voz e na expressão facial de outras pessoas, mas não nota tão logo o seu rosto ou voz começam a se alterar?

Recordação de imagens para autoavaliação

Uma técnica bastante usada para identificar os sinais de alerta envolve rever um exemplo recente e típico de situação estressante como se estivesse acontecendo neste instante, tentando enfocar particularmente a parte inicial da sequência de reações internas ocorridas. Isso também é uma preparação para o uso das habilidades de enfrentamento do relaxamento aplicado na imaginação, o que discutiremos a seguir.

TENTE AGORA: RECORDAÇÃO DE IMAGENS E PERGUNTAS SOBRE OS SINAIS DE ALERTA

1. Pratique o automonitoramento, fechando os olhos e imaginando uma situação que o deixe tenso ou ansioso.
2. Quando conseguir imaginar a situação chegando ao auge, avalie seu estresse ou tensão em 0–100%. Observe em que sensações você baseou a avaliação.
3. Agora imagine-se voltando ao ponto da situação em que notou que estava ficando tenso ou incomodado. Volte uns minutos antes desse ponto, antes mesmo de ter notado qualquer angústia. A seguir, examine o que de fato acontece em câmera lenta, observando os primeiros sinais de tensão ou angústia e a sequência de eventos internos que se desenrola: sensações físicas, pensamentos e imagens, seu comportamento físico.
4. Você pode rever a sequência de eventos em sua imaginação umas 3–4 vezes. Depois tente anotar a sequência de reações experimentadas com a maior exatidão possível. Fique atento a reações semelhantes em outras situações no futuro e continue a se monitorar, desenvolvendo um histórico das situações de gatilho e dos sinais de alerta.
5. Tente manter um registro atualizado dos sinais de alerta mais comuns. Ao final de cada dia, repasse o automonitoramento, perguntando-se: "Quais os primeiros sinais que detectei?". Anote em seu registro.

As pessoas solicitadas a fazer esse registro às vezes relatam pensamentos ou imagens, mas os primeiros sinais que elas notam com mais frequência são as sensações físicas, em especial sintomas de tensão. É comum o registro de que as ações físicas aparecem um pouco depois.

Registros do automonitoramento

Desenvolva o hábito de avaliar sua tensão (ou estresse) com frequência, em uma escala aproximada de 0–100%. Não espere que de início seja muito exato; com a prática vai melhorar. O mais importante é que a tentativa de se avaliar vai forçá-lo a prestar mais atenção no que realmente está experimentando. Ao selecionar um percentual, pergunte-se por que escolheu tal número. Pense com cuidado e anote o que exatamente você tomou como evidência de tensão ou estresse. Aqui estão quatro importantes oportunidades de automonitoramento regular e frequente, que podem servir de lembrete ou pista:

1. Sentimentos estressantes. Pare e observe o que aconteceu sempre que começar a se perceber mais negativo, tenso ou aflito.
2. Prática a cada hora. Pare e se verifique pelo menos uma vez a cada hora ao longo do dia, vasculhando o corpo em busca de sinais de tensão e observando quaisquer outros sinais de alerta que possam estar presentes.
3. Mudança de tarefa. Pare e verifique seu corpo e mente em busca de sinais de alerta sempre que mudar de tarefa ou local, por exemplo, ao sair de uma sala ou começar algum trabalho.
4. Situações estressantes. Verifique-se em busca de sinais sutis de tensão antes, durante e depois de situações ou eventos estressantes.

A meta é aprender a detectar os primeiros sinais onde e quando quer que ocorram, inclusive os que você normalmente ignoraria. Como verá a seguir, esses lembretes também podem ser usados como oportunidades de praticar habilidades de relaxamento rápidas e frequentes ao longo do dia.

LEMBRE-SE: OPORTUNIDADES FREQUENTES DE MONITORAÇÃO E DE PRÁTICA DE RELAXAMENTO

Para começar, você deve vasculhar seu corpo com frequência em busca de evidências sutis de estresse ou tensão. Faça isso não de modo contínuo, mas apenas por alguns instantes em intervalos frequentes. Ao fazê-lo, tente transformar uma sensação vaga de tensão em algo mais específico, o que é uma forma de treinamento em autoconsciência. Isso vai ajudar na identificação dos sinais de alerta.

Tente manter um registro por escrito de eventos particularmente estressantes ou episódios de preocupação, como mostrado a seguir.

No começo a maioria das pessoas acha difícil registrar as informações sobre suas reações no momento em que acontecem. Entretanto, quando os registros são preenchidos em retrospecto, por exemplo, no final da semana, verifica-se que têm uma fraca correspondência com as informações registradas de imediato, quando os sentimentos negativos acontecem. Por isso é importante fazer um esforço para completar os registros assim que possível após um evento estressante, em especial registrar os primeiros sinais de alerta.

REGISTRO DO MONITORAMENTO DOS SINAIS DE ALERTA (RELAXAMENTO APLICADO)			
Data Situação	Reação Sentimentos Foco nos primeiros sinais	Intensidade 0–100%	Ação O que você fez?

Entretanto, talvez o mais importante seja que o (pequeno) tempo e esforço exigidos para anotar as informações tende a criar uma mudança na atenção, de modo que no futuro você fica mais propenso a reparar em coisas que do contrário teria ignorado. Com o tempo, o aumento da autoconsciência tende a levar a um maior controle sobre as reações, uma vez que detectar os primeiros sinais facilita o corte das espirais de emoção negativa pela raiz.

LEMBRE-SE: O VALOR DA MONITORAÇÃO E DO AUMENTO DA AUTOCONSCIÊNCIA

No começo, anotar as informações em um registro de automonitoramento pode parecer tedioso, mas com frequência é um dos exercícios mais valiosos. As informações recolhidas podem ajudar a detectar padrões recorrentes e fatores comuns nos tipos de situação que se revelam estressantes ou suas reações iniciais, e formas de enfrentá-los.

Treino em habilidades de relaxamento

Treino abreviado em relaxamento progressivo

Veja o capítulo anterior para uma discussão detalhada sobre treino abreviado em relaxamento progressivo (APRT), cobrindo as habilidades básicas necessárias antes de avançar para os estágios posteriores do relaxamento aplicado. O relaxamento progressivo é usado sozinho ou desenvolvido no relaxamento aplicado; nesse caso, em geral é ainda mais abreviado.

Você deve continuar a usar o registro de suas práticas para avaliar o estresse ou tensão antes e depois de utilizar habilidades de relaxamento mais rápidas, como uma medida de eficácia e progresso na habilidade de relaxamento.

REGISTRO DAS HABILIDADES DE RELAXAMENTO					
Data / hora	Habilidades praticadas	Tensão antes (%)	Tensão depois (%)	Duração (minutos)	Comentários Problemas? Insights?

Aqui estão duas formas principais de aplicar as habilidades de relaxamento muscular:

1. Relaxamento local ou diferencial, no qual músculos específicos tensionados são focados e seletivamente relaxados; por exemplo, se você nota que tende a franzir o cenho ou encurvar os ombros e tensiona e relaxa esses músculos específicos ou apenas relaxa por recordação.
2. Relaxamento geral (pega-tudo), no qual o corpo inteiro é rapidamente relaxado, o mais depressa possível, em geral utilizando-se a técnica de contagem ou uma palavra-chave, que pode ser aplicado a uma gama maior de situações.

As estratégias de contração-soltura e de relaxamento por recordação que você aprendeu ao praticar o relaxamento progressivo podem ser usadas quando regiões específicas do corpo estão especialmente tensas. Entretanto, na maior parte das vezes, o relaxamento aplicado tende a usar um relaxamento geral rápido por todo o corpo. De fato, você já aprendeu uma estratégia de relaxamento que pode ser usada para fazer isso com bastante rapidez em certas situações: a técnica de contagem usada no capítulo anterior. Contudo, agora você vai aprender a relaxar ainda mais depressa usando uma palavra-chave para recordar como é a sensação do relaxamento geral, a sensação de soltar o corpo todo e a mente, que você experimentou no treino em relaxamento progressivo.

Relaxamento controlado por palavra-chave (condicionamento)

Após o treino inicial no relaxamento progressivo e diferencial abreviado, o passo seguinte é aprender a relaxar rápida e facilmente sempre que você der um sinal para si mesmo, como a palavra "SOLTE".

IDEIA-CHAVE: APRENDER UMA PALAVRA-CHAVE DE RELAXAMENTO

Uma das maneiras mais rápidas de relaxar em diferentes situações é aprender, mediante a prática repetida, a associar uma palavra-chave (ou frase curta), como "RELAXE" ou "PAZ", ao estado de relaxamento profundo. (Entretanto, talvez "SOLTE" ou "LIBERE" possa simbolizar melhor a reação correta e evitar o erro do esforço descrito por Jacobson.) Essa é uma técnica de enfrentamento simples, muitas vezes referida como relaxamento controlado por palavra-chave.

Em humanos adultos, o processo de condicionamento raras vezes é totalmente automático, por isso, pode ser melhor pensar na palavra-chave como um comando dado a si mesmo (autoinstrução) que se torna mais significativo à medida que você o associa repetidas vezes ao relaxamento profundo. Assim, você deve tentar recordar os sentimentos de forma consciente, e não esperar que a palavra-chave funcione de modo totalmente automático, como que por mágica, embora com a prática, aos poucos, vá começar a parecer mais automático. Quanto mais você associar a palavra de modo consciente à experiência de relaxamento profundo, mais fácil será recordar as sensações em outra ocasião, inclusive, ainda que em menor grau talvez, durante uma situação particularmente desafiadora ou estressante.

Você deve começar a relaxar de modo progressivo o mais profundamente possível, em geral utilizando a técnica de relaxamento por recordação e a contagem. Uma vez relaxado, deve focar na respiração e na ideia de associar repetidamente a palavra-chave escolhida e as sensações de relaxamento obtidas. Você pode se proteger em alguma medida do mau uso do relaxamento como esquiva experiencial. Enfoque a aceitação de quaisquer sentimentos de tensão e abandone a luta contra eles, enquanto continua a aceitar quaisquer sentimentos residuais tensos ou desagradáveis. Em outras palavras, não tente se forçar a relaxar, mas aceite seus sentimentos e abandone qualquer tensão que esteja sob controle voluntário, o que você poderá fazer de modo cada vez mais completo com a prática.

TENTE AGORA: CONDICIONAR UMA PALAVRA-CHAVE DE RELAXAMENTO

Antes de começar, escolha uma palavra-chave que você possa usar para sinalizar o relaxamento para si mesmo, como "relaxe", "solte". Você vai aprender a associar essa palavra a relaxamento e assim recordar sentimentos de relaxamento com mais rapidez (Bernstein, Borkovec & Hazlett-Stevens, 2000, p. 67). Comece relaxando o mais profundamente possível utilizando uma das estratégias de relaxamento progressivo já aprendidas. Por exemplo, você pode relaxar os quatro grupos musculares principais por recordação e usar a técnica de contagem (ver o capítulo anterior).

A seguir, enquanto permanece em relaxamento profundo, de olhos fechados, repita mentalmente a palavra-chave escolhida a cada vez que expirar. Pode ser útil lembrar que o ciclo da respiração consiste básica e automaticamente em tensionar os músculos ao inspirar e soltar ao expirar. Repita a palavra-chave a cada expiração e solte os músculos cerca de vinte vezes no total, o que deve levar em torno de uns 45 segundos. Enfoque a ideia de usar a palavra para simbolizar os sentimentos de relaxamento profundo e a meta de conseguir recordá-los pelo uso da palavra. Repita todos os dias, após o relaxamento progressivo, por uma semana no mínimo, para construir uma associação mais forte entre a palavra-chave e o estado de relaxamento profundo.

Você pode então começar a testar sua capacidade de recordar-se rapidamente do relaxamento geral mediante o uso de uma palavra-chave. Feche os olhos e imagine algo que o deixe mais ou menos tenso. Observe onde a tensão ocorre em seu corpo em reação à imagem estressante. Dedique um momento a experimentar a tensão em sua plenitude e aceitar sua presença. A seguir continue pensando na imagem que o deixa tenso. Inspire fundo, prenda por alguns segundos e expire devagar enquanto repete a palavra-chave em sua mente e recorda os sentimentos de relaxamento completo que associou a ela. Repita três vezes. Você deve conseguir relaxar uma parte da tensão ou até mesmo toda ela. (É difícil, você pode precisar de mais tempo para construir a associação entre a palavra-chave e os sentimentos ou desenvolver a capacidade de relaxamento progressivo mais profundo.) Tenha em mente que o relaxamento não está inteiramente sob controle voluntário, por isso foque no processo, e não no resultado. Tente liberar o máximo de tensão possível e ao mesmo tempo aceite calmamente quaisquer sentimentos que permaneçam.

Tendo aprendido a associar o relaxamento profundo com a palavra-chave, você deve começar a praticar o relaxamento rápido usando apenas a palavra-chave três vezes, primeiro de olhos fechados, e mais adiante de olhos abertos. Você pode cronometrar, pois muita gente superestima o tempo que leva e fica surpresa ao verificar que, tendo seguido as etapas anteriores, consegue relaxar profundamente em menos de um minuto.

Aprender a usar a palavra-chave para relaxar depressa, como uma habilidade de enfrentamento veloz, tende a aumentar a confiança na capacidade de lidar com o estresse em geral. Esse senso de confiança, o simples conhecimento de que você tem uma estratégia de enfrentamento que funciona, muitas vezes aumenta a resiliência diante de eventos estressantes, quer você use a técnica ou não.

Relaxamento rápido/frequente

Ao relaxar deliberada e frequentemente durante uma variedade de situações não estressantes, você vai se encorajar a praticar o relaxamento progressivo de modo mais habitual e geral ao longo do dia. A ênfase nesse estágio é dupla:

1. Minimizar a quantidade de tempo necessária para o relaxamento profundo.
2. Aprender a relaxar com frequência ao longo do dia em uma ampla variedade de ambientes.

A meta do relaxamento aplicado padrão é usar a técnica de relaxamento controlado por palavra-chave para relaxar rapidamente 15–20 vezes por dia, por uma a duas semanas.

É bom notar que o relaxamento aplicado envolve aprender a relaxar em situações estressantes tanto genéricas quanto específicas:

1. O relaxamento genérico envolve relaxar de modo mais ou menos contínuo ao longo do dia e ficar mais relaxado até mesmo enquanto dorme.
2. O relaxamento em situações específicas envolve relaxar em reação a uma situação específica, em geral algo particularmente estressante e desafiador.

O maior desafio ao desenvolver o relaxamento genérico é lembrar-se de relaxar com bastante frequência e em uma variedade suficiente de ambientes. As palavras-chave e lembretes descritos acima em relação ao monitoramento frequente vão ajudar. Por exemplo, você deve vasculhar brevemente seu corpo em busca de tensão e relaxar rapidamente pelo menos uma vez a cada hora do dia, fazer isso sempre que notar sinais iniciais de tensão ou ao mudar de tarefa ou deparar com situações estressantes. De fato, você deve praticar o relaxamento rápido quer se sinta tenso ou não, para ensaiar e desenvolver a habilidade.

TENTE AGORA: APRENDER O RELAXAMENTO CONTROLADO POR PALAVRA-CHAVE

Tente fazer o seguinte com frequência todos os dias, por algumas semanas, quem sabe 10–20 vezes ou mais, para desenvolver as habilidades de relaxamento usando as palavras-chave e lembretes descritos acima.

1. Pare o que estiver fazendo neste instante, feche os olhos, se quiser, e dedique um momento para avaliar seu nível de tensão aproximado em uma escala de 0–100%. Vasculhe o corpo inteiro com mais cuidado e observe em quais sensações ou experiências mentais específicas você baseou seu índice. Observe quaisquer outras sensações sutis de tensão ao fazer isso. Reconheça e aceite essas sensações, experimentando-as em sua totalidade.
2. Faça uma inspiração profunda e retenha enquanto for confortável. Observe as sensações de tensão no peito e outras partes enquanto prende a respiração. Expire devagar, repetindo a palavra-chave ("solte") enquanto foca em soltar a tensão no peito e no resto do corpo. Tente recordar bem a sensação de soltar todos os músculos do corpo enquanto usa a palavra-chave e em particular enquanto solta quaisquer sensações ou pensamentos que possa ter observado antes. Repita umas três vezes, soltando qualquer tensão ou briga com os sentimentos o máximo possível. Em outras palavras, solte qualquer tensão sob controle voluntário e aceite quaisquer sentimentos tensos ou desagradáveis que restem.
3. Respire de modo natural por mais uns 30 segundos enquanto solta mais profunda e completamente a cada expiração. Se quiser, use a técnica de contagem, contando de cinco a zero a cada expiração, soltando mais e mais a cada número.
4. Agora reavalie o nível de tensão de 0–100%. Anote a data e horário do exercício em seu registro das práticas, bem como o índice

de tensão antes e depois e quaisquer problemas encontrados ou observações úteis.

5. Outra opção para concluir o exercício é a sugestão de Borkovec de integrar as estratégias baseadas em *mindfulness* e aceitação, por exemplo, focando a atenção no presente e conectando suas ações no aqui e agora a seus valores.

De início o objetivo é apenas relaxar em uma variedade de ambientes. Entretanto, você inevitavelmente vai acabar usando as habilidades de relaxamento para eliminar os primeiros sinais de estresse. Isso leva naturalmente à utilização sistemática das habilidades de relaxamento para reduzir o estresse em reação a pensamentos ou situações particularmente difíceis, tema que veremos a seguir.

LEMBRE-SE: RELAXAMENTO SIGNIFICA SOLTAR E NÃO FAZER NADA

Quando o relaxamento é usado como uma habilidade de enfrentamento em reação aos sinais de alerta, é importante pensar em termos de soltar os pensamentos e sentimentos angustiantes, e não em tentar forçá-los a sumir ou suprimi-los. Durante o treino em relaxamento progressivo, você aprendeu sobre o erro do esforço e foi instruído a pensar em relaxamento em termos de não gerar tensão, em vez de como uma espécie de atividade.

Aprenda a aceitar os primeiros sinais e a sequência de reações que ocorrem em uma espiral de preocupação ou de emoção negativa e solte esses elementos de modo gradativo, em vez de usar o relaxamento de forma defensiva, para bloquear pensamentos ou sentimentos angustiantes. Foque no processo de relaxamento, e não no resultado. Solte qualquer tensão sob controle voluntário e aceite quaisquer sentimentos tensos ou desagradáveis que permaneçam.

Aplicação de habilidades de relaxamento

O próximo estágio do treino em relaxamento aplicado envolve a aplicação sistemática das habilidades de enfrentamento em situações mais desafiadoras. O relaxamento pode ser aplicado de duas maneiras:

1. Na mente, imaginando uma situação estressante específica (terapeutas chamam isso de exposição imaginária).
2. Na realidade, encarando situações estressantes específicas (chamado de exposição ao vivo ou no mundo real).

O ensaio das habilidades de enfrentamento na imaginação permite que você se prepare para situações estressantes que planeja enfrentar na realidade (por exemplo, convidar alguém para sair), que podem ocorrer em caso de infortúnio (por exemplo, ter o convite para sair rejeitado) ou que sejam preocupações distantes ou hipotéticas (por exemplo, a preocupação de nunca ter alguém e envelhecer sozinho). De fato, a maioria dos eventos estressantes só acontece na imaginação.

Relaxamento aplicado na realidade

Na terapia comportamental para fobias e problemas semelhantes, coloca-se grande ênfase no confronto real das situações temidas; por exemplo: alguém com fobia de gatos poderia aplicar as habilidades de relaxamento enquanto um gato fosse trazido para perto aos poucos. Todavia, para fins de construção de resiliência e autoajuda, o foco é aprender a lidar com ocorrências do cotidiano, os aborrecimentos diários e a preparação para situações mais estressantes. Além disso, quanto maior a gama de situações que você aprende a enfrentar dessa maneira, mais propenso fica a desenvolver resiliência geral ao estresse e à ansiedade, mesmo em situações inéditas ou imprevistas.

No tratamento de fobias severas com terapia comportamental, a exposição às situações temidas em geral é bastante prolongada, por até uma ou duas horas de cada vez. É bem sabido que mesmo a ansiedade severa tende a ser reduzida durante exposição prolongada caso certos princípios sejam seguidos; com a repetição, a redução torna-se permanente. Entretanto, quando se usam habilidades de enfrentamento como o relaxamento, o período necessário para a ansiedade ser reduzida em geral é de apenas 10–15 minutos, embora possa ser preciso repetir-se com mais frequência para ser permanente. Aprender as técnicas de enfrentamento pode levar a um senso mais geral de confiança e à capacidade de suportar uma variedade maior de situações estressantes do que a simples exposição prolongada.

As habilidades de enfrentamento devem ser usadas para relaxar antes, durante e depois de situações estressantes, se possível. Primeiro você deve dar-se por satisfeito caso suas habilidades de relaxamento sejam suficientes para gerenciar ou reduzir em parte o estresse ou ansiedade em situações no mundo real. Todavia, com a perseverança você pode vir a conseguir eliminar tensão ou ansiedade bastante severas ou ao menos reduzi-las de modo substancial. Ao fazer isso, é melhor que também consiga desenvolver a aceitação dos sentimentos ansiosos e a capacidade de tolerá-los quando necessário, enquanto continua a agir de acordo com seus valores e sem se esquivar.

Relaxamento aplicado na imaginação

O uso do relaxamento aplicado na imaginação é a mesma coisa que uma técnica mais antiga de terapia comportamental chamada dessensibilização por meio de autocontrole, a que Borkovec também se refere como ensaio imaginário de estratégias de enfrentamento. Esse método é particularmente importante para a construção de resiliência por permitir a antecipação de uma ampla gama de estressores potenciais e o ensaio do enfrentamento eficaz. Assim que estiver pronto para fazer isso, você deve começar a acrescentar o procedimento do ensaio mental ao final de suas sessões práticas de relaxamento progressivo.

IDEIA-CHAVE: ENSAIO MENTAL, QUASE TÃO BOM QUANTO A COISA DE VERDADE

As reações fisiológicas a eventos imaginados com frequência são indistinguíveis das reações aos eventos reais, exceto talvez por serem menos severas. Portanto, aprender a lidar com reações de estresse a situações imaginadas tende a promover a resiliência diante de eventos semelhantes na realidade e também uma capacidade mais geral de enfrentar reações de estresse em diferentes situações.

Os benefícios do ensaio mental na psicologia esportiva estão bem documentados e apoiados por muitos estudos. Visualizar um desempenho esportivo tende a melhorar o desempenho real, construindo habilidade e confiança. As habilidades de enfrentamento podem ser melhoradas mediante o ensaio com o uso da imaginação, de modo bem semelhante às habilidades relacionadas a esportes.

O uso do relaxamento aplicado na imaginação pode ser visto como uma forma de ensaiar mentalmente o modo como você planeja usar suas habilidades de enfrentamento na realidade; também costuma proporcionar o benefício genérico de reduzir a ansiedade e melhorar a confiança em sua capacidade de enfrentamento. Um problema de habilidades de enfrentamento como o relaxamento aplicado é que você simplesmente se esquece de usar. O ensaio mental tem o benefício de tornar mais provável que você se lembre automaticamente de usar suas estratégias nas situações estressantes da vida real.

Jacobson e seus seguidores adaptaram a versão original do relaxamento progressivo para o uso na redução da tensão e da ansiedade como resposta a situações temidas imaginadas. O procedimento envolve simplesmente imaginar versões da situação ou evento temido que provoquem ansiedade cada vez maior, observando as sensações no corpo com muito cuidado, em especial quaisquer músculos que se tensionem de modo automático. Enquanto se continua a imaginar a cena, esses músculos específicos são simplesmente distensionados de modo voluntário. As pessoas tendem a tensionar diferentes partes do corpo quando ansiosas, de modo que precisam aprender primeiro a observar a tensão e então soltar. Contudo, Jacobson e outros relataram que uma tensão sutil nos pequenos músculos ao redor dos olhos e muitas vezes na testa, pescoço e garganta tende a acompanhar a ansiedade na maioria dos casos (McGuigan, 1981, pp. 101–107).

O ensaio mental das habilidades de enfrentamento exige que você primeiro relaxe e depois visualize as situações estressantes repetidas vezes, incluindo as várias reações internas que formam a espiral negativa. Uma vez que consiga sentir-se tenso ou ansioso na imaginação, você reage de imediato usando as habilidades de relaxamento rápido para eliminar a reação de estresse e relaxa qualquer tensão física sob controle voluntário.

TENTE AGORA: RELAXAMENTO APLICADO NA IMAGINAÇÃO

Você vai fazer um ensaio mental de suas habilidades de relaxamento para reduzir a tensão e as emoções negativas frente a uma situação estressante, muito parecido com o que faria na vida real (Bernstein, Borkovec & Hazlett-Stevens, 2000, pp. 111–114).

1. Comece relaxando de modo progressivo, o mais profundamente possível, usando uma das estratégias aprendidas. Por exemplo, use o relaxamento por recordação ou os quatro grupos musculares principais seguidos da técnica de contagem.
2. Imagine a cena escolhida e tente evocar sentimentos de tensão ou emoções negativas leves a moderados, permita-se reagir, ficando tenso, e imagine pensamentos e sentimentos angustiados, o que em geral leva 15–30 segundos. Reconheça e aceite os sentimentos, permitindo-se experimentá-los na totalidade.

3. Tão logo tenha condições de evocar os sentimentos de tensão, use suas habilidades de relaxamento; por exemplo, faça três respirações profundas e, a cada expiração, use sua palavra-chave ("solte") para relaxar qualquer tensão sob controle voluntário e abandonar os pensamentos e sentimentos angustiantes. Continue a liberar a tensão de modo progressivo, enquanto se imagina enfrentando a situação por mais uns vinte segundos.
4. A seguir, continue a se imaginar na cena, mas solte por completo qualquer tensão ou esforço, tendo dominado a situação e os sentimentos de tensão, por mais uns vinte segundos. Permita-se aceitar por inteiro quaisquer sentimentos desagradáveis ou tensos que ainda restem.
5. Deixe a imagem de lado e apenas foque na respiração e nas sensações físicas no aqui e agora. Relaxe o corpo ainda mais, por exemplo, contando de cinco a zero enquanto solta de maneira mais profunda e completa por mais uns vinte segundos.
6. Repita 3–4 vezes ou até a tensão ser reduzida em volume considerável, pelo menos pela metade.

Manter a resiliência com um viver relaxado

Depois de aprendidas, as técnicas de controle com palavra-chave são usadas de modo frequente para ajudar a cultivar um estilo de vida mais relaxado em termos gerais no longo prazo. De fato, Borkovec refere-se à indução frequente de estados calmos e tranquilos de relaxamento ao longo do dia a fim de se cultivar um estilo de vida relaxado, tratando qualquer sinal de afastamento desse nível básico de tranquilidade como um alerta inicial e reagindo com habilidades de enfrentamento.

Entretanto, as habilidades de relaxamento tendem a enferrujar com o tempo, por isso é importante manter algum tipo de rotina de prática em longo prazo se você quiser manter a resiliência com essas técnicas.

Felizmente, manter as habilidades de relaxamento intactas depois de adquiridas tende a exigir bem menos tempo e esforço. Forme o hábito de vasculhar o corpo em busca de tensão uma vez por dia e relaxar rapidamente qualquer tensionamento. Você também deve continuar a praticar o relaxamento controlado por palavra-chave ou o relaxamento diferencial umas duas vezes por semana.

Pontos de foco

Os pontos principais deste capítulo são:

- Lembre-se de identificar os primeiros sinais de estresse ou tensão nos músculos e na mente.
- Trate cada um desses sinais de alerta como dica para o enfrentamento, como uma luz verde de trânsito sinalizando que você deve reagir imediatamente com as habilidades de relaxamento.
- Lembre-se de relaxar com frequência ao longo do dia e de desenvolver um estilo de vida mais relaxado.
- Identifique situações estressantes de alto risco e lide com elas passo a passo, começando com as mais fáceis, ensaiando as habilidades de enfrentamento primeiro na imaginação e depois na realidade.
- Não transforme o relaxamento em esquiva experiencial: aceite radicalmente seus sentimentos ansiosos ou tensos e solte qualquer tensão ou luta sob controle voluntário enquanto continua a aceitar quaisquer sentimentos tensos ou desagradáveis que possam restar.

Próximo passo

Os capítulos a seguir começarão a explorar muitos conceitos e estratégias específicos que você pode usar para construir resiliência. Antes de tudo, porém, teremos de encarar o problema da esquiva experiencial, um dos principais obstáculos ao desenvolvimento da flexibilidade e resiliência psicológica.

LEITURA ADICIONAL

Bernstein, Douglas A.; Borkovec, Thomas D. & Hazlett-Stevens, Holly (2000). *New Directions in Progressive Relaxation Training: A Guidebook for Helping Professionals*. Na verdade é um manual para terapeutas, e não para o público em geral, mas contém o melhor relato abrangente sobre relaxamento muscular progressivo e treino em relaxamento progressivo modernos.

Davis, Martha A.; Eshelman, Elizabeth Robbins e McKay, Matthew (1995). *The Relaxation and Stress Reduction Workbook*. O capítulo sobre relaxamento aplicado é uma das poucas descrições do método como uma estratégia de autoajuda para o gerenciamento do estresse.

9 Adiamento da preocupação

Neste capítulo você vai aprender:

- Que "preocupação" se refere a uma forma específica de pensamento verbal prolongado sobre problemas e ameaças futuros (o pensamento de "e se?"), associado a sentimentos ansiosos.
- Sobre a teoria moderna da esquiva cognitiva da preocupação, que sugere que a preocupação de fato é uma forma sutil de evitar catástrofes hipotéticas e a experiência de sentimentos desagradáveis.
- Sobre a estratégia básica de controle do estímulo para gerenciar a preocupação, uma forma de terapia comportamental que envolve adiar a preocupação até um momento e local específicos.
- Como distinguir a preocupação inútil da resolução de problemas racional e reconhecer os primeiros sinais, de modo a cortar a espiral de preocupação pela raiz.
- Como reconhecer pensamentos negativos sem se preocupar com eles de forma desnecessária e adiar tais pensamentos para um momento e local mais adequados.
- Por que adiar a preocupação e planejar para pensar a respeito mais tarde muitas vezes é uma estratégia melhor do que não tentar pensar a respeito (supressão).
- Como usar uma "hora da preocupação" específica para reagir de modo mais adequado aos problemas, em vez de se preocupar com eles de forma improdutiva.

E é assim que o primitivo verdor de nossas resoluções se estiola na pálida sombra do pensamento, e é assim que empreendimentos de maior alento e importância com tais reflexões desviam seu curso e deixam de ter o nome de ação.

— William Shakespeare, *Hamlet*

O medo segue a esperança. Não me surpreende que procedam dessa maneira; medo e esperança pertencem a uma mente em suspense, a uma mente em estado de ansiedade por mirar sempre o futuro. Ambos são devidos principalmente à projeção de nossos pensamentos além de nós mesmos em lugar de nos adaptarmos ao presente. É assim que a previsão, a maior bênção que foi dada à humanidade, é transformada em maldição. Animais selvagens fogem dos perigos que realmente veem e, uma vez que tenham escapado, não mais se preocupam. Nós, entretanto, somos atormentados de maneira idêntica pelo que já aconteceu e pelo que irá acontecer. Um número de bênçãos faz-nos mal, pois a memória traz de volta a agonia do medo, enquanto a previsão a traz prematuramente. Ninguém confina sua tristeza ao presente.

— Sêneca, *Cartas a Lucílio*

A importância de controlar a preocupação

O que é preocupação?

O termo "preocupação" adquiriu significado específico entre os psicólogos. Refere-se a um processo de pensamento prolongado sobre catástrofes temidas, coisas dando errado no futuro e tentativas frustradas de resolução de problemas, associado a sentimentos de ansiedade. É provável que algumas pessoas tenham maior propensão inata para a preocupação e a ansiedade do que outras. Contudo, todos podem aprender a gerenciar melhor a preocupação para se tornar mais resilientes a eventos estressantes. Ao longo das últimas décadas, a pesquisa sobre a preocupação cresceu, levando a algumas modificações na forma de tratar certos problemas clínicos.

Embora a preocupação seja comum à maioria das formas de ansiedade e depressão, é particularmente central no transtorno de ansiedade generalizada (TAG), uma forma de ansiedade severa caracterizada por preocupação grave e crônica que parece difícil de controlar. Entretanto, preocupação menos severa com problemas do cotidiano é comum a ponto de ser a regra; portanto, aprender a lidar com ela provavelmente é uma habilidade-chave da resiliência emocional.

Autoridade mundial na psicologia e no tratamento da ansiedade, Borkovec definiu a preocupação como "uma cadeia de pensamentos e imagens" focada em pensamentos verbais e associada à ansiedade (e certa depressão), que parece "relativamente descontrolada" e envolve "uma tentativa de se empenhar na resolução de problema em um assunto cujo desfecho é incerto" (Sibrava & Borkovec, 2006). Preocupação muitas vezes consiste em fazer e tentar responder perguntas repetidamente, como: "E se acontecer alguma coisa ruim?", "Como vou lidar com isso?".

A ironia é que a preocupação é caracterizada por pensamento prolongado abstrato, interno, verbal – o maior trunfo da humanidade! Em geral se desenvolve quando ocorre uma reação automática inicial ansiosa seguida de tentativas mais voluntárias de enfrentamento por meio de pensamento preocupado prolongado. A preocupação mais severa muitas vezes é seguida de tentativas de suprimir os pensamentos e sentimentos perturbadores, o que infelizmente tende a piorar a ansiedade e alimentar a preocupação. Embora os pensamentos e sentimentos ansiosos iniciais possam parecer perturbadores, é o que acontece a seguir, a nossa reação à reação, que de fato eleva a ansiedade a um problema mais sério.

Borkovec propôs a influente teoria da esquiva cognitiva da preocupação, que vê a preocupação em si como uma forma de esquiva. Quando nos preocupamos, percebemos um perigo, nos sentimos ansiosos e naturalmente tentamos resolver o problema para remover a ameaça percebida e obter uma sensação de segurança. Enquanto acreditamos que os problemas futuros são ameaçadores e permanecem sem solução, existe a tendência de nossa atenção voltar automaticamente para eles como um assunto inacabado, o que em parte explica por que episódios de preocupação tendem a ser recorrentes.

Assim, a preocupação pode ser vista como uma tentativa fracassada de evitar problemas futuros mediante a solução mental e a preparação para lidar com eles. Por isso as pessoas costumam relutar em parar de se preocupar, já que em algum nível supõem que isso ajuda a proteger de ameaças iminentes, dando oportunidade para estratégias de resolução de problemas e para o ensaio de habilidades de enfrentamento; só que raras vezes isso acontece, e o normal é que provoque o aumento da ansiedade.

Falamos antes sobre a natureza impraticável de muitas tentativas de controlar pensamentos e sentimentos ansiosos, chamada de esquiva experiencial. A preocupação também parece funcionar como uma maneira de evitar experiências internas de ansiedade, substituindo imagens e sensações concretas por processos de pensamento mais vagos, abstratos e verbais. A preocupação costuma ser associada à intolerância à incerteza e a um senso de urgência em tentar resolver problemas "iminentes" – mesmo tarde da noite, na cama!

O adiamento da preocupação oferece uma maneira alternativa de reagir. A ideia é aceitar os pensamentos automáticos iniciais ou pensamentos que já ocorreram e ao mesmo tempo adiar de modo voluntário qualquer preocupação subsequente, não seguindo a linha de pensamento na medida do possível. Em vez de simplesmente tentar evitar a preocupação, isso permite que o tópico da preocupação e os sentimentos associados sejam experimentados com aceitação, ainda que depois de um adiamento.

IDEIA-CHAVE: PREOCUPAÇÃO COMO ESQUIVA EXPERIENCIAL

A preocupação, muitas vezes descrita como um pensamento de "E se?", tende a focar em catástrofes futuras e na incapacidade de enfrentamento percebida. As pesquisas sugerem que a preocupação é basicamente um processo verbal, e não visual. A influente teoria da esquiva cognitiva de Borkovec sugere que a preocupação na verdade é uma tentativa sutil de evitar uma ansiedade mais aguda. A preocupação envolve em parte tentar planejar maneiras de evitar problemas hipotéticos. Entretanto, também é esquiva de uma maneira mais sutil.

Quando os problemas são visualizados de modo concreto, é possível o processamento emocional natural, ou seja, a ansiedade chega ao auge, mas diminui com o passar do tempo. Por outro lado, a preocupação envolve pensamentos de forma vaga, abstrata, pulando de um tópico para outro e colocando perguntas sem resposta. Isso mantém a ansiedade em um nível mais baixo por desviar a atenção de imagens causadoras de ansiedade, mas também impede que os sentimentos ansiosos sigam seu curso e abrandem naturalmente (Sibrava & Borkovec, 2006). Portanto, a preocupação em si pode ser uma forma de esquiva experiencial, conforme descrito em capítulos anteriores.

LEMBRE-SE: DISTINGUIR PREOCUPAÇÃO DE RUMINAÇÃO

Preocupação e ruminação são processos semelhantes, e às vezes os termos são usados alternadamente. Ambos descrevem processos de pensamento prolongados, associados a angústia emocional. Entretanto, os psicólogos atuais fazem uma distinção mais clara entre ambos. Em síntese, a preocupação está mais associada a se sentir ansioso, enquanto a ruminação está ligada a um ânimo depressivo e às vezes raivoso.

A ruminação pode ser detectada e adiada de modo semelhante à preocupação, embora estratégias como relaxamento e exposição possam ser menos apropriadas do que reações baseadas em *mindfulness* e aceitação. De fato, nos experimentos originais de Borkovec, os participantes foram solicitados a considerar o adiamento da atenção a quaisquer pensamentos inúteis ou desagradáveis, incluindo preocupação e ruminação.

O que é adiamento da preocupação?

Após os experimentos iniciais mostrarem que uma técnica simples da terapia comportamental chamada controle de estímulo podia ser usada para gerenciar a preocupação, Borkovec desenvolveu uma forma mais sofisticada de terapia cognitivo-comportamental (TCC) para o TAG usando o relaxamento aplicado. A abordagem original foi combinada com a terapia cognitiva padrão, mas mais recentemente foi integrada às abordagens baseadas em *mindfulness* e aceitação.

Este capítulo recorre principalmente ao tratamento de Borkovec para a preocupação, em particular o método básico de controle de estímulo, que em essência envolve gerenciar o ambiente onde a preocupação costuma ocorrer. O método básico de controle de estímulo para gerenciamento da preocupação, ou adiamento da preocupação, costuma ser definido em termos de poucas instruções curtas (Borkovec & Sharpless, 2004, p. 226). Os três passos a seguir são explicados neste capítulo:

1. Reconhecimento da preocupação, o que envolve o desenvolvimento de maior consciência dos primeiros sinais de preocupação, mediante o uso de registros de automonitoramento, e a distinção entre preocupação inútil e pensamento útil, de modo que a espiral de preocupação possa ser interrompida no estágio mais inicial possível antes de crescer.
2. Adiamento da preocupação, o que significa evitar de imediato as reações que poderiam prolongar a preocupação e retardar a preocupação ou pensamentos adicionais sobre o problema até um momento mais adequado; a atenção então é focada na experiência concreta do momento presente e em qualquer tarefa em mãos.

3. A HORA DA PREOCUPAÇÃO, em geral no mesmo horário e local todos os dias; pode ser apenas a manifestação de preocupações consigo mesmo, mas uma série de outras estratégias da TCC às vezes é usada nesse estágio, em especial a resolução de problemas e as técnicas de imagem mental.

Existe hora e lugar para tudo, inclusive para pensar nos problemas. O horário mais óbvio em que a preocupação é inadequada é tarde da noite, quando você está tentando dormir. Virtualmente nenhum problema é resolvido ao se preocupar na cama enquanto tenta dormir; entretanto, determinados problemas com certeza são causados por isso. É bom adiar a preocupação sempre que interferir em sua qualidade de vida ou capacidade de buscar metas valorizadas, em particular se as técnicas básicas de aceitação e desfusão não impedem que a preocupação se repita. Algumas pessoas relutam em parar de se preocupar porque, em algum nível, supõem que isso ajude a proteger de ameaças iminentes, dando oportunidade para estratégias de resolução de problemas e para o ensaio de habilidades de enfrentamento; só que raras vezes isso acontece, e o normal é que provoque o aumento da ansiedade.

LEMBRE-SE: ABANDONE A SUPRESSÃO DA PREOCUPAÇÃO

É essencial entender que adiamento da preocupação não é o mesmo que supressão da preocupação e que não deve ser mal empregado como forma de esquiva experiencial. Por isso, às vezes é útil usar a hora da preocupação para ter certeza de mais tarde voltar realmente às preocupações deixadas de lado. A esquiva ansiosa tende a contribuir para a noção de que você é incapaz de lidar com a preocupação, ao passo que a hora da preocupação é planejada para ajudar a desenvolver a confiança na capacidade de lidar com a preocupação de modo mais construtivo.

A abordagem de TCC de Borkovec para tratar a preocupação e a ansiedade generalizada já foi integrada à terapia de aceitação e compromisso

(ACT) (Roemer & Orsillo, 2002). A preocupação pode ser entendida como uma forma de esquiva experiencial do tipo que a ACT visa solapar e substituir por aceitação consciente e ação valorizada. Entretanto, o método de controle de estímulo (adiamento) oferece uma forma alternativa, porém compatível, de impedir que a preocupação se expanda como uma reação a pensamentos e sentimentos iniciais desagradáveis.

Considere a seguinte analogia: durante a prática de meditação *mindfulness*, se você pensasse em um problema que exige sua atenção, em vez de se preocupar com ele, você poderia dizer a si mesmo: "Essa não é a hora para pensar nisso, mas voltarei ao assunto e tratarei dele mais tarde, quando tiver encerrado a meditação". Seria bastante natural adiar o pensamento sobre problemas em muitas outras situações, em especial quando as preocupações ocorrem tarde da noite e ameaçam impedi-lo de dormir.

Pesquisa e aplicações

O experimento inicial de Borkovec entre universitários que sofriam de preocupação verificou que o uso da forma mais básica do método de controle de estímulo durante quatro semanas levou à redução do tempo gasto com preocupação em quase pela metade. Também foi reportada redução significativa na tensão muscular associada, bem como na frequência de medos irrealistas.

Embora todo mundo se preocupe, preocupação mais severa é uma característica comum dos transtornos de depressão e ansiedade. Como mencionado antes, o transtorno de ansiedade generalizada (TAG) é o problema clínico mais associado à preocupação crônica severa. Muitos estudos de pesquisa mostraram que a TCC, inclusive a abordagem de Borkovec, que em geral inclui alguma forma de adiamento da preocupação, pode ser benéfica para quem sofre de TAG.

Preocupação e resiliência

Abordagens consagradas de construção de resiliência, como o Programa de Resiliência Penn (PRP), usam técnicas tradicionais da TCC para gerenciar emoções negativas mediante o desafio de pensamentos automáticos negativos como uma prevenção à ansiedade e depressão mais severas. Entretanto, a TCC moderna enfoca cada vez mais o processo do pensamento negativo, bem como o conteúdo de pensamentos individuais. Como a preocupação é parte angustiante normal da vida, é razoável supor que todos poderiam se beneficiar ao aprender a lidar com ela da mesma maneira que indivíduos sofrendo de transtornos emocionais diagnosticáveis. De fato, o método básico de controle de estímulo foi usado com sucesso em preocupação moderada (não clínica) e severa (clínica) entre universitários que sofrem de estresses comuns a pacientes diagnosticados com TAG.

Além disso, de acordo com Borkovec, a pesquisa sugere que o TAG pode ser o transtorno emocional mais básico entre adultos e que entender como tratar a preocupação, sua característica central, pode proporcionar a chave para estratégias de prevenção mais geral e para o tratamento de outras formas de ansiedade e depressão clínicas (Borkovec & Sharpless, 2004, p. 209). Por exemplo, o TAG ocorre tipicamente junto com outros problemas de saúde mental, e, quando é tratado primeiro, reduzindo a preocupação, o resultado é uma melhora geral.

A preocupação é um estilo rígido e habitual de reagir aos problemas; superá-la poderia levar a maior flexibilidade e resiliência psicológica. Borkovec contrasta especificamente a natureza rígida e travada da preocupação com pesquisas sobre o estresse que mostram o valor de estilos de enfrentamento mais flexíveis. Também destaca o papel da flexibilidade mental entre crianças resilientes que lidam bem com traumas e a correlação com jovialidade, otimismo e bom humor.

ESTUDO DE CASO

Adiamento da preocupação

Alec era propenso a se preocupar com uma variedade de assuntos, o que fazia com que geralmente se sentisse bastante ansioso, embora os sintomas não fossem severos o suficiente para preencher os critérios do diagnóstico de transtorno de ansiedade generalizada (TAG). Ele se preocupava com a saúde, os relacionamentos, a família, os estudos, o trabalho e também com pequenos incômodos do cotidiano, como se atrasar para reuniões. Depois de nosso primeiro encontro, ele começou a manter um registro simples dos episódios de preocupação e sua duração. De imediato Alec reconheceu que estava gastando uma quantidade de tempo desnecessária e excessiva com preocupações, embora costumasse descrever isso como "planejamento" ou "exame das coisas". Ficou claro que ele tinha tendência de focar no pior cenário e na incapacidade de lidar com os problemas, o que escalava rapidamente, tornando-se medos catastróficos irrealistas.

Quando percebeu quanto tempo estava gastando em preocupações sem sentido, Alec quis reduzir a frequência e duração disso. Também detectou os sinais de alerta, observando em particular a tendência de ficar com o olhar perdido ou fixo e tensionar os ombros à medida que os episódios de preocupação começavam a se desenrolar. Alec raramente estava em casa à noite, por isso concordamos que seria mais prático ele marcar a hora da preocupação segurando um objeto escolhido, uma pedra, todos os dias às sete da noite, para assinalar que era a hora da preocupação. No restante do tempo, ele ficava atento a sinais de alerta de preocupação e a adiava. Embora de início tenha parecido difícil, ele manteve um diário simples que mostrou que a frequência e duração das preocupações caíram pela metade em cerca de duas semanas, seguidas pela redução do nível geral de ansiedade e outros sintomas.

Avaliação e reconhecimento da preocupação

Preocupação inútil *versus* pensamento útil

Para detectar uma preocupação, é bom reconhecer as diferenças entre preocupação e tipos mais produtivos de pensamento. Alguns psicólogos falam em preocupação produtiva (útil) *versus* improdutiva (inútil). Outros preferem pressupor que "preocupação" por definição é bastante inútil e a contrastam com termos como "solução de problemas" ou "pensamento construtivo". Em favor da clareza, neste capítulo utilizaremos esta última terminologia; "preocupação" aqui vai significar algo inútil em comparação com a solução racional de problemas.

O psicólogo Robert Leahy escreveu um excelente livro de autoajuda de TCC chamado *The Worry Cure* (2005), que contém um capítulo muito útil descrevendo a diferença entre preocupação improdutiva e a chamada preocupação produtiva, como a resolução de problemas. As seções a seguir combinam algumas observações de Leahy com pontos adicionais em que se deve prestar atenção:

PREOCUPAÇÃO INÚTIL

- Focar em perguntas imponderáveis, vagas ou irrespondíveis ("E se?", "Como vou enfrentar?") que giram em círculos.
- Criar uma reação em cadeia de preocupações crescentes sobre várias coisas diferentes.
- Intolerância ao risco e à incerteza. As soluções têm de ser perfeitas, com funcionamento garantido, ou são ignoradas.
- Manter-se preocupado por achar que não é absolutamente seguro parar até a ansiedade diminuir.
- Preocupar-se com coisas que não podem ser modificadas ou que não estão sob seu controle.

- Preocupação vaga e abstrata, consistindo basicamente em conversa consigo mesmo.
- Ficar absorto nas preocupações, perder a noção do tempo e reagir como se o pior cenário fosse iminente e assombroso.
- Ficar focado na possibilidade de vários piores cenários, a despeito da (ausência de) probabilidade.

SOLUÇÃO RACIONAL DE PROBLEMAS (PREOCUPAÇÃO ÚTIL)

- Perguntas específicas feitas e respondidas de modo mais conclusivo.
- Foco em abordar um único evento específico de cada vez.
- As soluções têm de ser boas o bastante para valer a pena tentar, e um grau de risco e incerteza é tolerável.
- Mesmo que ainda esteja ansioso, você para de pensar no assunto quando não é mais necessário ou útil.
- Você aceita as coisas que não podem ser mudadas e foca em mudar as coisas que estão sob o seu controle.
- Você retrata o problema em termos concretos e detalhados, usando imagens mentais.
- Você conserva a consciência da preocupação como um processo mental, do tempo que leva e do quanto os vários problemas são realmente urgentes.
- Você foca no que é provável que aconteça e em como planeja lidar com o cenário mais provável.

AUTOAVALIAÇÃO: DISTINGUIR PREOCUPAÇÃO ÚTIL E INÚTIL

Use as perguntas a seguir para avaliar sua experiência de preocupação ao longo das duas últimas semanas, classificando a intensidade com que você concorda com cada frase, de zero (absolutamente não concorda) a 5 (concorda totalmente):

1. Minhas preocupações são focadas em um assunto específico e bem definido de cada vez. (__/5)
2. Quando me preocupo, procuro soluções boas o bastante que valham a pena tentar, e não uma solução perfeita. (__/5)
3. Mesmo que ainda me sinta ansioso, paro de me preocupar quando deixo de fazer progresso rumo a uma solução. (__/5)
4. Meu pensamento fica focado no que está sob meu controle para ser modificado, e consigo aceitar as coisas que estão fora de meu poder. (__/5)
5. Estou ciente do tempo que gasto me preocupando, não perco a noção do tempo. (__/5)
6. Enfoco o cenário provável, e não o que é meramente possível, como o pior cenário. (__/5)

De novo, em vez de somar os pontos, analise as respostas individuais. Como poderia mudar a atitude e comportamento para aproximar suas notas do 5 em cada item? Quais seriam as consequências se o fizesse?

LEMBRE-SE: RECONHECER A PREOCUPAÇÃO INÚTIL

As pessoas muitas vezes não percebem que sua preocupação é improdutiva e falam em tentar resolver problemas, planejar o enfrentamento, analisar as coisas, debruçar-se sobre o que pode dar errado, focar no pior cenário etc. Porém, são apenas formas diferentes de descrever a preocupação. Fique atento aos períodos prolongados gastos em pensar sobre o futuro ou problemas potenciais que resultam em maior ansiedade – pode ser apenas preocupação.

Detectar os primeiros sinais de preocupação

Já examinamos em certo detalhe o processo de monitoramento e detecção dos sinais de alerta de angústia emocional no capítulo sobre relaxamento aplicado. Como preocupação acarreta focar a atenção em catástrofes futuras, muitas vezes significa falta de consciência no aqui e agora em termos de sensações do corpo e da situação externa, o que você está fazendo e onde você está. Por isso, requer prática detectar os primeiros estágios da preocupação antes de ser levado de roldão pela espiral de pensamentos e sentimentos ansiosos. Por exemplo, franzir o cenho é um sinal comum de preocupação, assim como outras tensões musculares – cerrar os dentes e curvar os ombros – ou movimentos como remexer as mãos.

Visto que a preocupação tende a envolver abstração mental prolongada, muitas vezes também está associada a olhar desfocado, perdido ao longe ou mesmo olhos fechados. Todos esses são sinais de alerta potenciais a se observarem com atenção. Um registro de automonitoramento para a preocupação pode incluir os tópicos da tabela abaixo (Newman & Borkovec, 2002, p. 153). Registrar a duração dos episódios de preocupação pode ajudar a levar a atenção para o desejo de interrompê-los, em vez de perder a noção do tempo e deixar a preocupação correr solta.

DATA / HORÁRIO	PRIMEIROS SINAIS	TÓPICO DA PREOCUPAÇÃO	ANSIEDADE (%)	DURAÇÃO (MINUTOS)

TENTE AGORA: "COMO VOCÊ SE PREOCUPA?" (EXERCÍCIO DE RECORDAÇÃO POR IMAGENS)

Feche os olhos por alguns minutos e tente reproduzir o que acontece quando você se preocupa. Pense na sequência dos eventos, quem sabe até passando pelos estágios várias vezes em câmera lenta. Se ajudar, tente identificar os primeiros pensamentos que surgem na reação em cadeia de preocupação, as primeiras sensações e como começam as mudanças em seu comportamento ou expressão facial. Observe, por exemplo, se você tende a fazer perguntas do tipo "E se acontecer alguma coisa ruim?" ou "Como vou enfrentar?".

Você pode pensar na preocupação como tendo começo, meio e fim; embora o fim, o medo subjacente, raramente seja atingido, pode espreitar ao fundo. Com que pensamento você começa? Qual é o pior cenário ou seu maior medo em relação a essas preocupações? Que pensamentos e perguntas específicos vêm no meio-tempo, formando a espiral ascendente de preocupação prolongada? Você alguma vez confronta realmente o pior cenário ou apenas gira em redor dele? O quanto esse cenário é realista? E se acontecesse mesmo? Você conseguiria enfrentar e sobreviver?

Estratégias de adiamento da preocupação

A primeira coisa a saber quanto ao adiamento da preocupação é que a maioria das pessoas relata que, com prática e do jeito certo, isso é mais fácil de fazer do que se supõe. Como a preocupação muitas vezes é nitidamente inútil, a simples identificação bem no início pode levar à interrupção da espiral mediante a escolha de não gastar mais tempo debruçado naquilo. Muitas vezes é útil anotar por escrito o tópico da preocupação em um registro de automonitoramento (ver a tabela anterior). Podem ser apenas uma ou duas palavras, para evitar demora: trabalho, relacionamento, saúde, problemas financeiros etc. Escrever o tópico e depois deixar a lista de lado pode ser visto como um gesto de enfatizar para si mesmo que você está adiando a preocupação e voltando a atenção para o momento presente.

Também é importante perceber que você normalmente precisa adiar a preocupação várias vezes. Após decidir adiar uma preocupação, em especial no início, é bastante normal dar por si começando a se preocupar de novo instantes depois. Apenas continue a adiar a cada vez que a preocupação retornar, não importa com que frequência. Isso vai ficar mais fácil com a prática. Lembre-se, porém, de que o adiamento não deve parecer uma tentativa de evitar ou suprimir experiências desagradáveis. Você deve ter a intenção de voltar ao tema da preocupação mais tarde. Com a prática, a preocupação muitas vezes pode ser adiada com relativa facilidade se houver um tempo reservado para voltar a ela depois. A seguir serão discutidas estratégias que ajudam a largar as preocupações e a deixar o problema de lado.

IDEIA-CHAVE: ADIAMENTO E HORA DA PREOCUPAÇÃO

O ideal é que seu período específico para a preocupação seja na mesma hora e local todos os dias, para desenvolver uma associação psicológica automática entre a preocupação e aquele ambiente. Isso também ajuda a romper aos poucos a associação com outros locais e horários, na medida em que você confina a preocupação em certos limites. Por exemplo, a hora da preocupação pode ser sentar-se em uma cadeira específica das sete às sete e meia da noite, em casa. Você deve sempre adiar a preocupação que surja em horários e locais inadequados, como quando está na cama tentando pegar no sono à noite.

Caso você se veja lutando para adiar a preocupação em algum momento, deve ir direto para o local da preocupação e se preocupar por um período limitado, se possível. Por exemplo, ao tentar dormir à noite, se você constatar que é incapaz de parar de se preocupar depois de 15–20 minutos de tentativas de adiamento, é melhor sair da cama, ir para o local da preocupação e focar nas preocupações, usando a abordagem explicada a seguir, até cansar e estar pronto para dormir. Claro que haverá ocasiões em que você vai achar difícil adiar a preocupação, e no início uma meta realista seria detectar e adiar a preocupação em pelo menos 75% das vezes. As recomendações para a hora da preocupação variam, mas é comum escolher o mesmo horário e local todos os dias.

LEMBRE-SE: ADAPTE A HORA DA PREOCUPAÇÃO À SUA VIDA

Se for difícil praticar no mesmo local, tente introduzir um sinal mais portátil, por exemplo, segurar um objeto específico, como um seixo, um chaveiro ou uma bola de tênis. Isso pode funcionar como um sinal de que você está na hora da preocupação especificada – e também de que está adiando a preocupação sempre que não estiver segurando o objeto.

Se a preocupação é muito frequente e difícil de restringir, Borkovec sugere que às vezes é mais fácil planejar zonas livres de preocupação. Isso implica banir (adiar) a preocupação de certos horários e locais e só permitir se preocupar por até trinta minutos nos outros momentos. Por exemplo, você de início poderia designar o trajeto para o trabalho e a cama à noite como zonas livres de preocupação. Aos poucos mais horários e locais são declarados livres de preocupação, e a preocupação vai sendo confinada até ficar limitada a trinta minutos específicos.

Autoinstrução

Fazer uma breve declaração verbal para si mesmo (autoinstrução) pode ajudar a focar na decisão de adiar a preocupação (Newman & Borkovec, 2002, p. 154). Por exemplo, tão logo perceba os primeiros sinais de preocupação ou situações de alto risco, você deve reagir de imediato e se instruir de modo confiante:

> Eu sei que tenho a tendência de me preocupar na cama à noite e observei que estou começando a tensionar meus ombros e a pensar sobre os problemas no trabalho... Agora não é hora de pensar nisso... Vou apenas anotar o tópico e pensar a respeito mais tarde, na hora da preocupação.

Se a preocupação se esgueirar de volta, você pode instruir-se: "Já está anotado no meu registro de preocupações; vou pensar nisso mais tarde".

Mantenha as instruções concisas e fale em tom confiante, evite que se transformem sorrateiramente em um monólogo interno sobre lidar com a preocupação. De fato, você deve ter como meta abolir as autoinstruções com o tempo, se possível, aprendendo a focar na ideia do adiamento, na atitude mental correta, sem o esforço de dar a si mesmo quaisquer instruções verbais de como fazer isso.

A atenção no momento presente e os valores intrínsecos

A preocupação nos aliena da realidade no momento presente. Borkovec descreve vividamente como clientes com TAG e mesmo pessoas com preocupação menos severa passam o tempo em um mundo ilusório de pensamentos orientados para o futuro, repletos de ansiedade, sem nem perceber. A ansiedade em geral é fortemente associada a pensamentos apreensivos sobre ameaças futuras. Uma das características mais óbvias da preocupação é envolver pensamento prolongado sobre catástrofes hipotéticas futuras e como se poderiam enfrentá-las.

A preocupação, portanto, também está associada com uma marcada desatenção ao momento presente, tanto ao ambiente quanto ao comportamento, isto é, onde você está e o que você está fazendo. Quando absorta em preocupação severa, uma pessoa pode não ouvir o telefone tocar, pode não se dar conta de que está cerrando os dentes ou roendo as unhas etc. De certo modo, durante a preocupação, ensaiamos uma vida imaginada na qual ficamos angustiados como se as catástrofes hipotéticas de fato estivessem ocorrendo. Muita gente desatenta desperdiça a melhor parte de sua vida na zona da fantasia da preocupação, alheia ao mundo real à sua volta, enquanto a vida vai passando dia após dia.

A capacidade de saborear a experiência do momento presente, treinando para prestar mais atenção à realidade aqui e agora do nosso comportamento e ambiente, é, portanto, o polo oposto da preocupação e pode ser usada de modo deliberado como um antídoto. Na abordagem original de controle de estímulo de Borkovec, a atenção é treinada para o momento presente fechando-se os olhos e focando nas mínimas sensações do corpo por um tempo, adiando a preocupação. Aos poucos isso pode ser feito de olhos abertos e durante várias atividades, para sintonizar mais plenamente no aqui e agora. Tão logo uma preocupação sobre eventos hipotéticos futuros é detectada e registrada, a atenção é desviada para a realidade do momento presente.

Se você está desempenhando alguma tarefa, ficar atento ao momento presente envolve dar atenção mais plena à atividade, envolvendo-se por inteiro, algo que Borkovec chama de abordagem do organismo no todo. Além disso, é possível ficar plenamente presente no aqui e agora enfocando a qualidade do processo em que você está envolvido e em seu valor intrínseco, em vez de no possível resultado ou consequência. É irônico que, quando as pessoas estão focadas no processo de seu comportamento e deixam de lado a atenção no resultado, seu desempenho costuma melhorar, e é mais possível que as consequências sejam positivas. Por isso o adiamento da preocupação foi integrado a algumas estratégias baseadas em *mindfulness* e aceitação discutidas antes, em especial ficar centrado no momento presente e engajado na ação de valor intrínseco.

Relaxamento aplicado, *mindfulness* e aceitação

Descrevemos em detalhes o relaxamento aplicado como uma habilidade de enfrentamento de caráter geral. Contudo, os psicólogos modernos notam que muitas vezes a tentativa de relaxamento é usada de forma superficial e tem resultado oposto. Portanto, ao usar o relaxamento para lidar com a preocupação, é importante primeiro aceitar os sinais de preocupação e então abandonar qualquer luta ou tensão que esteja sob controle voluntário, continuando a aceitar quaisquer sentimentos que permaneçam, sem tentar se forçar a relaxar como uma forma de esquiva experiencial.

O relaxamento aplicado normalmente emprega uma habilidade de enfrentamento rápida controlada por uma palavra-chave para o relaxamento geral. Entretanto, a abordagem de relaxamento diferencial de Jacobson também pode ser usada, aprendendo-se a relaxar seletivamente os músculos específicos que se tensionam quando a preocupação começa, em especial aqueles associados à visão e à fala. Conforme Jacobson enfatizou, pode se pensar nisso como "não fazer" tensão, soltando e cessando uma atividade em vez de fazer um esforço ativo para relaxar.

A abordagem de Borkovec que combina relaxamento aplicado com adiamento da preocupação estende o conceito de soltar a tensão muscular e também inclui soltar as reações aos primeiros pensamentos e sentimentos ansiosos, em especial a preocupação com o futuro.

> "Soltar" é descrito como uma mera observação das reações internas e não reação a elas, do desapego em vez de apego.
>
> (Borkovec & Sharpless, 2004, p. 218)

Borkovec iguala esse soltar à técnica de aceitação voluntária de abordagens como a ACT, discutidas em capítulos anteriores. Assim, uma forma alternativa de não reagir à preocupação é adotar uma atitude mais distanciada dos pensamentos iniciais, reconhecendo-os de modo consciente e os aceitando, mas sem suprimir e sem se preocupar ainda mais. Só que as estratégias de *mindfulness* e aceitação também podem ser usadas sem treino em relaxamento aplicado. Por exemplo, um método semelhante de não reação deliberada às preocupações, chamado *mindfulness* desapegada, descrito a seguir, lembra as estratégias de aceitação e desfusão de resposta aberta discutidas em capítulos anteriores como parte da ACT.

IDEIA-CHAVE: *MINDFULNESS* E ACEITAÇÃO DA PREOCUPAÇÃO

O professor Adrian Wells, da Universidade de Manchester, desenvolveu uma abordagem bastante conhecida, baseada em *mindfulness*, para o tratamento da ansiedade e depressão clínicas chamada terapia metacognitiva (TMC) (Wells, 2009). Abordagens de *mindfulness* e aceitação são bastante usadas para lidar com pensamentos negativos automáticos em populações não clínicas como forma de gerenciar o estresse. Entretanto, a abordagem de Wells foi especificamente projetada para ser combinada com estratégias de adiamento no tratamento de ruminação depressiva e preocupação ansiosa. Uma série de estudos iniciais demonstrou sua eficácia.

O conceito de *mindfulness* desapegada de Wells apresenta algumas semelhanças com outras estratégias baseadas em *mindfulness* e aceitação, embora haja maior ênfase na eliminação de qualquer tipo de envolvimento com quaisquer pensamentos e na reação de não fazer nada, permitindo que venham e se vão, até por fim desaparecerem naturalmente da consciência.

TENTE AGORA: A TAREFA DO TIGRE

Um exercício específico, às vezes chamado de tarefa do tigre, é usado para dar uma ideia inicial de *mindfulness* desapegada.

1. Feche os olhos e forme a imagem de um tigre em sua mente.
2. A seguir, não faça nada, exceto observar a imagem por uns minutos, ciente dela como um evento mental, sem tentar mudá-la ou impedir que mude.

É provável que você verifique que as imagens mentais, se deixadas por si, normalmente mudam de modo automático e então decaem ou se desvanecem da consciência. Imagine seu tigre e deixe que tenha vida própria, sem tentar contar uma história para si mesmo, apenas deixe rolar.

Para um contraste, tente suprimir a imagem do tigre por alguns minutos, evitando pensar nela. Talvez seja difícil. Paradoxalmente, quando tentamos não pensar em alguma coisa, a tendência é prestar mais atenção à coisa que estamos tentando suprimir. Além disso, quanto mais ansiosos ou depressivos os pensamentos, mais as tentativas de suprimir tendem a dar errado. Não é provável que você fique preocupado com tigres. Todavia, ao ter esse gostinho de *mindfulness* desapegada, você pode aprender a usá-la em vez de se deixar engatar na preocupação.

Na abordagem de Wells, há maior ênfase em tratar os pensamentos automáticos iniciais como gatilhos para episódios de preocupação, em vez de focar nas sensações do corpo e nos sinais de alerta. Quando detecta os pensamentos que tendem a preceder os episódios de preocupação, você reage como fez com o tigre, usando *mindfulness* desapegada e adiando a preocupação até uma hora e local específicos. Wells difere ligeiramente dos outros ao recomendar que você só use a hora da preocupação se de fato sentir necessidade e não se incomodar caso a preocupação não mais pareça importante.

Embora a terapia metacognitiva seja basicamente um tratamento para ansiedade e depressão clínicas, Wells também observou a relevância dessa teoria para a resiliência emocional:

> [A terapia metacognitiva] afirma que não é o pensamento em si, mas a reação do indivíduo ao pensamento (ou a reação a uma crença) que determina as consequências emocionais e de longo prazo para o bem-estar. Alguns indivíduos são mais resilientes que outros provavelmente porque são mais flexíveis em suas reações a pensamentos e emoções negativos.
>
> (Fisher & Wells, 2009, p. 10)

Wells segue dizendo basicamente que indivíduos psicologicamente resilientes e flexíveis são mais propensos a cessar a preocupação e a ruminação mórbidas do que a ficar presos em padrões de pensamento negativo prolongado, o que pode causar maior sofrimento emocional com o tempo.

TENTE AGORA: PRATICAR *MINDFULNESS* DESAPEGADA

Permita-se ter o tipo de pensamento que normalmente dá início à sua preocupação, mas reaja com a prática de *mindfulness* desapegada:

1. Fique ciente do pensamento por um tempo, como um mero evento em sua mente, e não como a coisa em si, seja ou não verdadeiro.
2. Desapegue suas reações do pensamento inicial, adiando quaisquer pensamentos e ações e simplesmente não fazendo nada, nem tentando mudá-lo de alguma forma ou impedindo que mude.
3. Recue e ensaie o desapego, enxergando o pensamento como algo observado, distinto de você, o observador, focando na sensação de distância do pensamento.

Pode ser bom permitir uma livre associação periódica e apenas observar o fluxo de consciência de modo desapegado e atento, sem tentar mudar nada. Aprender o manejo da prática de *mindfulness* desapegada vai ajudá-lo a adotar a mesma atitude quando surgir uma preocupação.

Estratégias para a hora da preocupação

Agora que discutimos o conceito de adiar a preocupação até um horário específico, vamos examinar o que fazer quando chega essa hora. A primeira coisa que você talvez note é que às vezes vai ter a sensação de que as preocupações não são mais importantes, e, nesse caso, simplesmente decida não usar a hora da preocupação. Está tudo bem, contanto que isso não sirva a um padrão de esquiva experiencial. Se você ainda sentir necessidade de pensar sobre suas preocupações, pode simplesmente permitir-se preocupar-se dentro dos limites específicos de horário e local. As pessoas muitas vezes sentem-se mais calmas nesse horário e com isso mais aptas a examinar as coisas de modo racional e construtivo. (Entretanto, em alguns casos, pode haver motivos para usar a hora da preocupação de modo mais consistente, por exemplo, se você estiver tentando usar estratégias de exposição repetida à preocupação ou o relaxamento aplicado, como discutiremos a seguir.)

Solução de problemas

Muitas vezes a preocupação pode ser entendida como uma tentativa fracassada de resolução de problema. Isso pode assumir a forma de tentar analisar uma situação, planejar o enfrentamento ou se preparar para a adversidade, mas ter dificuldades para fazer isso de maneira decidida. Contanto que você consiga abordar a resolução de problemas de modo sistemático e evitar que se transforme em ruminação ou preocupação inútil, o tipo de abordagem descrito no capítulo sobre esse tema pode ser muito útil e usado durante a hora da preocupação para desenvolver um plano de enfrentamento, ou seja, um plano de ação realista para lidar com os problemas.

Mindfulness e aceitação

Claro que algumas preocupações podem estar relacionadas a coisas fora de seu controle ou problemas insolúveis, deixando-o com pensamentos e sentimentos angustiados que podem ser mais bem abordados com as estratégias de aceitação e desfusão descritas em capítulos anteriores. Estratégias baseadas em *mindfulness* e aceitação podem ser igualmente apropriadas nos casos em que os problemas podem ser resolvidos, mas existem barreiras internas à ação na forma de pensamentos e sentimentos desagradáveis.

Exposição à preocupação e relaxamento aplicado com o uso de imagens mentais

A hora da preocupação às vezes é usada como uma oportunidade para se usarem outras técnicas além da resolução de problemas e das estratégias baseadas em aceitação. Uma estratégia comum é se preocupar de modo visual em vez de verbal, imaginando o pior cenário, até a ansiedade ser reduzida ao menos pela metade. Exposição à preocupação envolve imaginar e encarar seus piores medos com paciência até a ansiedade diminuir naturalmente, pelo simples fato de você se acostumar à experiência. (Os psicólogos chamam de habituação mediante exposição imaginária prolongada.) Isso pode exigir tentar trazer à luz o medo oculto sob a preocupação, o cenário de pesadelo, e redigir uma descrição detalhada. Você pode ler esse roteiro catastrófico várias vezes para ajudar a imaginar o pior cenário com vividez e por tempo suficiente para permitir que a ansiedade diminua ao natural.

O relaxamento aplicado para a preocupação costuma envolver uma técnica semelhante chamada dessensibilização por meio do autocontrole, discutida em um capítulo anterior. Quando o relaxamento aplicado é usado dessa maneira, na imaginação, as habilidades de relaxamento rápido são empregadas várias vezes durante a exposição abreviada às imagens mentais relativas aos piores cenários preocupantes, o que pode levar menos de cinco minutos em alguns casos.

Descatastrofização e geração de alternativas

A terapia cognitiva tradicional emprega técnicas que envolvem contestar crenças sobre a probabilidade e severidade das catástrofes preocupantes mediante a avaliação das evidências. Ao longo deste livro adotamos abordagens mais recentes, baseadas em *mindfulness* e aceitação, que evoluíram em parte como resposta às limitações da terapia cognitivo-comportamental.

As abordagens baseadas em *mindfulness* e aceitação dão mais ênfase a como você reage a seus pensamentos do que à veracidade ou falsidade do conteúdo. Contestar as preocupações pode ser difícil e às vezes tem resultado oposto, por encorajar a se passar ainda mais tempo com elas e levá-las a sério, ou se fundir com o conteúdo. Contudo, algumas técnicas de terapia cognitiva têm o potencial de ajudar na aceitação e desfusão.

Por exemplo, uma técnica simples que às vezes é usada para mudar o pensamento ansioso é finalizar a hora da preocupação cogitando todas as diferentes perspectivas do problema que você consiga pensar. A meta não é necessariamente avaliar em termos de veracidade ou probabilidade, mas apenas desenvolver consciência das múltiplas perspectivas do mesmo problema. (No capítulo sobre resolução de problemas, você vai ver que soluções alternativas muitas vezes são cogitadas assim.) As alternativas podem assumir duas formas:

1. Uma variedade de opções ou soluções possíveis, ou seja, meios práticos de enfrentamento.
2. Diferentes maneiras de interpretar o significado da situação temida, por exemplo, em termos de probabilidade de dano ou da severidade das consequências.

Borkovec também recomenda o uso de humor e jovialidade para gerar múltiplas perspectivas. Apenas a consciência de que existe ampla variedade de perspectivas ou soluções possíveis pode criar maior flexibilidade psicológica, o que parece proteger contra mais perturbação emocional. Também força a tratar o ponto de vista existente como apenas um entre muitos – uma espécie de hipótese –, e isso pode ajudar a "desfundi-lo" da realidade e reagir de modo mais distanciado. Como sugere Borkovec, você pode naturalmente avaliar algumas perspectivas como mais realistas ou úteis do que outras. Às vezes pode ser útil enfocar as perspectivas mais racionais, anotando-as e ensaiando na imaginação, e como resposta aos primeiros sinais de alerta.

O termo "descatastrofização" é usado para se referir a várias estratégias para reavaliar um evento temido em termos excessivamente catastróficos. Arnold Lazarus, um dos fundadores da terapia comportamental, disse que uma forma muito simples de descatastrofizar é pegar o hábito de responder aos pensamentos ansiosos de "E se...?" e mudar o foco para ideias sobre como lidar em termos emocionais ou práticos. "E se o céu desabar sobre nossas cabeças?", perguntou o Galinho Chicken Little. "E daí?", seria uma resposta racional, "Não há nada que você possa fazer a respeito, então não faz sentido se preocupar." No Programa de Resiliência Penn, a preocupação é desafiada com o uso de estratégias descatastrofizantes da terapia cognitiva tradicional, como a técnica do "pior, melhor, mais provável" mostrada abaixo.

TENTE AGORA: PIOR, MELHOR E MAIS PROVÁVEL

A preocupação tende a envolver o foco no pior cenário, mesmo que seja bastante improvável que aconteça. Isso não só alimenta a ansiedade, como também distrai a atenção de previsões mais realistas e das oportunidades a serem buscadas. Às vezes é bom explorar o leque de resultados possíveis de uma situação respondendo perguntas como estas aqui com atenção:

1. Qual a pior coisa que você teme que aconteça?
2. Qual a melhor coisa que você espera que aconteça?
3. Qual é de fato a coisa mais provável que aconteça?
4. Como você lidaria melhor com o cenário mais provável?

Fazer isso uma vez pode ser útil, mas em geral é mais proveitoso adquirir o hábito de fazer de modo sistemático sempre que você tiver tempo para reavaliar suas preocupações; por exemplo, durante a hora fixada para a preocupação. Também pode ser bom desenvolver uma lista de passos descrevendo como você agiria caso o pior cenário acontecesse, chamada de plano de enfrentamento. Às vezes você pode verificar que o pior cenário da preocupação não é nem sequer realista, sendo impossível ou astronomicamente improvável. Você também pode descobrir que, quando pensa sobre um problema em termos concretos, em especial sobre como é provável que lide com as consequências, a coisa pode parecer menos catastrófica do que parecia antes. Contudo, tenha cuidado ao usar essas técnicas, para que não levem a uma análise excessiva das preocupações e causem mais fusão com os pensamentos perturbadores.

Manter a resiliência com o adiamento da preocupação

Mais recentemente, Borkovec descreveu a meta última de sua abordagem para tratar a preocupação e a ansiedade generalizada como sendo fundamentalmente superar padrões rígidos e emperrados de pensamentos, ações e sentimentos ansiosos. Isso envolve viver mais no momento presente, abandonar a preocupação em geral e aos poucos adotar uma atitude mais flexível, que ele chama de "vida livre de expectativa", ao longo do dia (Borkovec & Sharpless, 2004, p. 227). Aprender a detectar preocupações desnecessárias sobre o futuro e focar no momento presente ao longo do dia torna-se parte do estilo de vida e uma fonte de flexibilidade e resiliência psicológica geral.

Pontos de foco

Os pontos principais deste capítulo são:

- É perfeitamente natural adiar o pensamento sobre preocupações em certas ocasiões, por exemplo, quando se está tentando dormir ou meditar.

- Aprender a escolher quando pensar sobre as preocupações dará maior senso de flexibilidade e permitirá ficar mais sintonizado no momento presente.
- No início pode ser difícil reconhecer ou detectar a preocupação, mas ficará mais fácil com a prática se você mantiver um registro de automonitoramento; detectar a preocupação no começo facilita o adiamento para um horário específico.
- Não confunda adiamento da preocupação com supressão; você não deve deixar que o adiamento se transforme em esquiva experiencial.
- Apenas pensar sobre os problemas durante a hora da preocupação é o que basta para muita gente gerenciar a preocupação, embora você possa optar por uma resolução de problemas mais sistemática ou empregar outras estratégias de terapia, como exposição imaginária, relaxamento ou descatastrofização.

Próximo passo

No próximo capítulo, você vai aprender uma abordagem metodológica para a resolução de problemas que pode ser usada em vez da preocupação. Os pensamentos de resolução de problemas podem levar à esquiva experiencial quando você tenta dar jeito em pensamentos e sentimentos desagradáveis. Estratégias de mudança que funcionam no mundo externo podem dar errado quando aplicadas a experiências internas. Entretanto, é provável que algumas coisas com que você se preocupa sejam problemas práticos, no mundo real, e é melhor enfrentá-los com alguma forma de resolução de problemas.

LEITURA ADICIONAL

Leahy, R. L. (2005). *The Worry Cure: Stop Worrying & Start Living.*

10

Treinamento em resolução de problemas

Neste capítulo você vai aprender:

- Como avaliar e melhorar sua atitude e orientação geral na resolução de problemas.
- Como definir seus problemas e metas de forma objetiva e formulá-los de maneira que ajude a encontrar soluções.
- Como cogitar uma ampla variedade de soluções potenciais criativas, incluindo estratégias gerais e táticas específicas.
- Como avaliar as opções e tomar uma decisão sobre a melhor solução disponível.
- Como desenvolver um plano de ação e colocá-lo em prática de modo eficiente.

O importante não é tanto saber como resolver um problema, e sim saber como procurar uma solução.

— Skinner, *Beyond Freedom & Dignity*

A importância da resolução de problemas

O que é treinamento em resolução de problemas (TRP)?

A terapia ou treinamento em resolução de problemas (TRP) é o nome de uma metodologia específica desenvolvida pelos terapeutas comportamentais

D'Zurilla e Goldfried no início da década de 1970 para ajudar as pessoas a ter mais habilidade e confiança na solução de problemas da vida cotidiana e enfrentar eventos mais sérios (D'Zurilla & Goldfried, 1971). É uma abordagem simples, pragmática e voltada à ação que tem sido bastante usada como forma de lidar com o estresse na prevenção e terapia da depressão clínica, e ainda como componente importante do tratamento de ansiedade generalizada. Às vezes é usada como tratamento único, mas com frequência é integrada a outras terapias cognitivo-comportamentais. Ter uma atitude positiva a respeito da solução de problemas em geral e ser confiante e otimista no que tange ao processo provavelmente constitui parte importante da resiliência psicológica, ajudando a prevenir a ansiedade e a depressão.

A abordagem mais usada descreve a resolução de problemas em dois componentes principais:

1. ORIENTAÇÃO DO PROBLEMA: atitude positiva ou negativa em relação aos problemas da vida em geral, o que analisaremos a seguir.
2. ESTILO DE RESOLUÇÃO DE PROBLEMAS: inútil (denominado impulsivo/descuidado ou esquivo) ou útil (denominado racional).

Para fins de treinamento, a resolução de problemas racional e construtiva é, grosso modo, dividida em quatro habilidades e estágios básicos, que vamos explorar em mais detalhes a seguir:

1. DEFINIÇÃO E FORMULAÇÃO DO PROBLEMA: refere-se ao processo de resumir um problema de modo preciso e objetivo e realçar os principais obstáculos a superar para atingir metas específicas.
2. GERAÇÃO DE ALTERNATIVAS: o processo de elaborar uma ampla gama de soluções potenciais de forma criativa, isto é, identificar uma variedade de opções.
3. TOMADA DE DECISÃO: prever as prováveis consequências de diferentes soluções potenciais e avaliá-las o bastante antes de fazer uma escolha racional dentre elas ou chegar a uma combinação delas.

4. Implementação e verificação da solução: envolve colocar as medidas adequadas em ação e avaliar o resultado.

No mundo real, a resolução de problemas precisa ser flexível e adaptativa. Aprender a distinguir esses elementos e tentar melhorá-los pode ser útil, especialmente quando começamos a desenvolver uma atitude mais positiva na resolução de problemas. Entretanto, em algumas situações, você vai precisar tomar decisões súbitas e resolver problemas mais rápido, o que pode exigir também confiança crescente em sua capacidade de agir com mais espontaneidade. Em particular, tome cuidado para não deixar que a resolução de problemas caia em padrões rígidos e emperrados de pensamento. Tente conciliar o aprendizado de uma metodologia com a manutenção do senso de flexibilidade psicológica.

IDEIA-CHAVE: RESOLUÇÃO DE PROBLEMAS

E aí, o que queremos dizer com resolução de problemas? Bem, para usar a analogia de praxe, imagine a resolução de problemas como uma jornada ou como a tarefa de achar um caminho através dos labirintos da vida. O que denominamos "problema" é a posição de partida; assim, podemos chamar o destino de meta, de A B. "Soluções" referem-se a rotas possíveis através do labirinto, levando do ponto de partida (problema) ao destino (meta). Muitas vezes confundem-se soluções com metas; então, para deixar claro, soluções são meios de atingir a meta, os meios para os fins. Pode haver vários caminhos viáveis através de cada labirinto, ou, como diz o ditado, muitos caminhos levam a Roma. Em outras palavras, normalmente existe mais de uma solução potencial para um dado problema.

Também poderíamos incorporar a noção já discutida de valores. Valores referem-se à qualidade ou direção geral de nossas ações; portanto, aplicam-se a cada passo de nossa jornada, desde o início. Por exemplo, você poderia definir seu problema como *bullying* no trabalho; a meta seria ter o assunto investigado de forma adequada, os valores relevantes seriam agir com integridade e coragem, e as soluções possíveis poderiam ser falar primeiro com o chefe em caráter informal, escrever para o departamento de RH, mandar e-mail para a sua associação de classe etc. (Todos esses elementos normalmente seriam descritos em mais detalhes, é claro.)

A busca do viver valorizado, já discutida, muitas vezes levará de encontro a certas barreiras à ação. Você pode distingui-las entre:

1. Barreiras internas à ação, na forma de pensamentos e sentimentos como preocupação e ansiedade, podendo ser inútil tentar controlar ou evitar em vez de "desfundir" e aceitar.
2. Barreiras externas à ação, na forma de problemas práticos ou sociais a serem resolvidos, que podem ser superados com mais facilidade mediante planejamento ou ações racionais.

Quando ocorrem barreiras psicológicas internas, as estratégias de *mindfulness* e aceitação são a primeira coisa a ser considerada, em vez de tentar aplicar métodos de resolução de problemas que funcionam no mundo externo. Entretanto, quando problemas externos genuínos (práticos ou sociais) se tornam obstáculos às metas valorizadas, a resolução racional de problemas é mais adequada. Ela vai ajudar a planejar diferentes soluções práticas que vão permitir atingir as metas em conformidade com os valores pessoais.

Pesquisa e aplicações

A resolução de problemas tem sido usada em ampla variedade de populações e problemas, tanto na prevenção de questões de saúde mental como em terapia. Com frequência é usada para tratar a depressão, melhorar as habilidades de enfrentamento, lidar com situações estressantes, gerenciar crises e evitar recidiva em casos de vício. Recentemente, acumulou-se substancial corpo de evidências a partir de testes clínicos que mostram a eficiência da resolução de problemas no tratamento da depressão clínica

(Bell & D'Zurilla, 2009). Também é usada como componente importante no tratamento do transtorno de ansiedade generalizada (TAG). Entretanto, a resolução de problemas com frequência é entendida como um conjunto genérico de habilidades de enfrentamento de eventos estressantes de todos os tipos, o que a torna adequada à construção da resiliência geral.

Uma revisão recente (meta-análise) da pesquisa sobre treinamento em resolução de problemas (TRP) reuniu dados estatísticos de 31 estudos envolvendo um total de 2.895 participantes (Malouff, Thorsteinsson & Schutte, 2007). Os autores descobriram que na média o TRP foi substancialmente mais efetivo do que o placebo ou o tratamento usual em uma gama variada de grupos de clientes com problemas como depressão clínica, transtorno de conduta infantil, obesidade, alcoolismo, abuso de substâncias, dor nas costas e outros.

Resolução de problemas e resiliência

O treinamento em resolução de problemas é, portanto, uma estratégia de enfrentamento muito simples e flexível que pode ser usada em ampla gama de problemas práticos, o que faz dele um método ideal para a construção de resiliência. Pesquisas básicas no campo do estresse nas últimas décadas mostraram que a resolução de problemas planejada é um dos meios mais confiáveis de lidar com eventos desafiadores. Entretanto, as estratégias específicas exigidas para lidar com o estresse parecem variar de forma considerável de pessoa para pessoa e de situação para situação. Todavia, um dos pontos fortes do TRP é a flexibilidade. O TRP proporciona uma metodologia abrangente para o planejamento de estratégias mais específicas para o enfrentamento de problemas individuais.

Assim como a esquiva experiencial, o conceito de orientação negativa do problema descreve um conjunto de atitudes que parecem correlatas à ansiedade e depressão severas. É provável que, por outro lado, a orientação positiva do problema possa descrever um constructo semelhante à flexibilidade psicológica e resiliência. O treinamento em resolução de problemas, portanto, faz parte de várias formas de construção de resiliência, como a abordagem de terapia cognitivo-comportamental (TCC) de Neenan (Neenan, 2009, pp. 85–87) e o Programa de Resiliência Penn (PRP), de Seligman (Seligman, 1995, pp. 241–261). Um guia de autoajuda genérico intitulado *Solving Life's Problems* foi publicado pelas autoridades dessa área (Nezu, Nezu & D'Zurilla, 2007).

ESTUDO DE CASO

Resolução de problemas para o *bullying* no trabalho

Sarah estava sofrendo *bullying* no trabalho por parte de um colega que ela acreditava estar querendo o seu cargo. A situação poderia ser definida de várias formas, mas Sarah optou por resumir da seguinte maneira: ela tinha um problema de *bullying* no trabalho, queria que o comportamento do colega fosse investigado adequadamente, e o ideal era que a pessoa fosse demitida, mas tentativas anteriores de levantar o assunto com o chefe haviam sido ignoradas. Era um problema interpessoal e poderia ser abordado com o treinamento em assertividade, mas Sarah queria melhorar a confiança na capacidade de enfrentar situações de modo independente, e a resolução de problemas proporcionava uma abordagem mais flexível. Ela identificou uma série de estratégias e táticas possíveis, incluindo:

- Não fazer nada. Simplesmente tentar ignorar o problema, tentar ficar fora do caminho do autor do *bullying*.
- Falar diretamente com o chefe. Pedir para tratar do assunto no escritório, mandar uma carta, mandar um e-mail.
- Obter apoio: pedir a alguém para acompanhá-la como testemunha ao fazer a denúncia, buscar orientação com o representante sindical.
- Levar a queixa escalão acima: passar por cima do chefe e ir ao escritório regional.

Após avaliar as consequências dessas e de outras opções e classificá-las em termos de dificuldade e probabilidade de sucesso, Sarah decidiu que de início o melhor seria obter apoio de outro membro da equipe e com ele abordar o representante sindical antes de marcar uma reunião cara a cara com o chefe, com os outros presentes. Ela também escolheu esse plano de ação por ser coerente com seus valores em relação ao trabalho, pois integridade e assertividade eram características que ela queria exibir em suas ações.

Sarah planejou as etapas e entrou em ação, prestando particular atenção no primeiro passo, que envolvia mandar um e-mail para o representante de classe em busca de conselho. De fato, isso levantou alguns problemas não previstos, que se tornaram obstáculos, mas Sarah não se abateu e continuou a aplicar a abordagem de resolução de problemas até atingir a meta de ter o assunto investigado de modo adequado. Na sequência o autor do *bullying* se demitiu, e a situação de Sarah melhorou.

Avaliação de sua atitude na resolução de problemas

O próximo exercício, de análise da esfera do problema, vai ajudar a identificar metas específicas em diferentes aspectos da vida que você pode tentar abordar usando os exercícios de resolução de problemas.

AUTOAVALIAÇÃO: ANÁLISE DO DOMÍNIO DO PROBLEMA

Estas perguntas são usadas para ajudar a proporcionar uma visão geral dos problemas que você encara em diferentes áreas da vida. Elas vão ajudar a enfocar os domínios ou áreas da vida que parecem mais problemáticos e esclarecer o que você está tentando alcançar, os obstáculos que está encarando, o que está tentando fazer para resolver as coisas e o quanto você se preocupa a respeito delas.

SATISFAÇÃO E PROBLEMAS

O quanto você está satisfeito em cada domínio? (0–100%)

Por que não 100%? Que problemas específicos você está encarando?

1. Relacionamentos (filhos, família, parceiro, amigos)
2. Trabalho e estudo (carreira, desenvolvimento pessoal)
3. Cuidado pessoal (saúde mental e física e bem-estar geral)
4. Estilo de vida (atividades de lazer, finanças, rotina diária)
5. Outro (especificar)

VALORES, METAS E OBSTÁCULOS

No(s) domínio(s) em que está passando por mais problemas, tente responder as seguintes perguntas adicionais:

1. Valores – Quais os seus valores mais importantes nesse domínio? Que tipo de pessoa você quer ser nessa área da vida?
2. Metas – Que metas ou resultados específicos serviriam a seus valores em cada domínio? O que é o melhor que você espera alcançar?
3. Obstáculos – Que obstáculos ou barreiras à ação valorizada você encara? Por que ainda não atingiu suas metas?
4. Enfrentamento atual – O que você está tentando fazer para resolver o(s) problema(s)? O que você tentou no passado? Como funcionou? O quanto isso é coerente com seus valores nesse domínio?
5. Preocupações – O que você teme que possa dar errado nesse domínio? O que de pior poderia acontecer? Quanto tempo você gasta se preocupando com isso?

Atitude na resolução de problemas

Para resolver problemas desafiadores ou difíceis, é essencial adotar uma atitude ou mentalidade favorável ao longo do processo. De fato, existe certo motivo para acreditar que esse possa ser o fator mais influente na resolução de problemas. Em outras palavras, ter uma atitude favorável quanto à solução do problema pode torná-lo mais resiliente do que seguir etapas específicas. Contudo, é provável que exista uma relação circular entre atitude e habilidades, já que aprender uma abordagem metodológica pode melhorar sua confiança e otimismo, sua atitude na resolução dos problemas.

A orientação ou atitude na resolução de problemas é definida pelos pesquisadores em termos dos seguintes elementos-chave:

1. RECONHECIMENTO – Detectar os problemas cedo, reconhecê-los com precisão e tratá-los como pistas para começar sua resolução, em vez de ignorá-los ou desprezá-los.
2. ATRIBUIÇÃO – Identificar com precisão as causas específicas de um problema, as coisas que o mantêm no aqui e agora, em vez de culpar causas vagas (inclusive culpar a si mesmo e aos outros de modo inútil) ou focar demais nas origens históricas.
3. APRECIAÇÃO – Ver os problemas como desafios a serem enfrentados em vez de ameaças a serem evitadas, isto é, vê-los com calma, não em clima de catástrofe.
4. CONTROLE – Identificar com precisão os aspectos do problema que estão sob seu controle e ficar confiante quanto a encontrar uma solução com probabilidade de funcionar.
5. COMPROMETIMENTO – Julgar o tempo e o esforço requeridos de modo realista e estar disposto a se comprometer a agir em favor de suas metas e valores na hora certa, sem se apressar nem procrastinar.

Os psicólogos falam sobre orientação positiva ou negativa, ou seja, útil ou inútil geral, na solução de problemas. Vimos que a orientação negativa parece associada a questões de saúde mental, como ansiedade e depressão. A orientação positiva pode ser fator importante de resiliência psicológica. Também é válido comparar o conceito de orientação nos problemas com a discussão sobre preocupação produtiva e improdutiva do capítulo sobre o assunto. A preocupação inútil tende a se basear na orientação negativa nos problemas.

TENTE AGORA: AVALIAÇÃO DE SUA ATITUDE NA RESOLUÇÃO DE PROBLEMAS

Tente classificar sua atitude na resolução de problemas o mais honestamente possível nas questões abaixo (0–5).

1. Reconhecimento – O quanto você é bom em detectar problemas cedo e dar início a uma resposta racional de resolução do problema? (_/5)
2. Atribuição – Com que precisão você atribui os problemas a coisas específicas do momento que precisam ser mudadas? (_/5)
3. Apreciação – O quão realisticamente você avalia de antemão a relevância dos problemas para suas metas e valores pessoais e a probabilidade e severidade de quaisquer consequências danosas? (_/5)
4. Controle – O quão bem você avalia de antemão a sua capacidade de lidar com os problemas de modo eficiente? (_/5)
5. Comprometimento – Quão comprometido você está em investir tempo e esforço suficientes na solução de problemas? (_/5)

O que você poderia tentar fazer para aumentar todas as suas notas para que se aproximem do 5? Comece a agir agora, se possível. Se estiver empacado, talvez possa incorporar a melhora da orientação na solução de problemas à definição de um problema específico e usar as etapas a seguir para encontrar uma solução. (Poderíamos chamar isso de resolução de problemas ajustada.)

Metodologia da resolução de problemas

Definição dos problemas e metas

Qual o problema que você está tentando resolver? Quais os fatos? O que você pode esperar alcançar em termos realistas? Tendo adotado uma atitude favorável, o primeiro passo prático na resolução racional do problema será a definição e formulação do problema, descrevendo-o e identificando as causas.

IDEIA-CHAVE: DEFINIÇÃO E FORMULAÇÃO DO PROBLEMA

"Um problema bem definido está resolvido pela metade", disse o filósofo norte-americano John Dewey. É bastante comum as pessoas se debaterem porque não dedicaram tempo para formular problemas e metas de modo adequado, o que tende a causar confusão, erros ou procrastinação. Uma boa definição de problema é concisa, umas duas frases; atém-se aos fatos, usando linguagem descritiva concreta em vez de estimativas ou inferências. Formular um problema significa explicar como ele funciona: quais as causas atuais? Todavia, a palavra "causa" é ambígua. É provável que as origens históricas não importem tanto quanto o que mantém o seu problema neste momento. Que barreiras à ação (obstáculos) o impedem de atingir sua meta? Em outras palavras, o que o impediu de superar o problema até agora?

Um exemplo de definição de problema seria:

Tenho um ensaio de três mil palavras para escrever até o final da semana, mas considero difícil me concentrar em casa por causa do barulho dos meus filhos. Como posso terminar no prazo e tornar essa experiência um aprendizado mais agradável?

O que torna o seu problema "problemático"? Que barreiras à ação estão no caminho rumo à meta? A literatura sobre resolução de problemas identificou as seguintes categorias abrangentes de obstáculos:

- Complexidade do problema
- Metas ou valores conflitantes
- Falta de habilidades relevantes
- Incerteza e ambiguidade
- Angústia emocional, como ansiedade, depressão ou raiva

Quando pensamentos ou sentimentos são uma importante barreira (interna) à ação, em particular a angústia emocional, seria melhor considerar estratégias de aceitação e desfusão como as discutidas em capítulos anteriores.

LEMBRE-SE: NÃO USE A RESOLUÇÃO DE PROBLEMAS PARA A ESQUIVA EMOCIONAL

Foque na mudança do que está mais sob seu controle (geralmente as ações voluntárias) e na aceitação do que é difícil de controlar (como experiências subjetivas desagradáveis). Muitas vezes é melhor lidar com pensamentos e sentimentos automáticos usando estratégias de *mindfulness* e aceitação do que com tentativas de controlá-los. Em outras palavras, fique alerta para não tentar usar a resolução de problemas como outra forma impraticável de esquiva experiencial.

TENTE AGORA: DEFINIR PROBLEMAS E METAS

Ser conciso, específico, objetivo e realista é a chave. Se você está familiarizado com o conceito das metas SMART, já abordado neste livro, considere usar o método. Siga estes passos:

DECLARAÇÃO DO PROBLEMA

Descreva o problema em poucas frases, tentando ser tão específico e objetivo quanto possível, evitando quaisquer suposições, julgamento de valores ou linguagem emotiva.

DECLARAÇÃO DA META

Descreva brevemente a meta (de curto prazo), sendo tão específico e realista quanto possível, evitando resultados vagos ou idealistas. – "O que é o melhor que você pode esperar atingir em termos realistas?"

OBSTÁCULOS PREVISTOS

Liste os obstáculos, se houver, que você tem de superar para resolver o problema e atingir a meta. – "Por que ainda não atingiu a meta?"

Agora classifique o quanto a definição do problema é precisa e específica (0–100%). Se ficou abaixo de 100%, tente revisar a definição agora e a deixe mais satisfatória. Você poderia repetir o processo para chegar perto de 100%, se possível.

Elaboração de soluções alternativas

Quanto mais soluções alternativas você conseguir identificar, maior a probabilidade de identificar o melhor plano de ação. Além disso, existem razões para se acreditar que as pessoas que pensam de forma flexível e criativa e estejam cientes de uma variedade de perspectivas (opções diferentes) sejam propensas a experimentar menos estresse.

IDEIA-CHAVE: ELABORANDO SOLUÇÕES ALTERNATIVAS

Os três princípios básicos da produção eficiente de ideias foram assim definidos pelo psicólogo A. F. Osborn (Osborn, 1952):

1. QUANTIDADE – Tente gerar tantas soluções quantas você consiga imaginar.
2. VARIEDADE – Tente ser o mais criativo possível e não descartar nenhuma solução possível, por mais insatisfatória que de início possa parecer, pois mesmo ideias aparentemente fracas podem contribuir para a procura criativa de soluções, alimentando o processo e desencadeando ideias melhores.
3. SUSPENSÃO DO JULGAMENTO – Continue a listar as opções e não pare para avaliá-las até ter concluído a lista inicial, pois a análise pode provocar digressão.

Um aviso: algumas pessoas que produzem um número elevado de soluções irrelevantes podem acabar se sentindo pior. Não deixe que a sua produção de ideias saia excessivamente dos trilhos caso isso não pareça ajudar o processo criativo.

ESTRATÉGIAS GERAIS E TÁTICAS ESPECÍFICAS

Tendo esgotado as ideias iniciais, caso tenha tempo para entrar em mais detalhes, às vezes é útil revisar a lista de soluções e expandi-la mediante uma distinção básica entre estratégias gerais e táticas específicas. É provável que a lista inicial seja uma mistura de soluções de diferentes níveis, algumas bastante específicas, outras mais gerais. As estratégias gerais são uma espécie de tópico genérico, por exemplo, "obter ajuda de outras pessoas", "dividir em segmentos", "fazer preparativos iniciais". É proveitoso considerar o amplo espectro de estratégias possíveis, a fim de não negligenciar alguma abordagem nesse estágio. Por exemplo, uma estratégia geral como "não fazer nada" deve ser considerada em quase qualquer problema, pelo menos para ser comparada a outras opções. Muitas vezes as pessoas ignoram isso, mas, em alguns casos, não fazer nada de fato pode se revelar a opção mais sensata!

As táticas, por outro lado, são exemplos específicos de como se poderia proceder na implementação de diferentes estratégias gerais. Por exemplo, se o seu problema fosse ter comprado uma máquina de lavar usada e não conseguir conectá-la ao encanamento, estratégias como obter a ajuda de outros poderiam ser tratadas como um tópico amplo no qual seria possível listar soluções mais específicas: "telefonar para meu pai", "mandar e-mail para algum especialista da internet", "perguntar para a pessoa de quem comprei", "ligar para o fabricante".

TENTE AGORA: PRODUÇÃO DE SOLUÇÕES ALTERNATIVAS

Faça uma lista de todas as soluções possíveis que você acha que poderiam ajudar a resolver seu problema e atingir a meta. Não se distraia com análise e avaliação, suspenda isso até mais tarde. Apenas coloque todas as opções no papel. Seja criativo e tenha como objetivo produzir a lista mais variada e abrangente possível. Não exclua nada nesse estágio, nem mesmo ideias aparentemente tolas. Não pare para analisar ou divagar, apenas faça uma lista tão exaustiva quanto possível. Todas as ideias podem ajudar no processo criativo, e você pode cortar as nitidamente inúteis mais tarde.

Quando tiver esgotado as ideias criativas para possíveis soluções, revise e aprimore a lista. É provável que algumas das coisas que você listou sejam estratégias gerais e outras estejam no nível das táticas específicas. Você pode distingui-las fazendo primeiro uma lista das estratégias gerais que identificou. Veja também as táticas específicas que você cogitou e analise se poderiam ser agrupadas sob um tópico amplo, talvez alguma estratégia geral que você não tenha anotado. Aproveite a oportunidade para examinar se não há outras estratégias gerais que você esteja negligenciando.

A seguir, use cada uma das estratégias gerais como título e liste abaixo delas todas as táticas específicas possíveis, recorrendo à lista inicial de soluções e tentando também produzir exemplos (táticas) mais específicos para cada tópico (estratégia).

Caso você tenha dificuldade para produzir ideias, existem várias técnicas de mudança criativa de perspectiva e estratégias de solução genérica que se pode utilizar para gerar mais soluções potenciais. Olhar para as coisas sob diferentes ângulos pode ajudar a deflagrar novas ideias. Faça perguntas deste tipo para si mesmo:

- O que funcionou no passado?
- O que você nunca tentou?
- O que você aconselharia outra pessoa a fazer caso ela encarasse o mesmo problema?
- O que outras pessoas fariam e poderia funcionar?
- O que um especialista lhe diria para fazer?
- O que você faria se fosse mais confiante, sábio ou criativo?

  Talvez o mais importante, dado o que vimos anteriormente a respeito de viver valorizado, seja: o que você faria se fosse agir de modo mais coerente com seus valores pessoais mais importantes? Se ainda precisar de inspiração, considere as seguintes estratégias gerais:

- Pare de tentar e não faça nada.
- Continue fazendo o que já está fazendo.
- Obtenha ajuda de outros.
- Divida a tarefa em partes.
- Simplifique as coisas ou apenas foque no primeiro passo.
- Prepare-se com planejamento ou ensaio.
- Melhore os recursos obtendo materiais, adquirindo habilidades ou buscando informação.

- Espere um pouco, comece imediatamente ou selecione uma hora e local adequado para a ação.
- Caso seja apropriado, use as estratégias de aceitação e *mindfulness*, ou outras deste livro, para lidar com as barreiras internas à ação constituídas por pensamentos e sentimentos interferentes.

LEMBRE-SE: CRIATIVIDADE E FLEXIBILIDADE FORTALECEM A RESILIÊNCIA

Se você estiver tentado a tomar atalhos, lembre-se de que esse processo apresenta benefícios ocultos; por exemplo, o pensamento flexível costuma proteger contra emoções negativas como ansiedade e depressão. Quando as pessoas sentem que têm várias opções, o que os psicólogos chamam de amplo repertório de estratégias de enfrentamento, tendem a se sentir mais confiantes e experimentar menos estresse. Na literatura sobre estresse, isso é chamado de melhorar a apreciação da capacidade de enfrentamento (Lazarus, 1999).

Assim, veja esse processo como um treinamento inicial em produção de alternativas e dedique mais tempo a ele. Em algumas situações, seria adequado abreviar o processo; de qualquer modo, com o tempo você ficará mais rápido ao fazer isso. Lembre-se também de considerar o quanto suas metas são coerentes com seus valores mais importantes, conforme já discutido.

Tomada de decisão

É óbvio que é importante selecionar a melhor solução, embora seja raro haver uma solução perfeita para problemas difíceis ou de longa data. Aprender a aceitar certo grau de risco ou incerteza muitas vezes faz parte do processo. A tomada de decisão normalmente envolve:

1. Escolher entre opções mutuamente excludentes da lista de soluções.
2. Fundir diversas soluções complementares em um plano de ação único e coerente.

Avaliar soluções pode ser um processo demorado, e atalhos são aplicados quando adequado. Contudo, veja isso como uma oportunidade de desenvolver suas habilidades mediante o treinamento. Comece examinado as etapas em todos os detalhes que pareçam adequados e mais adiante abrevie as coisas, como no caso de outras técnicas, de modo que possa tomar decisões construtivas com mais rapidez em uma variedade de situações do mundo real.

IDEIA-CHAVE: TOMADA DE DECISÃO E PREVISÃO DE CONSEQUÊNCIAS

A tomada de decisão é em si uma ciência. As pessoas usam diferentes métodos para tomar decisões, de cálculos racionais cuidadosos baseados na previsão das consequências a decisões abruptas, rápidas e espontâneas. Existem muitas formas diferentes de avaliar e escolher opções, mas um dos métodos mais comuns é simplesmente classificar todas as soluções principais em termos da facilidade com que podem ser colocadas em prática (o quanto são exequíveis) e de probabilidade de resolver de fato o problema e atingir a meta (o quanto vão funcionar). Se você tem interesse no viver valorizado, é provável que deseje acrescentar outro critério importante: o quanto cada solução é coerente com seus valores mais importantes naquele âmbito.

Quando adequado, é possível entrar em muito mais detalhes, por exemplo, avaliando os prós e contras em curto e longo prazo de cada solução proposta ou considerando as consequências pessoais e sociais. O mais importante é você ficar satisfeito por usar critérios que pareçam adequados ao propósito.

TENTE AGORA: TOMAR A DECISÃO

Para poupar tempo, você pode fazer uma triagem rudimentar inicial e simplesmente deletar da lista quaisquer soluções que não tenha certeza de que vale a pena avaliar melhor. Tendo feito um resumo das melhores opções, você deve avaliá-las sob os seguintes critérios, usando a tabela abaixo.

1. Facilidade de implementação – O quanto você está confiante em que possa realmente colocar a solução em prática?
2. Efetividade – Presumindo que você tenha posto a solução em prática de forma satisfatória, qual a probabilidade de que vá funcionar, ou seja, resolver o problema e atingir a meta?
3. Coerência com os valores – O quanto a solução é coerente com seus valores mais importantes nesse setor?
4. Conclusão geral – Baseado nessas considerações, classifique sua satisfação geral com a solução proposta em uma escala de 0–100% ou, se quiser ser rápido, apenas dê uma nota de 1 a 3 estrelas.

Se tiver tempo, você pode considerar também os prós e contras (vantagens e desvantagens) mais amplos de cada solução proposta em curto e longo prazo. Pode ainda considerar as consequências pessoais e sociais de suas ações, em especial os problemas interpessoais. Ao avaliar a lista inicial de soluções, você pode chegar a novas ideias que pode acrescentar à lista e avaliar.

Por fim, tome uma decisão sobre a melhor solução geral ou combinação de soluções e se prepare para formular um plano de ação. (Observe que a produção de soluções específicas que você tenha confiança em usar e que espere ter o resultado desejado vai ajudar a melhorar esses aspectos da sua atitude geral na resolução de problemas.)

SOLUÇÃO	FACILIDADE	EFETIVIDADE	VALORES	GERAL

LEMBRE-SE: NÃO SACRIFIQUE SEUS VALORES

É importante prever as consequências das ações com exatidão e avaliá-las de forma adequada, usando critérios que pareçam pertinentes ao propósito. Se você quer aumentar o viver valorizado, deve considerar cuidadosamente se as metas e também as soluções propostas servem a seus valores. Em alguns casos, você poderá escolher uma solução mais difícil e de menor efetividade potencial, por ser mais coerente com seus valores pessoais.

Por exemplo, colar poderia ser uma forma mais fácil de passar em um teste se você não fosse flagrado, mas também seria incoerente com o valor que você dá a coisas como honestidade, integridade e até amor pelo aprendizado. Só você pode escolher seus valores pessoais e decidir o quanto quer ser coerente com eles.

Colocar a solução em ação

Um plano que não é colocado em ação não vale o papel onde foi escrito. (Ainda que, dito isso, às vezes possa ser razoável planejar não fazer nada ou reduzir alguma atividade.) Um dos maiores erros que você pode cometer é gastar tempo planejando a melhor solução e fracassar na reta final, deixando de pôr em prática na hora certa, por se apressar ou procrastinar.

IDEIA-CHAVE: IMPLEMENTAÇÃO E VERIFICAÇÃO DA SOLUÇÃO

Implementação da solução é apenas um jeito bonito de dizer colocar em prática o plano de ação. Verificação refere-se apenas a conferir como funcionou e o que fazer a seguir.

Em muitos casos, esse é o estágio mais importante da resolução de problemas. Vimos antes que estilos ruins de resolução de problemas são rotulados como impulsivos/descuidados ou esquivos. No estágio final, ficará mais evidente se você estiver apressando as coisas de forma descuidada ou se esquivando, procrastinando e adiando. Se pulou etapas para chegar a esse estágio, será que está cometendo o erro de se apressar e chegar a decisões de forma impulsiva ou descuidada? Se, no fim das contas, você fracassou em colocar os planos em ação, será que está procrastinando e exibindo uma atitude de esquiva na resolução do problema?

Em termos ideais, agora você deve agir na hora certa e estar preparado para se comprometer de novo com a resolução do problema e com a ação valorizada se não atingir a meta. Se de início não tiver êxito, tente de novo e de novo. Se existe uma solução, você só pode fracassar se desistir prematuramente.

TENTE AGORA: PLANEJAR AÇÕES ATENDENDO AS METAS VALORIZADAS

Escreva um plano de ação baseado na avaliação das soluções propostas. Use os seguintes critérios como orientação e complete a tabela abaixo se ajudar:

1. Seja o mais específico possível sobre os diferentes passos exigidos.
2. Seja particularmente claro sobre qual será o primeiro passo e quando você vai dá-lo.
3. Seja claro sobre o último passo necessário para completar o plano e como você vai avaliar o resultado, isto é, o quanto funcionou em termos de atingir a meta e o quanto você foi coerente com seus valores relevantes.
4. Considere quais barreiras à ação você pode encontrar caso siga o plano de ação e inclua um plano B ou de contingência (reserva), se necessário – o que você vai realmente fazer se a melhor solução não sair conforme o planejado?
5. Especifique no plano como vai se certificar de se comprometer com a ação e seguir todos os passos (ou o plano de reserva) decididamente até o fim.
6. Agora faça! Coloque o plano em ação, avalie o resultado e decida o que fazer a seguir.

REGISTRO DA IMPLEMENTAÇÃO DA SOLUÇÃO		
Plano de ação		
ÍNDICES PREVISTOS (ANTES)		
Facilidade (%)	Efetividade (%)	Coerência com valores (%)
ÍNDICES REAIS (DEPOIS)		
Facilidade (%)	Efetividade (%)	Coerência com valores (%)
PRÓXIMOS PASSOS		

LEMBRE-SE: COMPROMISSO COM O VIVER VALORIZADO, NÃO "PERDER O NOME DE AÇÃO"

Por fim, concluído o plano de ação, considere o que aprendeu com o resultado e todo o processo da resolução do problema. Conceda elogios e recompensas a si mesmo não pelos resultados, mas pelo compromisso com a ação de acordo com seus valores, a despeito do desfecho. Se o seu plano de ação não resolveu o problema nem atingiu a meta dessa vez, tudo bem, volte para a prancheta e recicle as coisas, repassando as etapas, levando em conta o que você aprendeu com o resultado da primeira tentativa. Se o seu compromisso falhou, não desista; resiliência significa estar preparado para se compromissar novamente com as ações e metas valorizadas vez após vez, reerguendo-se e tentando de novo.

Manter a resiliência com a resolução de problemas

Volte às perguntas no início deste capítulo uma semana ou duas depois de lapidar suas habilidades na resolução de problemas e reclassifique sua atitude a esse respeito. Considere meios com que possa melhorar ainda mais suas habilidades e confiança. Segue aqui uma lista de armadilhas comuns que devem ser abordadas:

1. Não definir o problema de modo adequado, em especial a meta específica a ser atingida.
2. Confundir soluções e metas, por exemplo, se a sua "meta" é apenas uma entre várias maneiras de atingir uma meta maior.
3. Não prever grandes barreiras à ação, internas e externas.
4. Falhar em "desfundir" e aceitar barreiras internas à ação, isto é, pensamentos e sentimentos interferentes, enquanto age.
5. Permitir digressões durante a produção de ideias, avaliando ou analisando suas sugestões.
6. Não executar o cerne do seu plano de ação, em especial os primeiros passos.
7. Não ter um plano reserva preparado para o caso de sua solução principal chegar a um impasse.
8. Definir metas e planos de ação não coerentes o bastante com seus valores mais importantes.

Você deve ter por meta a flexibilidade na resolução de problemas em diferentes situações, aprendendo particularmente a resumir as habilidades, resolvendo problemas em tempo real quando apropriado, de modo mais rápido e espontâneo. Enquanto desenvolve essa habilidade, poderia ser útil escrever instruções para si mesmo em um cartãozinho ou bilhete adesivo, assim:

CARTÃO PARA A RESOLUÇÃO RÁPIDA DE PROBLEMAS

1. PROBLEMA – Qual é o problema específico? Qual é a meta específica? Que obstáculos você encara?
2. PRODUÇÃO DE IDEIAS – Que opções você tem? Em quantas soluções possíveis consegue pensar?
3. DECISÃO – Quais são as principais consequências de cada solução? Qual você acha melhor?
4. AÇÃO – O que especificamente você vai fazer? Quando? Agora faça! O que você aprendeu? O que vem a seguir?

Pontos de foco

Os pontos principais deste capítulo são:

- A resolução de problemas é uma abordagem metodológica consagrada, uma forma de terapia cognitivo-comportamental que as pesquisas mostraram ser eficiente para uma ampla gama de casos.
- O elemento mais importante parece ser a orientação ou atitude na resolução de problemas, que pode ser dividida em elementos-chave e melhorada com a prática.
- O processo de resolver problemas pode ser dividido em quatro estágios-chave, que requerem diferentes habilidades.
- É útil praticar de modo lento e sistemático no início, mas também prever que em algum momento vai ser preciso abreviar as coisas e tomar decisões instantâneas ao resolver problemas em tempo real durante situações estressantes.

Próximo passo

A resolução de problemas, assim como o viver valorizado, muitas vezes é vista como uma forma de planejamento de ação. Entretanto, não proporciona orientação específica em habilidades de enfrentamento individuais. Os problemas interpessoais estão entre as fontes mais comuns de preocupação; por outro lado, existe uma correlação consistente entre relacionamentos sociais saudáveis e resiliência psicológica. No próximo capítulo, você vai aprender algumas estratégias adicionais de enfrentamento, habilidades sociais para situações interpessoais, inclusive estratégias de assertividade.

LEITURA ADICIONAL

Nezu, A. M., Nezu, C. M & D'Zurilla, T. J. (2007). *Solving Life's Problem: A 5-Step Guide to Enhanced Well-Being.*

11

Assertividade e habilidades sociais

Neste capítulo você vai aprender:

- Sobre assertividade e outras habilidades sociais como estratégias de comunicação efetivas.
- O importante papel desempenhado por conceitos como direitos e valores pessoais no pensamento sobre nossas interações sociais.
- Uma amostra de estratégias sociais básicas, como a técnica do disco quebrado, do nevoeiro, e estilos ativos e construtivos de comunicação.
- A importância das habilidades sociais no desenvolvimento de relacionamentos saudáveis e do apoio social como base da resiliência em longo prazo.

Para mudar a forma como uma pessoa sente e pensa a respeito de si mesma devemos mudar a forma como ela age em relação aos outros.

— Andrew Salter, *Conditioned Reflex Therapy*, 1949

A importância das habilidades sociais

O que são habilidades sociais?

Os terapeutas comportamentais começaram a desenvolver métodos de treinamento em assertividade na década de 1950, seguindo o trabalho inicial de Andrew Salter, que muitos veem como o pioneiro nesse campo.

Com o tempo, a ênfase expandiu-se além da assertividade convencional para incluir uma gama muito mais ampla de habilidades sociais consideradas importantes para o funcionamento saudável dos relacionamentos. Entretanto, por habilidades sociais nos referimos a competência em amplo espectro de estratégias verbais e não verbais usadas na interação com outras pessoas. Podemos definir assertividade, a habilidade social normalmente mais enfatizada, assim:

> Assertividade é a capacidade de exercer e defender seus direitos pessoais e expressar suas necessidades, opiniões e sentimentos de modo efetivo e adequado. Significa também fazer isso de acordo com seus valores pessoais, ao mesmo tempo respeitando os direitos dos outros, sem ser indevidamente inibido por preocupação ou ansiedade.

É relativamente fácil aprender habilidades sociais; assim como aprender a andar de bicicleta ou dirigir um carro, só requer prática. Você pode planejar por escrito exemplos específicos do que dizer e fazer, ensaiar estratégias em reação a situações imaginadas e testar na realidade.

IDEIA-CHAVE: O QUE É ASSERTIVIDADE?

Assertividade foi a primeira forma de habilidade social a ser amplamente estudada por psicólogos. É provável também que seja a mais importante, ou pelo menos a mais popular, a ser desenvolvida. De início foi explicada como sendo uma alternativa mais construtiva aos estilos agressivo e passivo (ou submisso) de comunicação, situando-se talvez em algum ponto entre os dois. Mais adiante foi distinguida do estilo passivo-agressivo, no qual a hostilidade é negada ou escondida e se manifesta apenas de modo indireto, por meio de formas sutis de ataque.

Podemos distinguir quatro estilos de reação a situações sociais desafiadoras:

1. AGRESSIVO – As opiniões são expressas sem empatia ou consideração pelos direitos dos outros, muitas vezes alimentadas por sentimentos de raiva.
2. PASSIVO (SUBMISSO) – As necessidades e direitos pessoais são negligenciados; muitas vezes está ligado a sentimentos ansiosos ou deprimidos.
3. PASSIVO-AGRESSIVO – Uma fachada superficial de passividade esconde a agressão subjacente e indireta.
4. ASSERTIVO – Os direitos e necessidades pessoais são expressos de modo confiante e efetivo, de acordo com os valores pessoais e com empatia e respeito pelos direitos dos outros.

Pesquisa e aplicações

O treinamento em assertividade atingiu o pico de popularidade no final da década de 1970. Ainda é empregado hoje, mas normalmente combinado com outras formas de terapia psicológica, em especial a TCC, em vez de ser usado como abordagem única. Em parte, porque se verificou que as habilidades sociais exigidas dos indivíduos tendem a variar entre diferentes grupos com diferentes problemas. Além disso, muitos indivíduos que parecem carecer de competência social apenas são inibidos por pensamentos e sentimentos, tais como ansiedade social ou baixa autoestima, e não é que de fato careçam de habilidades específicas.

Entretanto, pode haver um relacionamento circular entre problemas emocionais e sociais, e o treinamento em assertividade foi empregado, por exemplo, para tratar a depressão e a fobia social. Em particular, existe certa evidência de que problemas interpessoais podem levar a sentimentos de depressão, o que por sua vez acarreta mais dificuldade interpessoal, criando um círculo vicioso interpessoal, culminando no início de um episódio depressivo mais severo (Beck & Alford, 2009, p. 305). O treinamento em habilidades sociais, portanto, tem sido empregado no tratamento de depressão clínica, bem como no transtorno de ansiedade social e problemas interpessoais moderados (subclínicos).

Habilidades sociais e resiliência

As pesquisas sobre resiliência apontam com firmeza para a importância de se ter à mão fontes apropriadas de apoio social, tais como apoio emocional e encorajamento de amigos e familiares. Por outro lado, os estudos mostram que os tópicos mais comuns de preocupação dos preocupados crônicos são as questões interpessoais. Da perspectiva individual, portanto, vale a pena considerar como melhorar a qualidade dos relacionamentos para aumentar a resiliência em longo prazo.

Contudo, em um nível mais geral, primeiro pode ser útil esclarecer quais são os valores mais importantes em termos de relacionamento, estabelecer metas e se comprometer a agir de acordo com os valores. Ser o tipo de pessoa que você valoriza em termos de relacionamento pode ser mais importante para o bem-estar no longo prazo do que o sucesso em atingir metas sociais, isto é, conseguir que as pessoas reajam da forma que você quer. Melhorar as habilidades sociais e fortalecer relacionamentos saudáveis, portanto, tende a proporcionar recursos que ajudarão na resiliência diante de adversidades futuras.

ESTUDO DE CASO

Assertividade em quatro etapas

Charlotte passava por dificuldades no relacionamento com o marido, que estava sendo bastante agressivo e intimidante. Eles ainda viviam na mesma casa, mas estavam em processo de separação após ele ter dormido com outra mulher. Tinham três filhos, um deles ainda na escola e morando com eles. Charlotte simplesmente queria sentir que estava sendo mais assertiva no relacionamento e não se deixar levar por ameaças, embora houvéssemos concordado que para ela o melhor era evitar discussões excessivas. Ela queria encontrar sua voz e readquirir o senso de autorrespeito. Embora estivesse ciente de que o marido provavelmente fosse fincar pé e se recusar a atender alguns de seus pedidos, ela sabia que era importante tentar exibir assertividade no relacionamento.

Antes de mais nada, fizemos uma lista das conversas que ela considerava difíceis e escolhemos as discordâncias sobre as tarefas domésticas como o primeiro problema a ser encarado. Charlotte elaborou uma lista de diferentes coisas que poderia dizer na conversa, aprimoramos os tópicos e escolhemos a melhor opção. A seguir ensaiamos a conversa juntos, encenando os papéis; Charlotte encaixou sua reação no formato de quatro etapas apresentado a seguir. De início parece um pouco artificial, mas com a prática logo ficou mais fluido e também assertivo.

Charlotte disse: "Veja, o fato é que essa tarefa tem de ser feita, e você havia concordado em cuidar dela; entendo que de momento você não disponha de muito tempo, contudo, estou bastante zangada por você não ter feito nada a respeito e acho que tenho o direito de pedir que ao menos comece, mesmo que tenha que terminar mais adiante". Para a surpresa de Charlotte, o marido pela primeira vez reagiu tratando da tarefa sem discussão. Ela ficou muito empolgada com a técnica e começou até a ensiná-la para outras pessoas!

Avaliação dos seus relacionamentos

AUTOAVALIAÇÃO: DESAFIOS NOS RELACIONAMENTOS

Para começar, use a tabela abaixo e classifique o quanto está satisfeito com seus relacionamentos em cada um destes aspectos amplos (0–100%).

1. Relacionamento íntimo com o cônjuge ou parceiro.

2. Relacionamento com seus filhos ou com crianças de que cuida.
3. Relacionamento com seus pais e padrastos.
4. Outros parentes, como avós e irmãos.
5. Amigos e outros relacionamentos sociais.
6. Relacionamentos no trabalho, nos estudos etc.

A seguir tente identificar que problemas o impedem de ficar mais satisfeito. Considere também quais os seus valores mais relevantes nos diferentes relacionamentos e que tipo de pessoa você quer ser. Faça uma lista das metas que resolveriam seus problemas e seja o mais coerente possível com seus valores. Por fim, pergunte-se o que poderia fazer ou dizer para atingir as metas e anote essas estratégias ou soluções iniciais.

Essas informações vão proporcionar exemplos importantes a ter em mente ao ler as seções a seguir. Você deve revisar a lista de estratégias de solução ao concluir a leitura deste capítulo, pois é provável que descubra outras opções possíveis.

RELACIONAMENTO	PROBLEMAS	VALORES	METAS	ESTRATÉGIAS
Satisfação com cônjuge/parceiro (__%)				
Satisfação com filhos (__%)				
Satisfação com pais (__%)				
Satisfação com outros parentes (__%)				
Satisfação com amigos (__%)				
Satisfação no trabalho (__%)				

Valores e direitos pessoais

Ao planejar como agir de modo diferente, pode ser útil levar em consideração seus valores pessoais referentes a relações sociais. Pensar em termos de valores pessoais pode ajudar de duas maneiras na resolução de problemas em geral.

1. Considerar o que você faria de diferente caso agisse de modo mais consistente com seus valores relevantes pode ajudar a elaborar novas sugestões. Por exemplo, o que uma pessoa mais empática ou um bom amigo faria nessa situação?
2. Considerar quais estratégias seriam mais coerentes com os seus valores nas situações sociais pode ajudar a escolher entre diferentes formas de reagir. Por exemplo, esse curso de ação seria coerente com o valor que atribuo a ser mais empático?

Com o tempo, foi introduzida a ênfase no conceito de direitos pessoais no treinamento da assertividade. Em vez de pensar em termos de demandas rígidas colocadas sobre si mesmo ("não devo mostrar que estou aborrecido") ou outras pessoas ("as pessoas devem mostrar respeito por mim"), pode ser mais útil pensar em termos dos direitos básicos que você e os outros têm em comum. Por exemplo, talvez você e os outros tenham:

- O direito de expressar opiniões.
- O direito de cometer erros.
- O direito de mudar de ideia.
- O direito de expressar discordância.
- O direito de manifestar objeção a alguma coisa.
- O direito de recusar pedidos.
- O direito de pedir ajuda.

Claro que é você que deve considerar quais direitos cabem a si mesmo e aos outros em situações gerais e específicas. Muitas vezes é importante considerar como equilibrar diversos direitos, por exemplo, o seu direito de expressar sua opinião e o direito do outro de ser tratado com respeito. O mais importante para nossa discussão aqui é: você tem o direito básico de se afirmar de modo adequado, assim como todos os outros.

IDEIA-CHAVE: EQUILIBRAR DIREITOS EM SITUAÇÕES SOCIAIS

Selecione um dos relacionamentos desafiadores que você examinou. Pense em uma situação interpessoal específica que esteja causando dificuldade. Faça uma lista dos direitos que você acredita que lhe cabem na situação.

Faça uma lista dos principais direitos que você acredita caberem aos demais envolvidos na situação.

As listas são idênticas? Caso não sejam, por quê? Você está aplicando parâmetros diferentes ao atribuir direitos a diferentes pessoas? O que aconteceria se as listas fossem mais simétricas, presumindo-se que a maior parte dos direitos pessoais nessa situação são mútuos e se aplicam igualmente a todas as partes? Por exemplo, se você acredita que tem o direito de ser tratado com respeito, também estende o mesmo direito aos outros na prática?

Se você revisou a lista dos direitos, descreva brevemente como o respeito aos seus direitos e aos das outras pessoas o levaria a agir de modo diferente na situação considerada.

Quais você prevê que seriam as consequências mais prováveis caso abordasse a situação com mais atenção ao equilíbrio dos direitos de todos os envolvidos?

Avaliação de suas habilidades sociais

Agora que você considerou alguns problemas possíveis nos relacionamentos e o papel dos valores e direitos pessoais, é hora de olhar o seu atual estilo de enfrentamento. Como estão funcionando as suas habilidades e estratégias sociais? É bom começar a monitorar suas habilidades sociais e avaliá-las coletando as seguintes informações:

1. A data e horário em que ocorreu uma situação social desafiadora.
2. Qual foi a situação e quem estava presente.
3. Tentar anotar de antemão a meta específica para a situação: qual a melhor reação que você pode esperar obter em termos realistas?
4. Depois, registrar a estratégia, o que você de fato fez e disse, e avaliar como foi (0–100%), isto é, o nível de habilidade social exibido.
5. Por fim, fazer um resumo do resultado, o que de fato aconteceu, como a outra pessoa reagiu, e avaliar o quanto você está satisfeito (0–100%) no que se refere à meta específica.

Você pode usar o formulário em colunas a seguir para registrar as situações-chave em que lida com outras pessoas, de preferência diariamente.

O principal é registrar as informações que você considera úteis para rastrear seu progresso e aprender com as experiências. Reserve tempo para revisar as anotações com cuidado após registrar uns 6–7 acontecimentos. Você observa algum padrão? Suas metas são realistas e relevantes para seus valores fundamentais nessa esfera da vida? Algumas estratégias são melhores que outras? Como você pode melhorar sua habilidade?

REGISTRO DE ASSERTIVIDADE E HABILIDADES SOCIAIS			
Data/ horário/ situação	**Meta (específica, realista)**	**Avaliação da estratégia e da habilidade (%)**	**Resultado e satisfação (%)**

O resultado não está inteiramente sob o seu controle; por isso, é preciso aceitar que às vezes você vai agir com habilidade social e usar as estratégias apropriadas, mas ainda assim não vai obter a resposta que esperava dos outros. Do mesmo modo, às vezes você pode simplesmente ter sorte e atingir a meta ou algum outro resultado satisfatório exibindo habilidades e estratégias bastante fracas. Não se deixe enganar por essas coisas. Olhe o panorama mais amplo: você não pode presumir que vai ser sempre uma questão de ter sorte ou azar. É melhor desenvolver estratégias e habilidades adequadas mesmo que não garantam que você vai atingir suas metas em todas as ocasiões. Com isso em mente, pergunte-se o que pode aprender com cada episódio e o que poderia experimentar fazer de diferente da próxima vez.

Tendo avaliado uma amostra de suas estratégias sociais, você ficará em melhores condições de começar a experimentar novas. Podem ser soluções de sua autoria ou habilidades sociais mais padronizadas, como o método de assertividade de quatro etapas descrito anteriormente. Avalie da mesma maneira, usando o formulário acima, em especial para acompanhar o aumento do seu nível de habilidade com a prática. Se parecer difícil agir da maneira que você gostaria porque pensamentos ou sentimentos inúteis obstaculizam suas habilidades sociais, volte às estratégias de *mindfulness* e aceitação discutidas nos capítulos anteriores para lidar com barreiras externas à ação.

LEMBRE-SE: A ASSERTIVIDADE NÃO É AGRESSIVA

Pessoas não familiarizadas com o assunto muitas vezes confundem assertividade com o estilo de reação agressiva. Assertividade é tipicamente definida como uma forma de autoexpressão adaptativa; portanto, não faz sentido dizer que alguém é "por demais assertivo". As pessoas que anunciam com demasiado entusiasmo "Oh, não tenho nenhum problema em ser assertivo; talvez seja até assertivo demais!" na verdade costumam ser bastante agressivas, dominadoras ou indelicadas; portanto, lamentavelmente não assertivas e desprovidas de habilidades sociais básicas.

Aprendizado de habilidades sociais

Um cardápio de habilidades sociais

Segue aqui um breve esboço de algumas estratégias derivadas do treinamento em assertividade e outras abordagens de habilidades sociais. Esta lista não é de modo algum completa, mas fornece algumas estratégias para você começar a experimentar. Selecione uma por vez e tente usar com a maior frequência possível (mas sem excessos) por uma ou duas semanas, até ficar bem familiarizado.

O DISCO QUEBRADO

O disco quebrado é uma das estratégias mais básicas de assertividade e proporciona um bom ponto de partida que leva naturalmente à maioria das outras técnicas descritas abaixo. Envolve repetir seu ponto de vista com calma e paciência, quantas vezes forem necessárias, como o proverbial disco quebrado, sem ser arrastado para discussões ou temas secundários. Se não conseguir no começo, tente de novo várias vezes. Afirmar o que se quer com persistência, sem aceitar um não como resposta, pode exigir coragem e perseverança.

A: Não estou satisfeito, pode devolver o meu dinheiro?

B: Ninguém mais reclamou.

A: Pode ser, mas não estou satisfeito, pode devolver o meu dinheiro?

B: Terei que falar com o gerente.

A: Muito bem, vá e fale com quem quiser, mas não sairei daqui até receber o meu dinheiro de volta.

Situações difíceis muitas vezes exigem persistência, e indivíduos não assertivos costumam desistir muito cedo ou então ficar frustrados, raivosos ou irritados. A estratégia do disco quebrado envolve ficar firme na sua posição até obter uma resposta, sem ficar atolado na discussão dos seus motivos e sem ter que se justificar de forma desnecessária. Você consegue se recusar a aceitar um não como resposta sem ficar irritado ou levantar a voz, e em vez disso persistir com calma?

PAUSA (TEMPO PARA PENSAR)

Outra habilidade muito básica, especialmente quando você sente que está ficando excessivamente raivoso ou ansioso, é afirmar de modo assertivo que quer dar um tempo para pensar na resposta. No começo pode ser difícil fazer isso, mas fica bem mais fácil com um pouco de prática. Por exemplo:

> Estou começando a ficar com raiva. Acho que devemos parar por aqui e aproveitar a noite para refletir, de modo que possamos conversar com mais calma amanhã.

Fazer uma pausa ou adiar a resposta não deve se tornar uma forma habitual de esquiva, mas pode ser útil quando você sente que suas emoções podem estar atrapalhando temporariamente o comportamento assertivo ou quando precisa de tempo para refletir sobre a melhor resposta. Assim, estas duas habilidades essenciais, o disco quebrado e a pausa, envolvem tomar uma decisão clara e racional, ou de persistir na situação, ou de adiar as coisas.

NEVOEIRO

Curiosamente, o nevoeiro é parecido com o equivalente interpessoal da técnica de *mindfulness* chamada desfusão, já descrita aqui. Envolve reconhecer as críticas feitas por outros e aceitar o fato dito sem levar muito ao pé da letra. O termo "nevoeiro" vem da comparação de responder como um banco de nevoeiro, que não resiste a paus ou pedras jogados contra ele e simplesmente deixa que passem, sem ser afetado. Assim, o nevoeiro é um pouco como concordar com seus críticos, sem levar a sério demais, permitindo apenas reconhecer o que foi dito, mas não deixar que tenha qualquer impacto real sobre você.

A: Achei sua apresentação realmente medonha.
B: Sim, entendo, não foi perfeita. Não importa, vou fazer diferente na próxima.

Em certo sentido, nevoeiro refere-se à arte de concordar-sem-concordar-de-verdade. Muitas vezes assume a forma de simplesmente dizer "suponho que você possa estar certo", "talvez você tenha razão" e coisas do tipo. É muito mais fácil se você deliberadamente interpretar os comentários dos outros como críticas a seu comportamento, que podem ser verdadeiras ou não, em vez de críticas a seu caráter essencial.

Se você pulou etapas para chegar a este estágio, será que está cometendo o erro de se apressar e chegar a decisões de modo muito apressado ou descuidado? Se no fim das contas você falhou em colocar seus planos em ação, será que está procrastinando e exibindo atitude de esquiva na resolução dos problemas? Do mesmo modo, você pode adotar a perspectiva de que qualquer crítica tem uma partícula de verdade potencial, mas não necessariamente é digna de ser levada muito a sério. Será que importa mesmo? Outra estratégia é ver as opiniões dos outros como elas são – apenas opiniões, meras hipóteses pessoais, e não fatos.

ASSERÇÃO NEGATIVA

A asserção negativa é semelhante ao nevoeiro, mas envolve criticar explicitamente suas próprias ações de maneira calma, distanciada e construtiva, sem necessariamente se desculpar. Fazer isso corta o embalo da outra pessoa, caso ela esteja tentando criticá-lo de forma destrutiva. Ao reconhecer uma falha com franqueza, mas tratando como algo sem grande importância, você dificulta a criação de rebuliço por parte de outrem. Por exemplo:

> Você tem certa razão, sim, fiz uma pequena trapalhada na apresentação, não é? Deveria ter falado mais devagar e lembrado de dar tempo para as perguntas.

Seja breve e simples. A maior parte das estratégias sociais pode ter efeito adverso se não for usada com habilidade. É particularmente importante evitar que a asserção negativa se torne uma autocrítica desnecessária ou excessiva. De novo, é mais fácil se você deliberadamente enxergar as críticas como referências a aspectos cambiantes do seu comportamento, e não ao seu caráter essencial. Assim, volte a atenção para aspectos específicos de seu comportamento que você possa mudar prontamente para que as asserções negativas sejam construtivas.

INVESTIGAÇÃO NEGATIVA

A investigação negativa é semelhante à asserção negativa, mas convida o outro a elaborar as críticas de maneira explícita. Por exemplo:

> Só para eu entender melhor, do que você especificamente não gostou na forma como eu manejei a situação?

Depois você poderia perguntar "Houve mais alguma coisa?", até o outro esgotar suas críticas. Quando convidadas em tom tranquilo a expressar suas críticas por inteiro, sem resistência, as pessoas muitas vezes ficam menos agressivas, e as críticas, quando mais específicas, muitas vezes parecem mais triviais. Isso também encoraja o outro a ser mais genuinamente assertivo com você, em vez de dissimulado ou manipulador, o que no fim é muito útil.

Nevoeiro, asserção negativa e investigação negativa tendem a implicar em exposição deliberada a comentários críticos e outras experiências desagradáveis ou temidas. Entretanto, você dispõe de certo grau de controle sobre o desenrolar dos acontecimentos. Tem também a oportunidade de "desfundir" seus pensamentos do que está sendo dito e aceitar ativamente seus sentimentos, enquanto faz e diz o que considera importante de acordo com seus valores pessoais. As estratégias de *mindfulness* e aceitação descritas nos capítulos anteriores vão proporcionar importante embasamento para ajudar a executar essas ações sem se sentir sobrecarregado.

PUXAR CONVERSA (AMENIDADES)

Um problema comum é descrito como ansiedade e inibição para puxar conversa com outras pessoas ou conversar amenidades. Existem muitas maneiras de começar uma conversa com diferentes pessoas em diferentes ocasiões. Você vai precisar tratar disso em termos individuais, talvez elaborando uma lista de opções para cenários específicos. Entretanto, uma estratégia genérica que considero útil é pedir ajuda para tomar uma decisão.

> Sabe, não consigo decidir onde almoçar hoje. Você conhece bem essa região? Tem algum local para recomendar?

A maioria das pessoas gosta de dar conselhos quando acha que alguém está se debatendo com uma decisão na qual pode ajudar, e isso pode levar a uma conversa mais longa com facilidade. Ao tentar desenvolver a habilidade para puxar conversa, você pode fazer perguntas e fingir indecisão para ter um motivo para pedir conselho aos outros.

EXPRESSAR ELOGIO (REAÇÃO ATIVA E CONSTRUTIVA)

Expressar e aceitar elogios de forma adequada é considerado uma habilidade social básica há tempos. Recentemente, a abordagem de psicologia positiva de Seligman incorporou a ênfase em melhorar os relacionamentos celebrando ativamente as experiências positivas da outra pessoa em maior profundidade (Seligman, 2011, pp. 48–51). Quando alguém lhe conta uma coisa boa que aconteceu com ele, em vez de simplesmente dizer "que bacana" (passivo e construtivo), adote um estilo de resposta construtiva mais ativa, pedindo à pessoa para reviver o acontecimento com você em detalhes ("que maravilha, conte-me mais"). Gaste mais tempo que o normal incentivando a pessoa a detalhar o que correu bem e estenda a conversa transmitindo seu interesse e entusiasmo, expressando sentimentos positivos, fazendo perguntas e elogiando.

> A: Ufa! Estou contente por ter conseguido comprar tudo.
> B: Que ótimo! Você é muito organizado! Me conte mais... Onde foi? O que comprou? Está planejando cozinhar alguma coisa especial? Parece maravilhoso.

Essa estratégia é empregada na psicologia positiva porque as pesquisas sugeriram que favorece relacionamentos mais fortes, ligados a um bem-estar maior e, portanto, à resiliência de longo prazo.

Estratégia de assertividade em quatro etapas

Foram desenvolvidas diversas estratégias de assertividade mais estruturadas para tentar facilitar a difícil tarefa de expressar discordância e lidar com um problema social dividindo-o em estágios. A seguinte estratégia de assertividade em quatro etapas consiste em:

1. Descrever os fatos da situação de forma objetiva.
2. Manifestar empatia pela perspectiva da outra pessoa.
3. Afirmar as próprias opiniões, direitos ou sentimentos de forma assertiva.
4. Propor uma solução prática ou uma próxima etapa.

Por exemplo, se você quisesse reclamar da comida em um restaurante, poderia dizer algo do tipo:

1. "O fato, garçom, é que minha sopa veio com uma mosca" (descrição do fato).
2. "Entendo que não é culpa sua" (empatia).
3. "Contudo, isso me desagradou muito e penso ter o direito de devolver o prato" (asserção dos sentimentos e direitos).

4. "Assim, proponho que você apenas leve essa sopa embora, faça o favor de tirá-la da nota e ficarei feliz em deixar por isso" (proposta de solução).

Reiterar polidamente sua compreensão dos pensamentos e sentimentos da outra pessoa mostra que ela foi ouvida e também deixa claro que ela não precisa reafirmar sua posição.

TENTE AGORA: EXERCÍCIO DE ASSERTIVIDADE EM QUATRO ETAPAS

Selecione uma situação específica em que você ache que a estratégia de assertividade em quatro etapas seria útil, uma ocasião em que você gostaria de lidar com algum conflito ou discordância de modo mais assertivo. Primeiro, planeje por escrito como você poderia reagir, anotando o que poderia dizer em cada um dos seguintes tópicos:

1. Descreva os fatos com a maior objetividade possível.

"Esses são os fatos básicos da situação, e penso que todos concordam..."

2. Reconheça o ponto de vista da outra pessoa da forma mais enfática possível.

"Entendo que sua posição é..."

3. Afirme seus sentimentos, opiniões e direitos de modo assertivo.

"Entretanto, é assim que me sinto a respeito..."

4. Proponha uma solução, se possível.

"O que sugiro que aconteça a seguir é..."

Ensaie algumas vezes na imaginação até ficar satisfeito com as palavras e se sentir confiante de que vá lembrar do que quer dizer na situação real.

OUTRAS HABILIDADES SOCIAIS

Outras habilidades sociais que você poderia desenvolver são:

- Empatia e escuta ativa.
- Comunicação com ritmo e *timing*, sem falar demais ou de menos.
- Usar de comunicação clara e precisa quando apropriado.
- Expressar amor e afeição.
- Expressar elogio e encorajamento.
- Começar, continuar, interromper ou encerrar conversas.
- Expressar opiniões pessoais ou sentimentos.
- Recusar pedidos ou fazer pedidos.
- Opor-se ao comportamento ou discordar das opiniões de outrem.
- Estabelecer e aplicar regras (limites).
- Questionar a evidência ou consistência do ponto de vista de outrem.
- Aceitar que comete erros, como usar uma palavra errada.

Esses são apenas alguns exemplos comuns. Você precisará monitorar suas habilidades sociais para identificar outras áreas que possam exigir prática.

Barreiras internas às habilidades sociais

Pensamentos e sentimentos inúteis podem atrapalhar a assertividade e outras habilidades sociais. De fato, muitas vezes o único motivo para parecer que as pessoas carecem de habilidades sociais é que sua aptidão natural é inibida pela preocupação e por sentimentos de ansiedade ou outras barreiras internas à ação. Por isso, é quase inevitável que as estratégias de *mindfulness* e aceitação descritas em capítulos anteriores sejam exigidas em algum estágio do desenvolvimento de suas habilidades sociais.

LEMBRE-SE: FOCO DE ATENÇÃO EXTERNO

O foco de atenção interno acentuado, em especial a atenção a sensações físicas e imagens desagradáveis de como você é visto pelos outros (perspectiva do observador), tem sido bastante associado à ansiedade social. Por isso, uma série de abordagens recomenda a adoção deliberada de um foco mais externo, voltando a atenção para a plateia ou indivíduo com quem se está conversando. Uma forma de fazer isso é estudar a linguagem corporal e as expressões faciais do outro de forma atenta, mas sem olhar fixamente, enquanto conversa, como se estivesse tentando memorizar o rosto para conseguir reconhecê-lo em uma multidão ou até fazer um retrato mais tarde. Isso ajuda a reduzir a ansiedade, mas também significa que você vai detectar informações importantes que devem orientar o seu comportamento – por exemplo, sinais sutis de interesse, de tédio ou de que os outros querem falar.

Resolução de problemas interpessoais

A abordagem de resolução de problemas que você já aprendeu é amplamente empregada como um método de lidar com situações interpessoais. Não existem estratégias de assertividade de aplicação universal, por isso é importante ter meios flexíveis de planejar a reação a situações interpessoais desafiadoras. Além disso, se você emprega uma estratégia de assertividade padrão, como o método de quatro etapas apresentado abaixo, e a pessoa não responde conforme o esperado, a abordagem de resolução de problemas será importante para o desenvolvimento de uma forma alternativa de ser assertivo, proporcionando um plano reserva.

TENTE AGORA: RESOLUÇÃO DE PROBLEMAS INTERPESSOAIS

Pense em uma situação social desafiadora e complete os detalhes, aplicando a versão da abordagem da resolução de problemas já discutida neste livro.

1. DEFINA O PROBLEMA SOCIAL – Quem está envolvido? Onde e quando o problema acontece? O que você quer alcançar, qual a

sua meta, como você quer que os outros reajam? Que obstáculos estão no caminho?

2. Elabore estratégias alternativas (soluções) – Tente listar o maior número possível de formas de agir. Você pode levar em conta algumas das estratégias padrão que acaba de aprender, mas seja criativo e não se limite a elas.
3. Tome uma decisão – Para as situações sociais, normalmente é importante considerar as consequências sociais das diferentes soluções propostas. Como você prevê que os outros vão reagir? Classifique cada estratégia social possível (0–100%) em termos da confiança em colocá-la em prática e da probabilidade de atingir a meta, com os outros reagindo da maneira desejada. Considere ainda quais as possíveis estratégias mais coerentes com seus valores relevantes nessas situações e relacionamentos.
4. Aja – Escolha a melhor opção ou combinação e desenvolva um plano de ação. Qual é o primeiro passo? Ponha em prática e avalie o resultado. Como os outros reagiram?

LEMBRE-SE: CONSIDERE AS CONSEQUÊNCIAS

É essencial considerar as consequências de suas ações nas situações sociais. Isso é especialmente válido quando existe algum risco de que os outros respondam de forma agressiva, violenta ou indesejável. Tente se colocar no lugar dos outros e antecipar as reações deles com a maior exatidão possível, para evitar que seus planos deem errado ou que haja algum dano.

Aplicação das habilidades sociais

Preparação e ensaio

No treinamento tradicional em assertividade e na terapia cognitivo-comportamental moderna, os exercícios com desempenho de papéis costumam ser usados para o ensaio de habilidades sociais. Ao aplicar as estratégias escolhidas como parte de uma abordagem de autoajuda, é bom começar preparando-se para reagir da seguinte maneira.

1. Escreva uma descrição de como você planeja agir de modo assertivo na situação para a qual está se preparando.
2. Ensaie mentalmente o que dizer e fazer, imaginando como é provável que os outros reajam.
3. Se possível, ensaie fisicamente (desempenhando o papel) em voz alta, na frente de um espelho ou de uma cadeira vazia.

Como quer que você se prepare, é bom certificar-se de estar pronto antes de aplicar a estratégia em uma situação no mundo real, e a prática pode ajudar a melhorar a autoconfiança. Se você não tem uma situação problemática clara para trabalhar, pode praticar utilizando um exemplo, como os que vêm a seguir:

1. Depois de sair de uma loja, você se dá conta de que recebeu troco a menos, mas o atendente não acredita em você.
2. Você percebe que uma roupa comprada dias atrás tem defeito, mas a loja não aceita trocar, porque você perdeu a nota.
3. Alguém fura a fila na sua frente e se recusa a sair.
4. Você descobre algo errado com o prato que pediu em um restaurante, mas o garçom insiste em que está tudo certo.

TENTE AGORA: ENSAIO DE ASSERTIVIDADE AGINDO "COMO SE"

Uma forma de desenvolver habilidades sociais "de cima para baixo" envolve identificar o valor central que você quer exibir, tal como coragem ou empatia. Você pode então esboçar um roteiro ou plano descrevendo em detalhes como pensaria, agiria e se sentiria em certas situações caso se portasse de modo mais coerente com o valor escolhido. Por exemplo, o que significaria na prática agir com mais empatia ao reagir a uma situação difícil que você esteja enfrentando?

Leia o roteiro em voz alta para si mesmo antes de ensaiar mentalmente, tentando imaginar com o maior realismo possível como é provável que os outros reajam. Faça todos os ajustes que considere adequados no roteiro e repita o processo até se sentir confiante para colocá-lo em prática no mundo real. Se ajudar, você pode tentar ensaiar seu papel em voz alta na frente do espelho ou de uma cadeira vazia. Por fim, tente agir "como se" detivesse a virtude no mundo real, usando o roteiro como guia.

Aplicação e revisão

Tendo monitorado as interações sociais existentes, planejado uma estratégia alternativa, seguida de preparação e ensaio, resta apenas colocar as coisas em prática no mundo real. Certifique-se de não tentar abraçar o mundo com as pernas; é melhor começar com desafios menores até sua confiança e suas habilidades estarem desenvolvidas.

Continue a utilizar o registro de automonitoramento para avaliar o progresso. É importante refletir sobre o que pode ser aprendido com os encontros, quer as coisas aconteçam como você deseja ou não, e permanecer comprometido com os valores pessoais relativos a essas situações sociais. Quando confrontado com uma situação difícil, muitas vezes é melhor empregar uma abordagem sistemática de resolução de problemas. Observe quando é racional persistir em alguma coisa e quando é melhor adiar e esperar. Use suas habilidades de *mindfulness* e aceitação para permanecer sintonizado à realidade do momento durante as situações sociais, para "desfundir" pensamentos sobre outras pessoas e se distanciar da opinião delas quando apropriado.

Manter a resiliência com as habilidades sociais

Superar problemas sociais, fortalecer relacionamentos saudáveis e construir apoio social vai aumentar sua resiliência no longo prazo. Quanto mais oportunidades você tiver de praticar as estratégias sociais primárias, mais habilidoso vai ficar. Tenha por meta desenvolver um estilo de vida mais assertivo e socialmente hábil. Você pode tornar suas habilidades mais abrangentes recordando os valores relevantes com frequência ao longo do dia e tentando permanecer comprometido com eles nas interações com os outros. Observe quando é racional persistir em alguma coisa e quando seria melhor adiar e esperar. Use suas habilidades de *mindfulness* e aceitação para permanecer sintonizado à realidade do momento durante as situações sociais, para "desfundir" pensamentos sobre outras pessoas e se distanciar da opinião delas quando apropriado.

Pontos de foco

Os pontos principais deste capítulo são:

- O foco nos direitos e valores pessoais pode ajudar nos problemas interpessoais difíceis.
- Existem muitas estratégias consagradas de habilidades sociais e assertividade que você pode experimentar, como o método de assertividade em quatro etapas e as habilidades básicas de repetição (disco quebrado), adiamento (pausa) e distanciamento (nevoeiro).

- As abordagens sistemáticas de resolução de problemas proporcionam uma maneira mais flexível de lidar com uma variedade de situações sociais.
- Evitar e superar problemas sociais, fortalecer habilidades sociais, incrementar relacionamentos e melhorar as redes de apoio social terá consequências positivas para a resiliência psicológica em longo prazo.

Próximo passo

Estamos perto do fim. Você teve acesso a muita informação sobre a construção da resiliência e a muitas estratégias para lidar com problemas internos e externos. O ideal é que tenha colocado tudo em prática com cuidado, e não apenas passado os olhos pelas páginas. Lembre-se: a prática leva à perfeição! A última parte do livro vai examinar a resiliência a partir de uma perspectiva mais ampla, ligando-a à escola filosófica clássica do estoicismo, o ponto alto de um sistema terapêutico desenvolvido na Grécia e Roma antigas, baseado no pensamento e estilo de vida de Sócrates.

LEITURA ADICIONAL

Alberti, R. & Emmons, M. (2008, 9ª ed.). *Your Perfect Right: Assertiveness and Equality in Your Life and Relationships.*

Bolton, R. (1979). *People Skills: How to Assert Yourself, Listen to Others, and Resolve Conflicts.*

12

Filosofia estoica e resiliência

Neste capítulo você vai aprender:

- Sobre a antiga filosofia greco-romana do estoicismo e como originou-se da vida e pensamento do eminente sábio grego Sócrates.
- Como a prática estoica empregava o treinamento em exercícios psicológicos específicos projetados para construir resiliência emocional.
- Como a filosofia estoica pode combinar-se com a TCC e com a abordagem psicológica moderna para a construção de resiliência que você aprendeu nos capítulos anteriores.
- Como pensar como um imperador romano – um dos bons, como Marco Aurélio –, aplicando princípios e estratégias estoicos na vida cotidiana.

Conceda-me serenidade para aceitar as coisas que não posso mudar, coragem para mudar as coisas que posso e sabedoria para distinguir uma da outra.

— Prece da sabedoria

O que então é para ser feito? Fazer o melhor daquilo que está sob nosso poder e aproveitar o resto à medida que acontecer naturalmente.

— Epicteto, *Discursos*

A importância da filosofia

Neste nosso capítulo final, ampliamos a perspectiva para examinar a pergunta: o que significa abordar a construção da resiliência de uma perspectiva filosófica? Se você procurar o adjetivo "filosófico" no dicionário, é bem provável que, entre outras, encontre a definição de que se trata da capacidade de manter uma atitude calma diante da adversidade. Poderíamos dizer que ser resiliente é manter uma atitude filosófica ao lidar com o infortúnio. Acredito que isso possa lhe parecer esquisito. A maioria das pessoas presume que filosofia seja um assunto bastante teórico e acadêmico.

Então qual a ligação da filosofia com o domínio pedregoso da resiliência no mundo real? É provável que o uso de "filosófico" com o significado de "resiliente" derive de uma tradição muito antiga que atingiu seu auge e expressão máxima em uma influente filosofia greco-romana baseada nos ensinamentos de Sócrates e conhecida simplesmente como estoicismo. O dicionário pode lhe informar também que ser filosófico diante da adversidade é a mesma coisa que ser estoico.

O que é estoicismo?

Estoicismo é a escola da filosofia clássica mais associada com o que hoje chamamos de terapia psicológica, gerenciamento de estresse e construção de resiliência. Nas últimas décadas, houve marcante retomada de interesse pelo estoicismo, uma escola séculos mais antiga que o cristianismo. A teoria e a prática estoicas influenciaram as abordagens psicológicas modernas de prevenção e terapia, em especial a terapia cognitivo-comportamental (TCC). De fato, o estoicismo foi descrito como parte das origens filosóficas da TCC moderna por alguns de seus fundadores (Robertson, 2010). O estoico Epicteto foi descrito como "santo padroeiro dos resilientes" (Neenan, 2009, p. 21).

Embora os leitores modernos fiquem propensos a presumir que filosofia seja basicamente um assunto teórico ou acadêmico, a antiga filosofia geralmente tinha em seu cerne uma dimensão prática, e o estoicismo foi a escola que mais enfatizou esse aspecto. O estoicismo às vezes envolvia debates teóricos como os que ocorrem nos departamentos de filosofia das universidades modernas, mas enfatizava primeiramente o treinamento sistemático em exercícios psicológicos projetados para ajudar os estudantes a adotar um estilo filosófico estoico de vida e construir resiliência emocional. Porém, antes de mergulhar mais fundo na relevância da filosofia estoica para a construção da resiliência moderna, convém explicar o que de fato queremos dizer quando falamos de estoicos.

Conheça os estoicos

A escola filosófica do estoicismo foi fundada em Atenas por volta de 300 a.C., por Zenão de Cítia (334–262 a.C.). O nome "estoico" vem do grego *Stoa Poikile,* a colunata pintada decorada com afrescos na ágora, ou praça do mercado ateniense, onde Zenão e seus seguidores se reuniam para discutir filosofia em público. Daí a conotação indiscutível de filosofia estoica como algo na linha de filosofia das ruas, filosofia urbana ou filosofia aplicada à vida do público em geral, fora da torre de marfim da academia. Os estoicos tentavam emular a vida do eminente filósofo grego Sócrates (469–399 a.C.), que debatera filosofia na praça do mercado ateniense mais de um século antes, e se consideravam a mais autêntica das diversas escolas filosóficas socráticas rivais. Embora surgido na antiga Grécia, séculos depois o estoicismo também se tornou muito influente no império romano.

Os primeiros estoicos gregos foram filósofos altamente conceituados e famosos que escreveram muitos livros; infelizmente a maioria dos escritos se perdeu ou foi destruída por gerações posteriores, restando poucos registros diretos de suas visões. Todavia, sabemos muita coisa sobre o estoicismo por outras fontes, principalmente textos que registram o pensamento e a prática de três filósofos famosos que viveram na antiga Roma muitos séculos depois do surgimento do estoicismo.

A maioria das terapias psicológicas e das abordagens de gerenciamento de estresse modernas tem bem menos de um século; a terapia cognitiva moderna surgiu há menos de meio século. Por outro lado, o estoicismo permaneceu como uma escola importante de treinamento filosófico em resiliência por mais de quinhentos anos e influenciou muita gente, de escravos a imperadores, através de muitas culturas e países.

SÊNECA (1–65) foi um célebre filósofo estoico e figura influente na política romana. Educou pessoalmente o jovem imperador Nero, que mais tarde se degenerou e virou um notório tirano, voltando-se contra o antigo professor e por fim ordenando sua execução. Muitas das *Cartas* escritas por Sêneca em latim sobreviveram. São verdadeiros ensaios curtos sobre estoicismo endereçados a um aluno chamado Lucílio, de quem Sêneca foi mentor de filosofia, o que lhe garantia o sustento. Sêneca foi muito reverenciado ao longo das eras por sua abordagem filosófica de senso comum e pelo estilo literário de grande eloquência.

EPICTETO (55–135) foi escravo de um dos correligionários de Nero. Consta que foi torturado e teve uma perna mutilada por seu senhor, que mais tarde o libertou, talvez por remorso. De escravo humilde, Epicteto tornou-se um filósofo estoico influente graças às palestras públicas, que de algum modo se assemelhavam aos modernos *workshops* de autoajuda psicológica. Suas preleções foram guardadas por escrito por um fiel aluno chamado Arriano, e muitas delas sobreviveram. Arriano também compilou alguns comentários de Epicteto em um pequeno guia prático chamado *Enchirídion*, ou *Manual*.

MARCO AURÉLIO (121-180) foi um reverenciado imperador romano (um dos bons, não como Nero), tutorado desde a infância segundo a filosofia e estilo de vida estoicos. Parece ter tido contato com as palestras escritas de Epicteto, tentando colocar o conteúdo em prática no cotidiano. Temos o seu diário pessoal, conhecido como *Meditações*, que se tornou um dos livros de autoajuda mais conhecidos de todos os tempos. Marco Aurélio registrou sistematicamente sua prática de exercícios psicológicos estoicos, utilizando o diário como espécie de caderno de atividades, o que parece demonstrar o quanto os estoicos levavam a sério as técnicas práticas mencionadas por professores como Epicteto. Sem dúvida uma das figuras militares e políticas mais poderosas da história do mundo, o imperador romano dedicou a vida a observar os ensinamentos de um escravo aleijado, cujo exemplo tentou seguir em sua existência muito diferente.

O pensamento estoico também permeou a arte e a religião, influenciando a poesia clássica e, na sequência, o pensamento e a prática cristãos. Podemos ver o estoicismo em ação nesses diferentes contextos, e, a partir desse rico material, vários acadêmicos modernos estão reconstruindo meticulosamente os elementos-chave da teoria e prática estoicas para o leitor moderno (Long, 2002; Hadot, 1995; Hadot, 1998). Alguns aspectos do estoicismo têm uma qualidade de *déjà-vu*. Ainda usamos clichês como "conhece a ti mesmo", "tudo com moderação", "aproveite o dia" e "viva o aqui e agora", que derivam de antigas filosofias socráticas como o estoicismo. Em certo sentido, todos os ocidentais modernos vivem sem saber em meio aos fragmentos culturais desse outrora grandioso sistema filosófico, algo que está sempre no plano de fundo quando falamos de assuntos como TCC e construção de resiliência emocional.

LEMBRE-SE: ESTOICISMO COMO SENSO COMUM

Os estoicos tentaram nitidamente basear sua filosofia em princípios de senso comum, conceitos profundamente arraigados e compartilhados por toda a humanidade. Muitos desses princípios, portanto, podem parecer truísmos. Por exemplo, não devemos tentar controlar as coisas que não podemos controlar; nossas impressões não são as coisas que elas representam. Se a filosofia estoica parece controversa em certos pontos, analise se você está interpretando os comentários do modo pretendido pelos estoicos, pois eles geralmente presumiam estar apenas declarando o óbvio. O fato é que ignoramos as implicações práticas do senso comum com excessiva frequência e fazemos o oposto do que deveria ser o curso de ação correto e evidente.

A essência do estoicismo

Então, que conselhos nos dão os estoicos para a construção de resiliência? Bem, trata-se de uma filosofia que pode ser estudada a vida inteira, e existem relatos detalhados. Um excelente manual moderno do estoicismo é o livro *A Guide to the Good Life: The Ancient Art of Stoic Joy*, do professor William Irvine, filósofo acadêmico dos Estados Unidos (Irvine, 2009). Meus escritos, em especial o livro *The Philosophy of Cognitive-Behavioural Therapy*, enfocam a relação entre estoicismo e psicoterapia moderna (Robertson, 2010; Robertson, 2005).

Embora o estoicismo seja tema amplo, teve por base um punhado de princípios simples. Epicteto resumiu a essência do estoicismo em "seguir a Natureza" mediante o "uso correto das impressões". Por "seguir a Natureza" os estoicos referiam-se a duas coisas: aceitar os acontecimentos externos conforme decretados pela Natureza do universo e ao mesmo tempo agir plenamente de acordo com a natureza de ser humano racional, vivendo em conformidade com os valores essenciais. (Os acadêmicos usam "Natureza" com maiúscula ao se referir à natureza do universo no todo, ao passo que "natureza" com minúscula se refere à natureza humana do indivíduo, incluindo os valores pessoais, embora o indivíduo seja parte do todo.)

> Não trate nada como importante, exceto fazer o que sua natureza exige e aceitar o que a Natureza lhe envia.
>
> – *Meditações,* 12:32

> Reverência: para aceitar o quinhão que lhe foi atribuído. A Natureza o produziu para você, e você para ele. Justiça: para falar a verdade com franqueza e sem evasivas e agir como deve – e como as outras pessoas merecem.
>
> – *Meditações,* 12:1

Contudo, o princípio básico duplo de "seguir a Natureza" leva a um elaborado sistema de filosofia aplicada que agora vamos explorar em mais detalhes.

As primeiras passagens do *Manual* filosófico de Epicteto sem dúvida fornecem o resumo mais abalizado da teoria e prática estoicas básicas. Elaborei paráfrases das afirmações-chave para destacar a possível continuidade das abordagens de construção de resiliência discutidas neste livro.

1. O *Manual* começa com uma declaração muito simples e clara de senso comum: algumas coisas estão sob controle, e outras não. Assim, essa observação básica vai constituir a base de tudo o que vem a seguir.
2. Nossas ações estão, por definição, sob nosso controle, inclusive nossas opiniões e intenções (comprometimento com ações valorizadas, por exemplo).
3. Tudo que não seja nossas ações não está sob nosso controle direto, em especial nossa saúde, riqueza e reputação. (Embora possamos influenciar muitos elementos externos por meio de nossas ações, não temos controle completo ou direto sobre eles; essas coisas não acontecem simplesmente como queremos que aconteçam.)
4. As coisas sob nosso controle direto são, por definição, livres e desimpedidas, mas tudo o mais que possamos desejar controlar é parcialmente impedido por fatores externos, ou seja, pelo destino.
5. O estoico deve manter-se continuamente atento ao fato de que muito sofrimento emocional é causado por erroneamente presumir que as coisas externas estão sob controle direto, ou agir como se assim fosse.
6. Presumir que eventos externos estão sob o nosso controle também leva a culpar os outros e o mundo – errônea e excessivamente – por nosso sofrimento emocional.
7. Se você lembrar que apenas as suas ações estão verdadeiramente sob seu controle direto e as coisas externas não, terá maior resiliência

emocional (ninguém vai machucá-lo) e poderá alcançar o tipo de liberdade e alegria profundas que fazem parte da meta última do estoicismo.

8. Para ter verdadeiro êxito em viver como um estoico, é preciso ser muitíssimo comprometido, e talvez seja necessário abandonar ou ao menos adiar temporariamente a busca de coisas externas como riqueza ou reputação. (Estoicos como Epicteto viviam na pobreza, enquanto outros, como Marco Aurélio, tentavam seguir os princípios mesmo dispondo de grande riqueza e poder. Ambos os estilos de vida são considerados válidos para o estoico, mas Marco Aurélio talvez acreditasse que suas condições complexas e privilegiadas às vezes tornavam mais difícil o comprometimento com o estoicismo.)
9. Desde o início, o estoico novato deve ensaiar a detecção de experiências (impressões) desagradáveis e dizer em resposta: "Você é uma impressão, não é de forma alguma a coisa que parece ser". (Observe o quanto isso se parece com o que chamamos de "desfusão").
10. Depois, pergunte a si mesmo se a impressão envolve pensar sobre o que está sob seu controle ou não; caso não, diga a si mesmo: "Isso não é nada para mim" (significando: "Isso é basicamente indiferente para mim se não está sob o meu controle – tenho apenas que aceitar"; embora os estoicos admitissem que alguns resultados externos naturalmente seriam preferíveis, a despeito de carecer de valor intrínseco real).

A palavra grega traduzida como "impressão" na literatura estoica é *phantasia*, que se refere mais ou menos a qualquer coisa que passe pelo fluxo de consciência, incluindo pensamentos, sentimentos, imagens, memórias e percepções sensoriais. Os estoicos acreditavam que os pensamentos, assemelhados a declarações, esgueiram-se por trás de toda impressão; por exemplo, quando vejo uma árvore, ao mesmo tempo experimento um pensamento verbal – "Tem uma árvore ali" –, sem necessariamente estar ciente das palavras e conceitos em uso. (A TCC baseia-se em um conjunto semelhante de pressupostos, que vê a linguagem permeando quase toda a nossa experiência, não apenas as frases que dizemos em nossa mente.)

Assim, os dois últimos tópicos, que descrevem com clareza algumas das estratégias mais básicas do estoicismo, podem ser comparados à habilidade psicológica moderna baseada na aceitação e chamada "desfusão cognitiva", já discutida neste livro. Vimos que abordagens baseadas em aceitação, como a TCC, enfatizam o uso de estratégias experienciais, como repetir as palavras com um tom de voz ridículo, para efetuar a desfusão. Entretanto, às vezes também se usam estratégias verbais, como prefaciar um pensamento com palavras: "Noto que estou tendo o pensamento de que...". Isso talvez se aproxime do método estoico acima: "Você é uma impressão". Epicteto prossegue os comentários com mais um conselho:

11. Quando experimentamos desejo ou aversão por certas coisas (boas ou más), assumimos implicitamente que elas podem ser controladas (abordadas ou evitadas), e o fracasso em realizar nossos desejos causa sofrimento.
12. Assim, se você justapõe desejo ou aversão a eventos externos, fora de seu controle, e os julga inerentemente bons ou maus, por definição fica vulnerável ao sofrimento.
13. É melhor (isto é, mais resiliente) voltar seus esforços para o controle de suas ações, onde pode ter maior garantia de sucesso, embora fazer isso de modo adequado possa exigir prática.
14. Para ajudar a reduzir o apego a eventos externos e, por consequência, o sofrimento, descreva coisas externas que você deseja em linguagem objetiva; por exemplo, sobre a sua xícara favorita, diga "Gosto dessa xícara", suspendendo qualquer julgamento de valor. (Uma técnica semelhante, repetindo "Neste momento estou ciente de..." e descrevendo experiências sem julgamento de valores, foi abordada no capítulo sobre *mindfulness* no momento presente.)

15. Quando se engajar em qualquer ação, faça isso com uma cláusula de reserva, lembrando-se de antemão do que esperar e se preparando para aceitar eventos externos na medida em que estejam fora de seu controle. (Vamos voltar à cláusula de reserva, mas é como se diz: "Faça o que deve fazer e deixe rolar", e pode ser comparado à distinção entre valores extrínsecos e intrínsecos apresentada no capítulo sobre ação valorizada.)

Este último ponto sobre a aceitação estoica é descrito como manter "sua vontade em harmonia com a Natureza". Em linguagem moderna, significa apenas estar disposto a aceitar as coisas que acontecem fora de nosso controle, inclusive o resultado (sucesso ou fracasso) de nossas ações.

Epicteto conclui essa seção com o famoso dito, amplamente citado como lema da TCC moderna: "Não são as coisas em si que nos perturbam, e sim o nosso julgamento das coisas". Para lembrarmo-nos de que nossos julgamentos são a causa primária de sofrimento, Epicteto sugere que nos perguntemos se as outras pessoas poderiam responder de modo diferente aos mesmos problemas. Contudo, às vezes ignora-se que o estoicismo atribui o sofrimento a um tipo específico de julgamento, o erro fundamental de julgar coisas externas, fora de nosso controle direto (saúde, riqueza, reputação), como valores intrínsecos, levando a um conjunto rígido de crenças ou suposições e exigindo que tais coisas sejam buscadas ou evitadas de qualquer maneira.

IDEIA-CHAVE: ESTOICISMO

O estoicismo é uma antiga escola greco-romana de filosofia, fundada em Atenas por Zenão da Cítia no começo do século 3 a.C. O princípio central do estoicismo é que devemos "seguir a Natureza", fazendo uso correto de nossas impressões. A Natureza divide-se na Natureza externa do universo e em nossa natureza interna como seres racionais, incluindo nossos valores pessoais. O estoicismo afirma que o sofrimento humano é causado por nossa tendência de perder de vista a distinção entre as coisas internas que estão sob nosso controle e as coisas externas que não estão, e aceitar nossas impressões iniciais muito ao pé da letra.

Os estoicos tinham por meta assumir maior responsabilidade por suas ações, deixando-as mais de acordo com as virtudes fundamentais de sabedoria, justiça/integridade, coragem e autodisciplina. Também tentavam aceitar melhor as coisas fora de seu controle em vez de bater com a cabeça na parede na tentativa de mudar o que não pode ser mudado. Isso envolve fazer uma sutil distinção entre nossas ações, que estão sob o nosso controle direto, e o resultado, sucesso ou fracasso, que pode estar em parte nas mãos do destino.

Para os estoicos, a atitude filosófica, a fonte da resiliência interna, envolve atenção plena permanente para agir de acordo com a virtude e ao mesmo tempo aceitar que o resultado, inclusive a reação dos outros, está além de nosso controle direto e nem sempre vai ser o esperado ou pretendido. A essência do estoicismo é lindamente capturada pela conhecida "Prece da serenidade" cristã: "Deus, me dê serenidade para aceitar as coisas que não posso mudar, coragem para mudar as que posso e sabedoria para distinguir umas das outras".

Pesquisa e aplicações

É claro que não existe nenhuma pesquisa científica direta sobre as antigas práticas da filosofia estoica. Existem inúmeros estudos modernos de pesquisas da TCC e assuntos relacionados que fornecem algum apoio indireto, na medida em que a TCC originalmente foi influenciada pelo estoicismo e ainda emprega métodos semelhantes (Robertson, 2010). Como vimos, a teoria e a prática da ACT são respaldadas por uma série de estudos de pesquisa. Em muitos aspectos, o estoicismo tem mais em comum com a ACT do que com a TCC tradicional.

LEMBRE-SE: O ESTOICISMO NÃO TEM COMPROVAÇÃO

Embora o estoicismo seja citado como a base filosófica da TCC por alguns de seus fundadores e a TCC com certeza tenha acumulado firme suporte a partir de pesquisas, a filosofia estoica não foi testada de modo sistemático pelos pesquisadores modernos. Contudo, seus princípios são consistentes com a abordagem de construção de resiliência descrita neste livro e podem proporcionar uma estrutura filosófica mais ampla para aqueles interessados em explorar a resiliência mais a fundo em termos de filosofia de vida.

Filosofia e resiliência

Em certo sentido, a própria palavra "estoico" veio a se tornar sinônimo de "resiliente". Como vimos, quando falamos de alguém que tem uma "atitude filosófica" diante da adversidade, é provável que essa figura de linguagem, alusiva a algum tipo de resiliência emocional, provenha da filosofia estoica. A essência da literatura estoica é sobre lidar exatamente com os tipos de adversidade estudados na pesquisa moderna sobre resiliência: pobreza, luta, doença etc. Assim, pelo menos em face disso, a conexão entre o antigo estoicismo e a moderna construção de resiliência parece óbvia.

Resiliência tradicionalmente significa recuperar-se da adversidade ou enfrentar provações sem sucumbir a elas. Entretanto, a questão de como mensurar a resiliência é toldada pela falta de um ideal claro de funcionamento normal. Que situação gostaríamos de reverter depois de um revés? Em certo sentido, cada um de nós tem uma ideia do que está tentando reverter depois de um revés e a que se agarra durante a adversidade. Podemos elevar a prática da clarificação de valores – que ajuda a responder essa pergunta – a um nível mais filosófico, reunindo nossos ideais na imagem do sábio perfeito ou do modelo e fazendo uso mais extensivo desse conceito como guia para o viver valorizado.

A filosofia estoica nos encoraja explicitamente a contemplar a imagem do sábio ideal, a formular nosso modelo próprio de viver valorizado na forma de um estilo de vida ideal a ser imitado. É hora de pensar em maior profundidade, como os filósofos antigos, sobre quem realmente você quer ser na vida, onde você se enquadra e o que isso significa em termos de resiliência face à adversidade. Resiliência significa permanecer comprometido a agir de acordo com os valores pessoais em nível prático, não obstante o que a vida apresente.

LEMBRE-SE: ESTOICOS NÃO SÃO IMPASSÍVEIS NEM PASSIVOS

Muita gente erroneamente acredita que estoicismo significa ser impassível. Isso é completamente falso e se baseia em uma interpretação tosca dos textos estoicos. O que os estoicos de fato dizem é que, quando corrigimos nossas impressões sobre o que está sob nosso controle e o que não está, certas emoções irracionais ou insalubres tendem a ser substituídas por reações emocionais mais saudáveis e adaptativas. Marco Aurélio disse que o ideal estoico era ser livre de "paixões" – referindo-se a emoções irracionais insalubres –, todavia, cheio de amor. Nesse sentido, amor não é uma paixão, pois a palavra grega traduzida como "paixão" significa literalmente algo próximo de "perturbação emocional", que seria uma tradução melhor para o português.

Do mesmo modo, as pessoas às vezes presumem que a aceitação estoica significa algo como passividade, submissão ou resignação no sentido de se sujeitar e deixar que coisas desagradáveis aconteçam. Isso decididamente é uma concepção errônea, é virtualmente o exato oposto do estoicismo. Os estoicos mais famosos eram homens de ação, líderes militares e políticos, como o general e imperador Marco Aurélio, que lutou com ardor para defender Roma da invasão de hordas bárbaras, ou Catão, o Jovem, estadista romano icônico que se manteve fiel a seus princípios e desafiou Júlio César até perder a vida por causa disso.

ESTUDO DE CASO

James Stockdale no Vietnã

Talvez o melhor exemplo de estoicismo aplicado ao mundo moderno seja proporcionado pelo piloto sênior da Marinha norte-americana James Stockdale, mais tarde vice-almirante, que foi abatido e capturado em 1965, no começo da Guerra do Vietnã. Stockdale fora introduzido aos estoicos em uma palestra na universidade e, ao ejetar-se do avião, disse a si mesmo que estava prestes a entrar no mundo de Epicteto como prisioneiro de guerra. A ironia é que Stockdale foi gravemente ferido durante a captura e ficou com a perna esquerda deformada, exatamente como Epicteto, que várias vezes se refere à deficiência em seus escritos, por exemplo, dizendo que o aleijamento era um entrave para sua perna, mas não para a sua vontade.

Stockdale passou anos e anos como prisioneiro de guerra em um centro de tortura vietcongue apelidado de Hanoi Hilton, onde foi submetido à mais intensa brutalidade física e psicológica imaginável. Ao longo de toda a experiência, ele recorreu à recordação dos estoicos como inspiração, em particular aos escritos de Epicteto, e se tornou o líder de centenas de homens mantidos em cativeiro. Depois de enfim ser libertado, Stockdale palestrou sobre o estoicismo para cadetes e publicou suas reflexões no livro *Thoughts of a Philosophical Fighter Pilot* (1995). Ele achava que os clássicos, em particular os escritos dos estoicos, capturavam algo básico e atemporal sobre o enfrentamento da adversidade, e a psicologia moderna conseguia proporcionar apenas uma pálida imitação disso.

Avaliação de suposições sobre controle

A bifurcação estoica

Como vimos, um dos princípios fundamentais do estoicismo estabelece que a causa primária do sofrimento é colocarmos valor excessivo nas coisas fora de nosso controle direto e valor insuficiente nas coisas de fato sob nosso controle. Como essa distinção básica, que podemos chamar de bifurcação estoica, seria aplicada à construção de resiliência?

Um método rudimentar, porém útil, consiste em revisar uma situação problemática usando um formulário de duas colunas, listando em uma delas os aspectos do problema que estão sob o seu controle direto e na outra os aspectos sob os quais você tem pouco ou nenhum controle. Dividir um problema em partes e separar o que pode ser mudado do que não pode é relativamente fácil e rápido de fazer.

Um método mais sofisticado consiste em classificar o controle percebido (0–100%) em cada aspecto do problema. A prescrição estoica é aprender a aceitar melhor as coisas fora do controle, focando nas áreas onde se pode fazer uma mudança, ou seja, em sua vontade, pensamentos e ações. O exercício de duas colunas costuma levar a uma conclusão que poderia ser resumida em identificar uma coluna como "minhas ações" e a outra como "todo o resto", mas o processo de chegar à reavaliação do controle é o que importa. As perguntas abaixo também podem ser usadas para ajudar a clarificar sua esfera de controle e preparar a reformulação do problema em termos do que de fato pode ser mudado.

AUTOAVALIAÇÃO: REVISÃO DO CONTROLE

Use as perguntas abaixo para reavaliar quanto controle você tem sobre diferentes aspectos de alguma meta que deseje atingir. Experimente reformular a meta em termos que façam do compromisso com a ação valorizada a coisa mais importante, dando importância secundária ao resultado (sucesso ou fracasso).

1. Qual é a sua meta?
2. Quais obstáculos ou barreiras potenciais poderiam impedi-lo de atingir a meta?
3. Que valores pessoais são mais relevantes ao escolher como agir visando à meta?
4. De quanto controle você dispõe para atingir a meta (0–100%)?
5. O que impede um controle de 100%? Que aspectos estão fora de seu controle direto?
6. O que evita um controle de 0%? Sob quais aspectos você dispõe de certo controle?

O que aconteceria se você aceitasse que o sucesso e o fracasso não estão inteiramente sob o seu controle e focasse em fazer o que pode de acordo com seus valores pessoais? Quais seriam as vantagens e desvantagens (prós e contras) de adotar essa atitude filosófica?

Aplicação de práticas estoicas

Ação com uma cláusula de reserva

Como já mencionado, os estoicos referem-se a agir com uma cláusula de reserva, o que significa ver todas as ações em termos semelhantes a dizer "Faça o que deve fazer e deixe acontecer". Os estoicos expressavam isso declarando sua intenção ("vou viajar para Atenas", por exemplo) e acrescentando a cláusula de reserva ("se a sorte permitir" ou "se nada me impedir"), para lembrar que o resultado desejado, a meta extrínseca, não estava sob controle direto. Mais tarde os cristãos expressariam a mesma noção acrescentando "D.V.", *Deo Volente*, "se Deus quiser", às suas cartas. Disseram-me que os muçulmanos fazem algo parecido ao proferir "Inshallah". Uma noção semelhante está contida na famosa "Prece da serenidade". Trata-se do princípio central do estoicismo.

Os filósofos antigos ilustraram o conceito de cláusula de reserva com a analogia do arqueiro. O arqueiro pode encaixar a flecha e puxar o arco com a máxima habilidade, mas, uma vez lançada a flecha, o que acontece a seguir está fora do controle direto do arqueiro, incluindo as condições climáticas e acertar o alvo ou não. Uma rajada de vento pode desviar a flecha do curso, o alvo pode se mover. A ação está sob o poder do arqueiro; o resultado, não. A atitude filosófica nesse caso seria o arqueiro ficar satisfeito caso tivesse feito bem a sua parte e aceitar o que acontecesse depois, quer acertasse ou errasse o alvo. Trata-se, é claro, de uma metáfora para toda ação humana visando um alvo.

Epicteto também dá o exemplo de um lirista e cantor que sofre de medo de palco, problema semelhante à ansiedade de falar em público, um dos medos modernos mais comuns. Epicteto observa que as pessoas com medo de palco em geral sentem pouca ou nenhuma ansiedade ao se apresentar sozinhas; o medo ocorre apenas diante de uma plateia. O cantor talvez fique ansioso mesmo quando sabe que se apresenta bem, mas não tem certeza de como a plateia vai reagir.

Como explica Epicteto, o artista quer não só cantar bem, mas também ser aplaudido, e isso está além de seu controle direto, o que provoca ansiedade e incerteza quanto ao resultado. Se conseguisse adotar a atitude filosófica da cláusula de reserva, o cantor ficaria mais indiferente à reação da plateia. Ao assumir que o mais importante é fazer bem o que está sob seu controle, ele teoricamente deveria cantar como se estivesse sozinho, sem ansiedade.

Como o arqueiro estoico, se o cantor focasse em fazer o que pode, de acordo com seus valores e da melhor forma possível, e aceitasse o resultado como algo além de seu poder de controle, talvez sofresse menos. Também ficaria mais resiliente a reações negativas da plateia e outros percalços.

Até mesmo William Shakespeare recebeu algumas críticas contundentes – um crítico elisabetano desdenhou-o como pretensioso, um "corvo arrivista". Deveria Shakespeare ter ficado preocupado e envergonhado? (Ao que parece, Shakespeare leu Sêneca, e suas peças exibem influências estoicas; sendo assim, talvez ele empregasse a cláusula de reserva ao receber críticas negativas.)

Às vezes os estoicos levavam esse ponto mais longe, argumentando que nossas intenções, não as nossas ações, são a única coisa sob nosso controle direto.

> Lembre-se de que sua intenção sempre foi agir com uma cláusula de reserva para não desejar o impossível. O que então você desejava? Nada além de ter tal intenção, e isso você conseguiu.
>
> – *Meditações,* 6:50

Sem rodeios, isso equivale a dizer que, no fim das contas, tudo o que interessa na vida é tentar ao máximo fazer o que você considera importante, independentemente de ter êxito ou não. Essa é uma ideia comum em nossa cultura; sua forma original e mais desenvolvida dentro de um sistema filosófico é encontrada no estoicismo. "Se", o famoso poema de Rudyard Kipling, aconselha que, a exemplo dos estoicos,

> Se você deparar com a desgraça e o triunfo
> E conseguir tratar da mesma forma a esses dois impostores (...)
> A Terra, com tudo o que nela existe, é sua,
> E – mais que isso – você será um Homem, meu filho!

Visão do alto

Visão do alto é o nome moderno dado por estudiosos a uma prática contemplativa muito comum encontrada no estoicismo e em outras tradições filosóficas greco-romanas. De certa forma, a visão do alto captura a essência da atitude filosófica estoica. Vamos supor que nossas reações emocionais possam ser distorcidas por estarmos perto demais dos eventos e não enxergarmos o panorama mais amplo. É comum nos sentirmos menos aborrecidos com algum evento depois de certo tempo, olhando em retrospecto de uma perspectiva diferente, com distanciamento. Tudo se encaixa em algum contexto, e sem dúvida o mais próximo que poderíamos chegar da verdade seria a história por inteiro, colocando os eventos no contexto total de tempo e espaço. Para os antigos, essa talvez fosse a perspectiva dos deuses, algo a ser aspirado, embora os mortais jamais pudessem emular tal coisa por completo. Ainda assim, todos nós podemos usar a imaginação para, em alguma medida, ampliar a perspectiva.

De acordo com a mitologia grega, os deuses viviam no topo do monte Olimpo, de onde olhavam para o mundo dos homens com distanciamento. Uma forma de visão do alto consiste em visualizar uma espécie de perspectiva olímpica, imaginando como seria olhar nossa atual situação de vida do alto do céu.

> Platão tem uma bela frase, de que aquele que discursa sobre os homens deveria examinar também as coisas da Terra como que do alto de uma torre de vigia.
>
> – *Meditações*, 7:48

Isso nos permite distanciarmo-nos dos eventos e também pensar em nossa vida dentro do contexto de eventos mais amplos, das vidas de muita gente ao redor. Podemos ampliar mais ainda, para uma perspectiva mais cosmológica, às vezes chamada de consciência cósmica, em que tentamos imaginar espaço e tempo na totalidade. É óbvio que tal visualização não é literalmente possível, mas podemos contemplar o conceito de espaço e tempo totais (o Todo) em nossa mente.

> Você pode descartar a maior parte do lixo que atravanca sua mente – coisas que só existem nela – e abrir espaço para si mesmo

compreendendo a escala do mundo, contemplando o tempo infinito, pensando na velocidade com que as coisas mudam – cada parte de tudo, no curto espaço de tempo entre nosso nascimento e morte, no infinito tempo que veio antes e no tempo igualmente ilimitado que virá a seguir.

– *Meditações*, 9:32, modificado

IDEIA-CHAVE: A VISÃO DO ALTO

Um dos temas recorrentes mais comuns na antiga prática filosófica é a noção de que, pela contemplação do panorama mais amplo, os problemas do momento tendem a parecer mais triviais e menos assoberbantes. Compare essa noção com as estratégias de desfusão cognitiva da ACT discutidas em capítulos anteriores. Os estoicos tentavam obter distância psicológica e expandir sua perspectiva por meio de exercícios contemplativos simples. Aqui estão duas maneiras de fazer isso:

1. Perspectiva olímpica – imaginar o mundo visto do alto do céu, como a visão de um pássaro.
2. Perspectiva cósmica – contemplar a totalidade do espaço e do tempo e o exato local de sua atual situação transitória dentro do todo.

TENTE AGORA: A VISÃO DO ALTO

Este exercício pode ser praticado diariamente ou quando adequado. Pode ser simples ou elaborado, a escolha é sua. Para começar, tente fazer assim: feche os olhos e dedique alguns minutos a focar a atenção nas sensações do corpo, a observar a respiração e a esquecer todo o resto. Imagine-se recuando para fora do corpo e se olhando de fora. A seguir, imagine-se flutuando para o alto enquanto continua a olhar o corpo deixado para trás. Se estiver em um ambiente fechado, imagine que o teto desaparece e você sobe na direção do céu. Ao flutuar lentamente para o alto, continue a ampliar sua perspectiva. Contemple seu corpo lá embaixo por algum tempo, apenas mais uma pessoa entre todas ao redor.

Se quiser, imagine-se a flutuar para o espaço e olhar a Terra do alto, sabendo que você está lá em algum lugar nesse momento. Contemple quão pequena é a parte do mundo que você ocupa, quanta gente vive nesse mesmo mundo e o quanto as coisas são diversificadas. Contemple quão vasto é o universo comparado à Terra, que no todo seria como um minúsculo grão de areia na praia.

A seguir contemple a transitoriedade das coisas e a passagem do tempo. Considere o aqui e agora como um breve instante, como o girar de um parafuso, na totalidade de sua vida. Contemple sua vida como apenas uma de incontáveis bilhões e sua cultura como apenas uma de muitas na Terra. Considere a existência da raça humana como tendo um começo, um meio e um fim e pense no seu pequeno espaço dentro da história de nossa espécie. Por fim, contemple a existência da Terra e mesmo do universo como tendo um início e um fim, pensando sempre no quão pequeno e transitório é o momento presente dentro do vasto rio do tempo cósmico. Quando estiver pronto, apenas reverta a visualização e se imagine flutuando de volta para o corpo, retornando o foco para o aqui e agora, mas conservando um senso da perspectiva mais ampla.

Contemplação do sábio

O filósofo Aristóteles perguntou certa vez: "Que padrão de medida mais acurado que o Sábio nós temos para as coisas boas?". Ou seja, que padrão nós temos para mensurar nossa conduta a não ser a noção de um exemplo ideal que possamos desejar emular? Temos valores, palavras como sabedoria, coragem, autodomínio, integridade. Entretanto, que significado têm essas palavras a menos que se tente imaginar como seria viver plenamente de acordo com os valores que descrevem?

> Escolha alguém cujo estilo de vida, bem como as palavras, e cujo rosto, como um espelho do caráter que repousa por trás dele, tenham conquistado sua aprovação. Destaque-o sempre para si mesmo como seu guardião ou modelo. A meu ver, existe a necessidade de se ter alguém como um padrão para medir nosso caráter. Sem uma régua você não conseguirá endireitar o que está torto.
>
> — Sêneca, *Carta XI*

Como sugere Sêneca, essa referência é aplicada pelo simples uso da ideia de um modelo ou fonte imaginária de orientação e das perguntas:

1. O que o Sábio faria?
2. O que o Sábio me diria para fazer?

Epicteto deu um conselho específico a seus jovens alunos estoicos para quando enfrentassem situações desafiadoras: examinar seus valores, perguntando a si mesmos o que Sócrates, o grande modelo, faria caso enfrentasse as mesmas circunstâncias.

No mundo moderno, pode parecer que haja escassez de tais exemplos. Temos a cultura das celebridades em vez de Sócrates. Você deve pensar por si e escolher os heróis a emular. Como ninguém é perfeito, você pode descobrir que também é sensato fazer uma distinção entre as virtudes que você admira nas pessoas reais, com defeitos, e o ideal abstrato do Sábio absoluto, que provavelmente nunca existiu nem vai existir. Por exemplo, você pode formular a ideia pura e abstrata da coragem perfeita, embora seus modelos possam ser corajosos imperfeitos, mas ainda assim proporcionar exemplos saudáveis dignos de imitação.

Quais as qualidades que você mais admira nos outros? Que tipo de pessoa você definitivamente quer ser na vida? Se você tem um padrão, o conceito de resiliência de algum modo deve estar subordinado a ele. Resiliência refere-se à capacidade de permanecer comprometido com o viver valorizado, com uma vida emulando o ideal mesmo face à adversidade, e de se recomprometer com os valores, voltando para os trilhos depois de um revés provocar um extravio temporário.

IDEIA-CHAVE: O FILÓSOFO-SÁBIO IDEAL

O conceito de um Sábio (*Sophos*) arquetípico atravessa toda a literatura clássica e desempenha papel absolutamente central no estoicismo. (Os eruditos usam "sábio" para indivíduos específicos e "Sábio" com maiúscula para o ideal abstrato.) A imagem do Sábio baseou-se em parte no exemplo vivo dos mais reverenciados filósofos da antiguidade: Diógenes, o cínico; Zenão, o estoico; Heráclito, o pré-socrático; Pitágoras de Samos e uns poucos outros. Entretanto, o eminente sábio encarnado foi sem dúvida Sócrates.

O Sábio proporcionava o modelo ou padrão para o aspirante estoico mensurar suas ações. Sócrates era o modelo primário ou ideal a quem os estoicos tentavam se equiparar mediante a emulação de suas atitudes e ações. Sócrates proporcionou a melhor personificação do Sábio ideal e, portanto, dos valores centrais do estoicismo, das virtudes a que os estoicos aspiravam.

TENTE AGORA: CONTEMPLE O SÁBIO

Dedique um momento para listar as pessoas que mais admira na vida. Inclua personagens ficcionais ou históricos, bem como pessoas vivas ou que você conhece pessoalmente. Tente incluir exemplos que exibem o tipo de resiliência psicológica que você gostaria de emular.

Agora veja se você consegue selecionar as melhores qualidades desses indivíduos e elaborar uma descrição por escrito do seu exemplo ideal de resiliência. Que pontos fortes o modelo teria? Se for difícil, apenas selecione um indivíduo para usar de exemplo por enquanto. Se você pudesse resumir em poucas palavras as qualidades e atitudes que tornam essa pessoa resiliente, quais seriam elas?

Agora faça uma lista de problemas passados, presentes ou futuros relacionados à sua vida. Ao lado de cada um, escreva como imagina que o seu modelo ideal de resiliência enfrentaria a situação. Como suas qualidades o ajudariam? Que atitude ele adotaria? Que conselho ele daria a você para enfrentar os problemas?

Ao fazer isso, é provável que você se veja indo e vindo entre exemplos específicos de enfrentamento de adversidades e atitudes gerais subjacentes, o que deve ajudar a esclarecer as coisas progressivamente.

Manter a resiliência com a filosofia

Se você decidir empregar essa abordagem, pode desejar aprofundar-se nas obras de Sêneca, Epicteto, Marco Aurélio e comentaristas modernos para ter inspiração filosófica. Tente tornar a filosofia uma parte do seu estilo de vida, contemplando seus valores, quem sabe usando a imagem do Sábio regularmente. Contemple a visão do alto todos os dias se puder, para ajudar a preservar uma perspectiva filosófica da vida. Como disse o poeta romano Horácio, "ouse ser sábio", almeje a coragem e a resiliência para viver segundo seus ideais.

Pontos de foco

Os pontos principais deste capítulo são:

- O estoicismo foi uma filosofia prática que enfatizou a construção de resiliência emocional de maneira semelhante à das abordagens psicológicas modernas.
- O princípio básico do estoicismo é que devemos ficar atentos a nossos pensamentos, evitando confundi-los com a realidade, e verificar se estão relacionados a coisas sob nosso controle ou não.
- Os estoicos acreditavam que o sofrimento emocional se devia principalmente a dar valor excessivo a coisas fora de nosso controle

e valor insuficiente a nossas ações praticadas de acordo com os verdadeiros valores pessoais.

- Contemplar a visão do alto ou nosso modelo ideal de resiliência (o Sábio) são estratégias estoicas clássicas para a construção de resiliência emocional.

Próximo passo

Ao terminar a primeira leitura deste livro, é uma boa ideia relê-lo. Tente priorizar as partes que parecem mais relevantes para as suas necessidades. Mantenha registros do seu progresso. Se deparar com obstáculos, o que simplesmente é da natureza humana, revise o guia para a solução de problemas do primeiro capítulo, projetado especificamente para ajudá-lo a enfrentar os reveses em seu treinamento em resiliência de modo resiliente!

LEITURA ADICIONAL

Irvine, W. B. (2009). *A Guide to the Good Life: The Ancient Art of Stoic Joy.*

Robertson, D. J. (2010). *The Philosophy of Cognitive-Behavioural Therapy (CBT): Stoic Philosophy as Rational & Cognitive Psychotherapy.*

Stockdale, J. (1995). *Thoughts of a Philosophical Fighter Pilot.*

Referências

Alberti, R. & Emmons, M. (2008, 9ª ed.). *Your Perfect Right: Assertiveness and Equality in Your Life and Relationships.* Manassas: Impact.

Aurelius, M. (2003). *Meditations: Living, Dying and the Good Life* (G. Hays, trad.). Londres: Phoenix.

Bastani, F., Hidarnia, A., Kazemnejad, A., Vafaei, M. & Kashanian, M. (2005). "A Randomized Controlled Trial of the Effects of Applied Relaxation Training on Reducing Anxiety and Perceived Stress in Pregnant Women", *Journal of Midwifery and Women's Health,* 50(4), 36–40.

Baumeister, R., Campbell, J., Krueger, J. & Vohs, K. (2003). "Does High Self-Esteem Cause Better Performance, Interpersonal Success, Happiness, or Healthier Lifestyles?", *Psychological Science in the Public Interest,* (4), 1–44.

Beck, A. T. & Alford, B. A. (2009, 2ª ed.). *Depression: Causes and Treatment.* Filadélfia: University of Pennsylvania Press.

Bell, A. C. & D'Zurilla, T. J. (2009). "Problem-Solving Therapy for Depression: A Meta-Analysis", *Clinical Psychology Review,* (29), 348–353.

Bernstein, D. A., Borkovec, T. D. & Hazlett-Stevens, H. (2000). *New Directions in Progressive Relaxation Training: A Guidebook for Helping Professionals.* Westport: Praeger.

Bernstein, D. A., Carlson, C. R. & Schmidt, J. E. (2007, 3ª ed.). "Progressive Relaxation: Abbreviated Methods", em P. M. Lehrer, R. L. Woolfolk & W. E. Sime (eds.), *Principles and Practice of Stress Management,* 88–122. Nova York: Guilford Press.

Biglan, A., Hayes, S. C. & Pistorello, J. (2008). "Acceptance and Commitment: Implications for Prevention Science", *Prevention Science,* 9 (3), 139–152.

Bolton, R. (1979). *People Skills: How to Assert Yourself, Listen to Others, and Resolve Conflicts*. New Jersey: Prentice Hall.

Borkovec, T. (2006). "Applied Relaxation and Cognitive Therapy for Pathological Worry and Generalized Anxiety Disorder", em G. C. Davey & A. Wells (eds.), *Worry & its Psychological Disorders: Theory, Assessment & Treatment*. Chichester: Wiley.

Borkovec, T. & Sharpless, B. (2004). "Generalized Anxiety Disorder: Bringing Cognitive-Behavioural Therapy into the Valued Present", em S. C. Hayes, V. M. Follette & M. M. Linehan (eds.), *Mindfulness & Acceptance: Expanding the Cognitive-Behavioral Tradition*, 209–242. Nova York: Guilford Press.

Braid, J. (2009). *The Discovery of Hypnosis: The Complete Writings of James Braid, The Father of Hypnotherapy* (D. J. Robertson, ed.). Studley: The National Council for Hypnotherapy.

D'Zurilla, T. J. & Goldfried, M. R. (1971). "Problem Solving and Behavior Modification", *Journal of Abnormal Psychology*, 78 (1), 107–126.

D'Zurilla, T. J. & Nezu, A. M. (2007). *Problem-Solving Therapy: A Positive Approach to Clinical Intervention*. Nova York: Springer Publishing.

Ellis, A. (2005). *The Myth of Self-Esteem*. Amherst: Prometheus.

Epictetus. (1995). *The Discourses, The Handbook, Fragments* (R. Hard, trad.). Londres: Everyman.

Fennell, M. J. (1999). *Overcoming Low Self-Esteem: A Self-Help Guide Using Cognitive Behavioral Techniques*. Londres: Robinson.

Fisher, P. & Wells, A. (2009). *Metacognitive Therapy: Distinctive Features*. Londres: Routledge.

Hadot, P. (1995). *Philosophy as a Way of Life* (A. I. Davidson, ed., & M. Chase, trad.). Malden: Blackwell.

Hadot, P. (1998). *The Inner Citadel: The Meditations of Marcus Aurelius* (M. Chase, trad.). Cambridge: Harvard University Press.

Hadot, P. (2002). *What Is Ancient Philosophy?* (M. Chase, trad.). Cambridge: Harvard University Press.

Harris, R. (2008). *The Happiness Trap (Based on ACT: A Revolutionary Mindfulness-Based Programme for Overcoming Stress, Anxiety and Depression).* Londres: Robinson.

Hayes, S. C. (2005). *Get Out of Your Mind and Into Your Life: The New Acceptance and Commitment Therapy.* Oakland: New Harbinger.

Hayes, S. C., Follette, V. M. & Linehan, M. M. (Eds.). (2004). *Mindfulness and Acceptance: Expanding the Cognitive-Behavioral Tradition.* Nova York: Guildford Press.

Hayes, S. C., Luoma, J., Bond, F., Masuda, A. & Lillis, J. (2006). "Acceptance and Commitment Therapy: Model, Processes and Outcomes", *Behaviour Research and Therapy*, 44, 1–25.

Hayes, S. C., Strosahl, K. D. & Wilson, K. G. (1999). *Acceptance and Commitment Therapy: An Experiential Approach to Behavior Change.* Nova York: Guilford.

Hayes, S. C., Strosahl, K. D. & Wilson, K. G. (2012, 2ª ed.). *Acceptance and Commitment Therapy: The Process and Practice of Mindful Change.* Nova York: Guilford.

Hofmann, S., Sawyer, A., Witt, W. & Oh, D. (2010). "The Effect of Mindfulness-Based Therapy on Anxiety and Depression: A Meta-Analytic Review", *Journal of Consulting and Clinical Psychology*, 78, 169–183.

Irvine, W. B. (2009). *A Guide to the Good Life: The Ancient Art of Stoic Joy.* Nova York: Oxford University Press.

Jacobson, E. (1938, 2ª ed.). *Progressive Relaxation: A Physical and Clinical Investigation of Muscular States and Their Significance in Psychology and Medical Practice.* Chicago: University of Chicago Press.

Jacobson, E. (1977). *You Must Relax*. Londres: Unwin.

Kabat-Zinn, J. (2004, ed. 15º aniversário). *Full Catastrophe Living: How to Cope with Stress, Pain and Illness, Using Mindfulness Meditation*. Londres: Piatkus.

Kuyken, W., Padesky, C. A. & Dudley, R. (2009). *Collaborative Case Conceptualization: Working Effectively with Clients in Cognitive-Behavioral Therapy*. Nova York: Guilford.

Lazarus, R. S. (1966). *Psychological Stress and the Coping Process*. Nova York: McGraw-Hill.

Lazarus, R. S. (1999). *Stress and Emotion: A New Synthesis*. Nova York: Springer.

Lazarus, R. S. & Folkman, S. (1984). *Stress Appraisal and Coping*. Nova York: Springer.

Leahy, R. L. (2005). *The Worry Cure: Stop Worrying & Start Living*. Londres: Piatkus.

Long, A. (2002). *Epictetus: A Stoic and Socratic Guide to Life*. Oxford: Oxford University Press.

Malouff, J. M., Thorsteinsson, E. B. & Schutte, N. S. (2007). "The Efficacy of Problem-Solving Therapy in Reducing Mental and Physical Health Problems: A Meta-Analysis", *Clinical Psychology Review*, 27, 46–57.

Manzoni, G. M., Pagnini, F., Castelnuovo, G. & Molinari, E. (2008). "Relaxation Training for Anxiety: A Ten-Years Systematic Review with Meta-Analysis, *BMC Psychiatry*, 8 (41).

Masten, A. S., Cutuli, J., Herbers, J. E. & Reed, M.-G. J. (2009, 2ª ed.). "Resilience in Development", em S. J. Lopez & C. Snyder (eds.), *The Oxford Handbook of Positive Psychology*, 117–131. Oxford: Oxford University Press.

McGuigan, F. J. (1981). *Calm Down: A Guide to Stress and Tension Control*. Londres: Prentince-Hall.

McGuigan, F. & Lerher, P. M. (2007, 3ª ed.). "Progressive Relaxation: Origins, Principles, and Clinical Applications", em P. M. Lehrer, R. L. Woolfolk & W. E. Sime (eds.), *Principles and Practice of Stress Management*, pp. 57–87. Nova York: Guilford Press.

Mooney, K. & Padesky, C. (julho de 2002). "Cognitive Therapy to Build Resilience", anotações de workshop apresentado no encontro anual da Associação Britânica de Psicoterapias Cognitivo-Comportamentais em Warwick, Reino Unido.

Neenan, M. (2009). *Developing Resilience: A Cognitive-Behavioural Approach*. Hove: Routledge.

Newman, M. G. & Borkovec, T. D. (2002). "Cognitive Behavioural Therapy for Worry and Generalised Anxiety Disorder", em G. Simos (ed.), *Cognitive Behaviour Therapy: A Guide for the Practising Clinician*, 150–172. Hove: Brunner-Routledge.

Nezu, A. M., Nezu, C. M. & D'Zurilla, T. J. (2007). *Solving Life's Problems: A 5-Step Guide to Enhanced Well-Being*. Nova York: Springer.

Osborn, A. (1952). *Wake up your Mind*. Nova York: Charles Scribner's Sons.

Öst, L.-G. (1987). "Applied Relaxation: Description of a Coping Technique and Review of Controlled Studies", *Behaviour Research & Therapy*, 25 (5), 397–409.

Padesky, C. A. (1994). "Schema Change Processes in Cognitive Therapy", *Clinical Psychology and Psychotherapy*, 1 (5), 267–278.

Reivich, K. & Shatté, A. (2002). *The Resilience Factor*. Nova York: Three Rivers.

Robertson, D. J. (julho de 2005). "Stoicism: A Lurking Presence", *Counselling & Psychotherapy Journal*.

Robertson, D. J. (2010). *The Philosophy of Cognitive-Behavioural Therapy (CBT): Stoic Philosophy as Rational & Cognitive Psychotherapy*. Londres: Karnac.

Roemer, L. & Orsillo, S. M. (2002). "Expanding Our Conceptualization of and Treatment for Generalized Anxiety Disorder: Integrating Mindfulness/ Acceptance-Based Approaches with Existing Cognitive-Behavioural Models", *Clinical Psychology: Science & Practice*, 9 (1), 54–68.

Roemer, L. & Orsillo, S. M. (2009). *Mindfulness & Acceptance-Based Behavioural Therapies in Practice*. Nova York: Guilford.

Salter, A. (1949, ed. aniversário, 2002). *Conditioned Reflex Therapy*. Gretna: Wellness Institute Ltd.

Seligman, M. E. (1995). *The Optimistic Child: A Proven Program to Safeguard Children against Depression and Build Lifelong Resilience*. Nova York: Houghton Mifflin.

Seligman, M. E. (2002). *Authentic Happiness: Using the New Positive Psychology to Realize your Potential for Lasting Fulfilment*. Nova York: Simon & Schuster.

Seligman, M. E. (2011). *Flourish: A New Understanding of Happiness and Well-being.*: Londres: Nicholas Brealey.

Seligman, M. E., Rashid, T. & Parks, A. C. (2006). "Positive Psychotherapy", *American Psychologist*, 61 (8), 774–788.

Seneca. (2004). *Letters from a Stoic* (R. Campbell, trad.). Middlesex: Penguin.

Sibrava, N. J. & Borkovec, T. D. (2006). The Cognitive Avoidance Theory of Worry. In G. C. Davey & A. Wells (eds.), *Worry and its Psychological Disorders: Theory, Assessment and Treatment*, 239–256). Chichester: Wiley.

Simon, S. B., Howe, L. W. & Kirschenbaum, H. (1972). *Values Clarification: A Practical, Action Directed Workbook*. Nova York: Warner.

Skinner, B. (1971). *Beyond Freedom & Dignity*. Cambridge: Hacket.

Stockdale, J. (1995). *Thoughts of a Philosophical Fighter Pilot*. Stanford: Hoover Institute Press.

Wells, A. (2009). *Metacognitive Therapy for Anxiety and Depression*. Nova York: Guilford.

Wolpe, J. (1958). *Psychotherapy by Reciprocal Inhibition*. Stanford: Stanford University Press.